第 七 卷

1923.1—1923.6

孙中山全集

中山大学历史系孙中山研究室
广东省社会科学院历史研究室 合编
中国社会科学院近代史研究所中华民国史研究室

中 华 书 局

目　录

中国国民党宣言*

（一九二三年一月一日）

中国之所以革命，与革命之所以成功，原因虽繁，约而言之，不外历史之留遗与时代之进化而已。盖以言民族，有史以来，其始以一民族成一国家，其继乃与他民族糅合抟聚以成一大民族。民族之种类愈多，国家之版图亦随以愈广。以言民权，则民为邦本之义，深入于人心，四千余年残贼之独夫，鲜能逃民众之斧钺。以言民生，则不患寡而患不均之说，由学理演为事实，求治者以摧抑豪强为能事，以杜绝兼并为盛德，贫富之隔，未甚悬殊。凡此三者，历史之留遗，所以浸渍而繁滋者，至丰且厚，此吾人所以能自立于世界者也。然民族无平等之结合，民权无确立之制度，民生无均衡之组织，故革命战争循环不已，盛衰起伏，视为固然，而未由睹长治久安之效。近世以来，革命思潮，磅礴于欧，渐渍于美，波荡于东亚。所谓民族主义、民权主义、民生主义，乃由磨砻而愈进于光明，由增益而愈趋于完美。此世界所同，而非一隅所能外者。我国当此，亦不能不激励奋发，于革命史上开一新纪元矣。

本党总理孙先生文，内审中国之情势，外察世界之潮流，兼收众长，益以新创，乃以三民主义为立国之本原，五权宪法为制度之纲领，俾民治臻于极轨，国基安于磐石；且以跻于有进而无退，一治而不复乱之域焉。夫革命之内容既异于前代，革命之手段亦因以

---

* 一九二二年九月四日，孙中山在上海召开改进国民党的会议，随即指定有共产党人参加的九人改进案起草委员会，推定宣言起草人。此宣言即为改进国民党而发。

不同。前代革命虽起于民众，及其成功，则取独夫而代之，不复与民众为伍。今日革命则立于民众之地位，而为之向导，所关切者民众之利害，所发抒者民众之情感。于民众之未喻，则劳心焦思，瘏口哓音，以申儆之；且不恤排万难，冒万险，以身为之先。及其既喻，则相与勠力，锲而不舍，务蕲于成而后已。故革命事业由民众发之，亦由民众成之。本此宗旨，爰有兴中会之组织，事业非常，顿遭挫折。继以时势之推移，人心之感动，志于革命者，乃如水之随地而涌，于是更扩而为同盟会。党员遍于各省，而弥漫于海外；主义之宣传与实行，前仆后继，枕藉相望，党员为主义而流之血，殆足以涤尽赤县之腥膻矣。清廷既覆，民国肇兴，以为破坏已终，建设方始，宪政实施，宜有政党，故国民党因以成立。中更癸丑之变，痛邦基未固，国难方殷，复有中华革命党之改组，集合同志，努力与卖国称帝者为敌。及帝制既踣，革命之进行于以停止。既而武人毁法倡乱，国内汹汹，连兵数载，未获宁息。同人感于主义之未贯沏，责任之无旁贷，乃更组织中国国民党，以与全国人士共谋完成民国建设之大业，而期无负初衷焉。盖吾党名称虽有因革，规则虽有损益，而主义则始终一贯，无或稍改。

溯自兴中会以至于今，垂三十年，吾党为国致力虽稍稍有所成就，而挫折亦至多。顾所成就者，为主义之成就；而所挫折者，则非主义之挫折，特进行之偶然颠踬而已。民国以前，吾党本主义以建立民国；民国以后，则本主义以捍卫民国。前此数年，为民国与非民国之争；最近数年，为法与非法之争。反对者所挟持之力非不甚强，然卒于一蹶而不能复振。盖其所施为者，违反国情，悖逆时势，有以使然也。然亦惟反对者之梗阻与中立者之观望，遂致民国之建设事业，进行迟滞，三民主义尚未能完全实现，五权宪法亦未得制定施行，此吾党所为旁皇不可终日者。抚已有之成效，既不敢不自勉，思现存之缺憾，又不敢不自奋，则惟有夙夜黾勉，前进不已，以求最后之成功已耳！所谓成功者，非一人一党之谓，乃中华民国由阽危而巩固、而发扬光大之谓也。本党同人爰据斯旨，依三民、五权之原则，对国家建设计划及现所采用之政策，谨依次陈述于国民之前。

一、前清专制，持其"宁赠朋友，不与家奴"之政策，屡牺牲我民族之权利，与各国立不平等之条约。至今清廷虽覆，而我竟陷于为列强殖民地之地位矣。故吾党所持之民族主义，消极的为除去民族间之不平等，积极的为团结国内各民族，完成一大中华民族。欧战以还，民族自决之义，日愈昌明，吾人当仍本此精神，内以促全国民族之进化，外以谋世界民族之平等。其大要如左：

甲、励行教育普及，增进全国民族之文化。

乙、力图改正条约，恢复我国国际上自由平等之地位。

二、现行代议制度已成民权之弩末，阶级选举易为少数所操纵。欲践民权之真义，爰有下列之主张：

甲、实行普选制度，废除以资产为标准之阶级选举。

乙、以人民集会或总投票之方式，直接行使创制、复决、罢免各权。

丙、确定人民有集会、结社、言论、出版、居住、信仰之绝对自由权。

三、欧美经济之患在不均，不均则争；中国之患在贫，贫则宜开发富源以富之。惟富而不均，则仍不免于争，故思患预防，宜以欧美为鉴，力谋社会经济之均等发展，及关于社会经济一切问题，同时图适当之解决。其纲领如左：

甲、由国家规定土地法、使用土地法及地价税法。在一定时期以后，私人之土地所有权，不得超过法定限度。私人所有土地，由地主估报价值于国家，国家就价征税，并于必要时，得依报价收买之。

乙、铁路、矿山、森林、水利及其他大规模之工商业，应属于全民者，由国家设立机关经营管理之，并得由工人参与一部分之管理权。

丙、清查户口，整理耕地，调正粮食之产销，以谋民食之均足。

丁、改良币制，以实货为交易之中准，并订定税法，整理国债，以保全国经济之安宁。

戊、制定工人保护法，以改良劳动者之生活状况，徐谋劳资间地位之平等。

己、确认妇女与男子地位之平等，并扶助其均等的发展。

庚、改良农村组织，增进农人生活，徐谋地主佃户间地位之平等。

同人所计虑，尚有不止于是者。右所陈述，特其崖略，其余国家重大事项，将依本党规程，就专任委员研究之结果，继续就商于邦人君子。谨此宣言。

中国国民党本部

中华民国十二年正月一日

据上海《民国日报》增刊一九二三年一月一日《中国国民党宣言》

中国国民党党纲

（一九二三年一月一日）

一、三民主义

（甲）民族主义：以本国现有民族构成大中华民族，实现民族的国家。

(乙)民权主义:谋直接民权之实现与完成男女平等之全民政治,人民有左列各权:

(一)选举权;

(二)创制权;

(三)复决权;

(四)罢免权。

(丙)民生主义:防止劳资阶级之不平,求社会经济之调节,以全民之资力,开发全民之富源,其大要实施如左:

(一)国营实业:凡国中大规模之实业属于全民,由政府经营管理之;

(二)平均地权:由国家规定土地法、使用土地法及地价税法,以谋地权之平均;

(三)改革货币:革新货币制度,以谋国内经济之进步。

二、五权宪法

(甲)立法权;

(乙)司法权;

(丙)行政权;

(丁)监察权;

(戊)考试权。

以五权分立为原则,完成民国更进步之宪法。

据上海《民国日报》增刊一九二三年一月一日《中国国民党党纲》

在上海中国国民党改进大会的演说

（一九二三年一月二日）

现在总章已通过了，我们便要照着实行，但实行还要得人。我们对于时局，要分几方面进行；我们的人材，要照几方面来分配。我们进行的方法，大要是三种：一、政治进行；二、军事进行；三、党务进行。我们的政治进行，现有许多人在北京，还有许多人散在各省，分头担任。我们党里的军人，就多在南方做军事活动。现在本党修改新章，就要觅一班人才来担任党务的进行。

政治进行是靠不住的，随时可以失败。军事进行现在也有了多年，靠着他来改造国家，还说不定成功与否。所以政、军两种进行，成败都未可必。只有党务进行是确有把握的，有胜无败的。我们革命党自发起至今已有三十年，我党主义是只有进步无退步的。大约十年前比二十年前进步，现在比十年前又进步。照此类推，再过十年，这进步必更胜于今。所以说党务进行是有胜无败的，是一定可靠的。

但是，我们自革命成功以来、民国成立以后，我们的党务反不如前，几成了一盘散沙，把从前革命的精神都无形丧失了。这就是由于成功之后，大家都不注重党事，只看重政、军两种进行，所以就大遭失败。现在要从党务进行，就是要恢复以前革命党的精神，发挥十几年前吾党先烈的精神。这样做来，成功一定可靠。

党的进行，当以宣传为重。宣传的结果，便是要招致许多好人来和本党做事。宣传的效力，大抵比军队还大。古人说："攻心为上，攻城为下。"宣传便是攻心。又说："得其民者，得其心也。"我们能够宣传，使中国四万万人的心都倾向我党，那便是大成功了。我们从前本手无寸铁，何以会革命成功呢？就由于宣传得力。革命以后大家有了军队，有了政权，以为事在实行，不必注意宣传。岂知革命成功就只有宣传一道，可惜大家都忘记了，现在我们要反省才好。

俄国五六年来革命成功，也就是宣传得力。他的力量不但及于国内，并且推及国外。前回英国与俄国订约，约内有一条订明不准在英国内宣传，足见宣传之力无可抵制，只好订为条件。英国军力、财力皆可对付俄国有余，只有宣传无法对付，足见宣传这种武器比军队还强。

今天我们把本党再改进、再扩张起来，对于中国是很有办法的。现在比从前自由很多，从前是不准革命党随处昌言的，现在尽可随便传布。各界的人心，倾向我党的也很多。只可惜宣传工夫少了，我党党员也没有十分宣传的训练，所以党务还没有最大发达。我们要晓得宣传这种武器，折服一人便算得了一人，传入一地便算有了一地。不比军队夺了城池，取了土地，还是可被人推翻的，还是很靠不住的，所以我们要对宣传切实来下番工夫。不如此，这目的就难以达到。不过要做宣传，就要有一个最便利的机关、最巩固的机关。这机关是什么呢？就是个党。所以我们要切实把党务来改良、来扩张，使一日一日的进步才好。所以今天很希望大家照此新章来商量组织，请大家从长讨论。

【当时讨论结果，须先组织干部。总理提议】干部职员太多，依总章，现在代表会未成立以前，都由总理任命。但我一人那能想出这多适当人材，只好请大家不拘方式，任意推荐，以备参考。

【众赞成。复次，张秋白起问，宣言有“殖民地”三字，可否改为共治地，总理答词为下】此句是我加的。因为中国地位，在国际间实在比亡国不上，比高丽、安南对于他的上国所保有的权利还少。单说海关一事，现在还是值百抽五。诸君要晓得，这五还是七十年前价格的五，不是现在的五。现在虽说了增加税率，费了许多运动，却闻意大利人还没答应，可见艰难之极了。高丽人如果逢着大灾，饿死的满地，日本人为体面起见，定要去救济他。若是中国有灾，外国人随意捐助几元便了不起。外国人只在中国所得中国权利比高丽、安南还多还很。若论起义务来，却没有对待他属国的热心，这不是殖民地是什么？

这些不平的情状，总以说穿为好，不要怕侮辱了国体。从前梁启超因要打销汉人排满的义愤，便说满清入关，中国不算亡国。因为满清曾受过中国龙虎上将的封号，所以也是中国的臣民代替了明朝。当时我们驳他：如受过封便算中国臣民，那吗赫德是中国的户部，戈登是中国的将军，若是得了中国，也就不算亡国了。他们设〔说〕这种话，无非要压抑国民的反动。我们正望国民有觉悟、知痛苦、知奋发，那便非说穿不可，何必自瞒自呢？实在外国人对中国不起的地方，外国人原来明白，他的良心上也十分过不去，所以有华盛顿会〈议〉的发起，原想把中国提平一点；可惜中国人自己不懂，畏首畏尾，只争到几条有名无实的原则。最吃亏的青岛，可算花了一笔代价得回来了。但是还有许多地方，何以又不通统退还呢？可见青岛是在近的事，大家叫得声浪很大，故有效力。其余地方吃亏久了的，便咽在肚里不说，以致帮忙的也就无可帮忙。这就是中国人外交失败之处呀！

据《中央党务月刊》（中国国民党中央执行委员会秘书处印行）第二期（一九二八年出版）《总理演说》

致张绍曾函*

（一九二三年一月三日）

敬舆仁兄惠鉴：

久暌风度，时用怀想。

迩来迭接固卿[①]兄函电，藉悉我兄谋国公忠，将以和平统一号召天下，收拾六年以来分崩离析之局。长才远识，甚慰所怀。文自今〔去〕夏直军将士表示尊重护法以来，认为和平统一时机已至，方拟着手进行，猝遭粤乱[②]，未遂其志；然耿耿此心，终始不渝，荏苒半载，无裨大计，辄用嗟叹。今执事发此宏愿，且毅然挺身以当此难局，甚盼执事之遂底于成也。且闻执事于将受大任之际，不欲袭历来恶例，草率就职，而必以国会为期，尤征高议。想履事之后，和平统一之方策必能如意施行，无所迟滞矣！敬以为贺。未尽之怀，统由国〔固〕卿兄代陈，恕不一一。

惟尚有不能已于言者，今者国会虽得在北京自由召集，然议员资格，屡起纠纷，护法事业，犹有缺憾，尚望执事扶助正义，俾得完满解决。此不特时局之幸，亦历史之光。执事明义，当不以此言为汗漫耳。余不一一。

孙文　一月三日

据北京《益世报》一九二三年一月十一日
《府院合手办统一之动机》

---

* 从一九二二年十二月初起，张绍曾即筹组北京政府内阁。张在争夺总理位置时，标榜和平统一，大谈裁兵。一九二三年一月四日，张绍曾就北洋政府国务总理职。

① 固卿：即徐绍桢。

② 粤乱：指一九二二年六月陈炯明叛变。

批张兆基呈*

（一九二三年一月三日）

代答：请他通信彼方，联络一致，以待时机。（西北事当汇为一部，以便查考。）

据《国父全集》第四册（转录史委会藏原件）

讨伐陈炯明通电

（一九二三年一月四日）

广东汕头、香港各报馆转广东全省人民公鉴：陈逆炯明叛国之罪，擢发难数。半载以来，倒行逆施，纪纲荡然，骄兵悍将，贪官污吏，以百姓为鱼肉；尤复阴弛赌禁，操纵金融，以至民生憔悴，不可终日，祸粤之罪，更不容诛。近更野心不戢，肆毒邻省，西则对于驻桂滇军及桂军，穷极挑拨离间之技，诱使相攻，以为得计；东则对于福建，居心吞噬，不惜勾引赣兵，以施行夹攻计划，穷凶极恶，实为国民所同愤。文自昨年八月离去广州，即分命诸路将士，同心讨贼。兹据西路讨贼诸军报告：滇军总司令杨希闵会同桂军总指挥刘震寰，于昨年十二月二十七日克藤县，随于二十八日会同粤军第三、四师克梧州，整军东下，直指肇庆；并得沈总司令鸿英协同动作，军威远振，贼势不支。闻报之余，深为嘉慰。诸军将士奋勇杀贼，为民除害，凡我粤人，务宜敌忾同仇，以成拨乱反正之功。近闻

* 张兆基呈报，建议把管匡所部编为陕北新编步兵团。

贼军布散流言，谓客军入境，亡省可虞。此等谰言出于贼军之口，乃其平日诪张为幻之惯习，不足置辩。须知此次讨贼诸军深明大义，恪从命令，为国家除叛逆，为广东去凶残，纯以人道国法为依归，绝无部落拘墟之见。讨贼功成，诸军各有任务，或尽猝国防，或服务乡土，奉公守法，惟日且不暇给，岂屑如陈逆等之惟知盘踞地方、以土豪自命乎？我广东全省人民既备受陈逆之毒害，必深知陈逆之诈伪，际此义师奋发，叛徒丧胆，当急起直前，以人心为士气之后盾，俾肤功早奏，四境乂安，有厚望焉。孙文。支。

据上海《民国日报》一九二三年一月五日
《孙大总统讨陈炯明电》

致曹世英函

（一九二三年一月四日）

俊夫兄鉴：

贵代表周君至此，藉聆近况，甚慰。

国事蜩螗，于今愈甚，惟有识者拔出庸流，力图远大，斯为有济。兄耐劳忍苦，历有数年，艰贞可见。既在北方握有实力，则相机报国，尤属易图。方今军阀外观势力虽大，实若冰山耳。吾人果以爱国之赤诚，作顺人之举动，其成功可必也。北风多厉，惟为国努力，毋任期望。此致，即询
筹祺

十二年一月四日

据《中央党务月刊》第十六期《总理函稿》
（一九二九年十一月出版）

复李少白函

（一九二三年一月四日）

少白吾兄惠鉴：

成君[①]携来手书，备稔一是。

奉方人士既知局部之和不能裨益大局，谅有鸿图，继行纾展也。刻桂中各军与粤军联合讨陈，已进取西江，粤省震动，戡定之期不远矣。

北方现局有何变化，亦望随时见告，甚幸。此复，并颂

筹祺

一月四日

据《中央党务月刊》第十六期《总理函稿》

复聂其述等函[*]

（一九二三年一月四日）

云台、日章、梦麟、任之先生同鉴：

接奉元旦所发快邮代电，劝告裁兵，所陈理由既深切著明，所订方法亦切实可行，浏览之余，至深快慰。

文于昨年六月六日发表宣言，于化兵为工及制置国防军诸计

① 成君：即成济安。

* 全国商联会推举聂其述（云台）、余日章、蒋梦麟、黄炎培（任之）等为裁兵劝告代表，于元旦发出劝告裁兵的快邮代电，提出裁兵与和平统一的主张，并提出赞成和贯彻裁兵主张者，方可举为总统。此系孙中山复函。

划，已有具体方案。方期运用职权，贯彻主张，以不负国民付托之重，猝遭粤变，事与愿违，然耿耿此志，始终不渝。自维平生建国怀抱，格不得行十常八九，探其原因，虽似由敌党之顽抗，而实由民众之寡和有以使然。国利民福之事，国民不自急起直追，又不予先驱者以援助，则先驱者以势孤而致蹶，后起者以覆辙而寒心，坐令奸宄横行，仇雠快意，而躬被其祸者仍为国民，言念及此，可为痛心。

今者，全国商会联合会既以裁兵主张昭示天下，又得诸先生之大声疾呼，国民自动之精神，涣汗大号，足使孤行独往之士，闻之勇气百倍，感甚佩甚。顾犹有不能已于言者，国民之表示主张，自以劝告当局为第一步；然而与虎谋皮，久垂明戒，故第二步之办法，不可不为积极之准备，以免徒蹈空言。当局之漠视舆论，摧残民意久矣，非示以实行之决心与毅力，必不能使之降心以相从，历史以来，无不劳而获之民权，无垂手可成之功业，愿诸先生勉之，并愿全国商会联合会共勉之也。专此布臆，并颂

台绥

一月四日

据《中央党务月刊》第十六期《总理函稿》

复林森函*

（一九二三年一月五日）

子超吾兄大鉴：

奉诵贺笺，弥深怅感。

岁华不待，而国乱如恒，我辈仔肩之重，诚非兼途并进，不足以

---

* 林森时任福建省长。

完大愿于万一。今岁履端发表本党宣言,谅经达览。党纲及修正总章,亦同宣布,冀从此收罗群彦,固我基础。兄地处可为,幸并留意焉。西江军事甚利,戡定有期。闽省应行准备之事,尤望极力进行,促成大举。二十六日手函,亦经接悉。并复,即颂

筹祺

一月五日

据《中央党务月刊》第十六期《总理函稿》

复李根源函*

(一九二三年一月五日)

印泉吾兄惠鉴:

顷诵支电,敬悉吾兄续长农商,为国得人,长才克展,甚慰甚慰!

此次张阁不肯蹈袭迩来恶例,必欲得国会通过,始出当大任,具见尊崇法治之盛意。现时国会已能自由行使职权于北京,惟议员资格问题,国会自身尚未能为圆满之解决,尚望兄协赞一切,使护法问题完全无憾,是所至企。

西路讨贼军①已下梧州,攻肇庆,军势甚顺,贼当不支,堪以告慰。余不一一。专此,敬候

台绥

孙文 一月五日

据北京图书馆编《文献》第九辑(书目文献出版社一九八一年十月发行)李希泌《孙中山的两封信》

---

* 李根源于一月四日电告孙中山:张绍曾重组北京政府内阁,李本人续任农商总长。

① 西路讨贼军:指当时接受孙中山领导讨伐陈炯明的滇桂联军。

复王正廷函*

（一九二三年一月五日）

儒堂兄鉴：

前以墨西哥同志余和鸿为敌党倾陷，将被摈逐，曾请电驻墨公使设法挽救。继奉复电，以据驻墨王使复称“余和鸿藉党横行，侨民切齿，本年侨界突起争杀，余经告发主谋”等语。查此次报告，当是一面之词。据本党在墨同志所述，则适与此相反。今将大略情形抄奉一览，此中曲直，不难概见。余和鸿如果为暗杀主谋，墨国法庭当以法律处分之。今不出于法律，而出于总统之特权，是足证余案并无犯法行为；勒余出境，当系该使偏帮一面，尽力为之运动耳。

又查同志所述，杀人主犯又已被法庭拘捕，实属敌党所为，而本党党员完全胜诉。其初被诬牵拟勒出境者，经诉明后，亦业由墨政府电令善督保留。此为八月间事，何以此后忽翻前案，乃至如该使所称“墨委员赴顺查复：此次侨争，实余鼓动，无辜被逮者几及三百余人；又有筹款北伐，诋毁现任元首之事，墨政府将严办，恐难邀免”等语，翻云覆雨，其情状不大可见耶？况前云争杀，而后乃牵入北伐等语，足见争杀非罪，乃更架以他词，计诚狡矣！夫北伐何起？起于护法。今北京已自称恢复法统，则护法者不得为罪。乃今外使犹欲藉此以加罪于护法之人，是显与现在承认法统之当道相背驰，其不职已甚。故该使如不肯打消其迫陷余和鸿之手段，则是已视北京政府之命令如弁髦；如北京政府明知之，而相容该使之任性

* 王正廷时任北京政府外交总长。

妄为，是阳认法统而阴仇护法之人也。是否如此，即堪以此案为证。

吾国侨民受外人之虐至矣，若更由公使使人无理放逐，恶弊一开，必使侨民无托足之地。兄谙悉外情，谅怀隐痛。应如何对外以崇国体，对内以慰侨情，企望有以补救之也。此复，并颂
筹祺

一月五日

据《中央党务月刊》第十六期《总理函稿》

复王正廷函*

（一九二三年一月六日）

儒堂兄鉴：

包君世杰持来大札，备稔鲁案接收情况，甚佩勤劳。

内政不清，外交益多荆棘，有谓外交运用得宜，则内政可徐图改善者，此实未窥外患之来，由于内隙耳。来书谓默察举国人民均有刷新之决心，窃实愿其如此。所望英贤因势利导，使一洗苟安之习，而收群策之效，国事庶其有济也。此复，并颂
筹祺

一月六日

据《国父全集》第三册（转录史委会藏《总理函稿》）

---

* 在帝国主义压力下，北京政府于一九二二年十二月和日本缔结解决山东悬案条约，日本虽允将胶州德国旧租借地交还中国，但事实上日本仍控制胶济铁路，胶州湾亦仅由日本独占变为各帝国主义共管的商埠。王正廷系中方代表，事竣向孙中山函告鲁案了结经过。

与《字林西报》记者的谈话*

（一九二三年一月八日）

孙曰：其计划现已见效。陈军将领如第一师长梁鸿楷及从前叛余首领之叶举，皆已与护法派联合。滇军将领张开儒、桂军将领沈鸿英，均已尽忠于余。梧州、德庆、封川以及其他数处，亦已入张开儒之手。余之故乡亦已为吾军占领。

记者问：其约若干日，其军方能入广州？

孙答：约两星期。余希望于五日内取肇庆（梧州与广州间之大城），得肇庆后，再进取广州，约两星期便可到手。

记者问：福建方面是否将同时发动，以攻陈之北？

孙答：江西一方面已足，似可无需。福建方面将领并未有令其进攻广东之命。

记者问：吴佩孚与公等曾言和，同时又曾与陈联络，吴现在究将援助何方？

孙答：吴固与吾人言和，但至后并未有何结果。吴现方派军入赣，意在攻击福建之吾军。

记者又问：曹锟又将如何？

孙答：曹亦相同。曹亦曾与吾人言和，现正在谈判中。

据上海《民国日报》一九二三年一月九日

《孙中山先生与外报记者谈话》

---

* 经孙中山派邹鲁等联络后，滇军杨希闵、桂军沈鸿英、刘震寰等部代表，于一九二二年十二月二十六日在广西藤县大湟江“白马会盟”，随即出师讨伐陈炯明，二十八日收复梧州，随后收复德庆、封川等地。《字林西报》记者于一九二三年一月八日造访上海莫利哀路孙宅，孙中山与他进行了这次谈话。

批复黄展堂等电*

（一九二三年一月八日）

发电大骂假冒公民，此间当维林排萨，必极力之所至以达此。

据罗家伦主编、中国国民党中央委员会史料委员会编《国父批牍墨迹》（台北一九五五年版）

复张敬尧函

（一九二三年一月九日）

勋丞吾兄惠鉴：

济安[①]持来大札，备聆一是。

东省当局[②]竭力整顿军队，以俟时机，此诚切要之图。兄擘画其间，足征宏识，至佩至佩。现闽疆全定，汝为军队已积极准备回粤，滇桂军业经奉命连合粤第一、三、四各师，直下西江，距肇庆只数十里，逆部业有土崩之象，不日即可解决。粤疆一定，大局必随而变化，切希预储方策，以赴时机，成功未远也。此复，即颂

筹绥

一月九日

据《国父全集》第三册（转录史委会藏《总理函稿》）

---

* 黄展堂、林赤民等于一月八日电告孙中山，北京政府任命之福建军务会办萨镇冰利用皖系军人王永泉和林森的矛盾，嗾使其党羽假冒公民集会，拥萨为省长，迫原民选省长林森辞职。

① 济安：即成济安。

② 东省当局：指奉系军阀张作霖。

复林支宇函

（一九二三年一月九日）

特生吾兄鉴：

龙君涛持来大札，备稔一是。

湘人性质果决勇敢，诚属不虚，因而用之，可以发扬光大。惜比年当局以苟全地位之故，一味柔媚外寇，乃至百方压抑，冀欲折刚健之至性，成脂韦之恶行，此所以枘凿不容，战争起伏，而求安者反以不安也。兄酷信吾党主义，惟望一奉改革之精神，为根本之计划，则裨益湘人者至大也。仇君等拟将《自治》月刊改为日刊，努力宣传，极应赞助；惜刻财用颇窘，不能为物质上之助力耳，还希亮之。此复，即颂

筹祺

一月九日

据《中央党务月刊》第十六期《总理函稿》

复张启荣函

（一九二三年一月九日）

启荣吾兄鉴：

来函所述各节均悉。陈逆罪大恶极，岂有容纳余地。惟彼常以我已容许悔过之言，诓骗各方，以图和缓，可见黔驴技尽矣！现西江已得胜利，兄宜竭力联络钦、廉各属，积极进行，俾得同时解决。时机已迫，幸速图之。此复，即颂

筹祺

一月九日

据《中央党务月刊》第十六期《总理函稿》

复陈煊函

（一九二三年一月九日）

侠夫兄鉴：

来函备悉，虑事周详，足征诚挚。惟魏[①]此次发动，系奉此间命令行事，岑云阶亦已与此间接洽主持桂事。政[②]桂各系前因谬误，走入穷途，现以环境之压迫，似萌悔悟，想无他意也。此复。即颂

时绥

据《国父全集》第三册（转录史委会藏《总理函稿》）

复罗翼群函

（一九二三年一月九日）

翼群吾兄大鉴：

来函备悉。粤变以来，旋回转战，备极勤劳。革命党能冒犯艰难，扫除国贼，所获即多，固不在乎物质之获得也。

顷接港电，肇庆已下，粤局解决在即，请鼓动各将士火速回粤，以赴时机，至盼。戎轩况瘁，惟为国努力。此复，即颂

---

① 魏：即魏邦平。

② 政：指当时依附桂系军阀的政学系。

筹祺

一月九日

据《中央党务月刊》第十六期《总理函稿》

复何克夫函

（一九二三年一月十日）

克夫吾兄鉴：

赵超君持来大札，备稔一是。兄苦心擘画，至佩勤劳。惟此间已有定策，不招民军；如果有见义勇为起而杀贼者，须俟得有土地，始予以承认。如此则既可以免流弊，亦足以资激励也。此复，并颂
筹祺

一月十日

据《国父全集》第三册（转录史委会藏《总理函稿》）

复张启荣函

（一九二三年一月十日）

启荣吾兄鉴：

元日来函已悉。虑事周详，足征忠荩。

惟魏此次发动，系奉此间命令行事，现已克复肇庆，自当令其迅入省垣，扫除叛逆。陈炯明甘冒不韪，其结果乃至全失人心，自行瓦解，则为德不卒者当知明戒。若我党人再能秉持正义，严行督责，怀抱阴谋者当不敢逞，故惟在吾人之善为处置耳。

藻林[1]为人，非所素悉，滇军已仍归其统率无问题矣。切望我同志间，勿以一时见地之殊发生误会，至幸至幸。港办事处，亦当令其遇事妥慎也。此复，即颂

筹祺

一月十日

据《中央党务月刊》第十六期《总理函稿》

复黄展云函

（一九二三年一月十日）

展云吾兄大鉴：

年底先后两函均悉。兄以调和同志之故，屈任盐务[2]，苦心孤诣，至极钦迟。闽元气久伤，整理非易，惟冀诸同志均相谅解，各以所长，助其所短，则内部巩固，建设即可畅利矣。兄淡于权利，惟以顾念大局为务，此心坦白，文素深知，并望勉励同侪，悉持此旨，曷胜幸慰。

顷接港电，肇庆已于昨日克服，想粤局可以戡定矣，并告。即颂

筹祺

一月十日

据《中央党务月刊》第十六期《总理函稿》

---

① 藻林：即张开儒。

② 黄展云时任福州盐运使。

复龚豪伯函

（一九二三年一月十日）

豪伯吾兄鉴：

仲恺带来大札，备稔一是。

福州之役①，备极辛劳，战役扩充，又勤训练，励精不倦，良深嘉慰。

顷得港电，肇庆已下，宜鼓励将士，作速回粤，勿失时机。粤中巩固，然后可以图向外发展也。此复，即颂

戎绥

一月十日

据《中央党务月刊》第十六期《总理函稿》

实施新颁宣言党纲总章通告*

（一九二三年一月上旬）

敬启者：本党宣言业于本年一月一日宣布，其党纲及总章同于翌日宣布。国内各支部筹备处、各通讯处，国外各总支部、各支部、各分部、各通讯处自接到此项宣言、党纲、总章之日起，即发生效

---

① 福州之役：指一九二二年十月十二日，许崇智部联合皖系王永泉部攻占福州，驱走原福建都督李厚基。

* 此件未署日期，据通告中有"本党宣言业于本年一月一日宣布"，该通告刊于一九二三年一月十日出版的《中国国民党本部公报》第一卷第一号，故本通告发布日期当在一月上旬。

力；民国九年十一月公布之中国国民党总章及规约，即行废止。

〈其〉次，入党手续，誓约改为愿书，国内外各部处以后对于新进党员，应按照总章所规定之愿书式办理；所有从前由本部颁发之空白誓约，或由各部处自行印用之空白誓约，于愿书行用之后，一律作为废纸，由各部处自行销毁。

复次，本部此后事务，悉由中央干部执行，现已着手组织，不日宣布。国内外各部处职员，在任期中照常服务，各项新通则未颁布之前，一切规程，仍照海外总支部通则、海外支分部通则及通讯处通则办理，不得纷更。

特此通告

中国国民党总理　孙　文
总务部部长　居　正
党务部部长　谢　持
财政部部长　杨庶堪
宣传部部长　张　继

据《国父全集》第一册（转录《中国国民党本部公报》，下称《本部公报》第一卷第一号）

复邹鲁函*

（一九二三年一月上旬）

海滨兄惠鉴：

顷得二十九日手书，藉悉种种。滇桂军经已发动，占领梧州

* 原函未署日期。函称收到“二十九日手书”，系指邹鲁于上年十二月二十九日将联络滇、桂各军和代委各总司令的经过情形，函呈孙中山；又称“占领梧州后，顺流而下”，其时广州尚未收复，故酌定为一九二三年一月上旬。

后，顺流而下，足征兄办理各军经过成绩之不虚，深为感慰。

来书说四事，切中肯要。惟遇有重大问题，其事件须加商榷者，仍希电告，以定办法。总司令名义，须与他路不犯重复，而按合所部军队实情，临时亦希酌拟见告。此复。余电详。

据邹鲁《回顾录》第一册（南京独立出版社一九四七年七月出版）

复罗省分部函*

（一九二三年一月上旬）

罗省分部同志诸兄均鉴：

接黄子聪总干事函，藉悉贵部同志曾集巨款，拟购飞机，为救国用。嗣因陈逆叛乱，慨拨该款赞助讨逆，只以将款变移，恐于信用有关，特商黄总干事代请仍作购赠飞机一架存案等由。仰念兄等赴义急公，愿宏力毅，方之古人毁家保国者，何复多让，所请存案，自应照准。俟杨仙逸兄所办飞机运到，即择其一，刻以“美国罗省分部捐赠”字样可也。

义军回粤，近已开拔，待需军饷殊急，兄等其再接再厉，作义军有力后援，则党仇国贼之陈逆，有不难一鼓荡平者矣！专此手泐，并候

任安

孙　文

据《国父全集》第三册（转录《本部公报》一卷二号）

---

* 原函未署日期。据函称“义军回粤，近已开拔”，酌定为一九二三年一月上旬。

批邵元冲函*

（一九二三年一月十一日）

可照准。以后当免留学生入党基金。

文

据《国父全集》第四册（转录史委会藏原件）

复刘文辉函

（一九二三年一月十二日）

文辉吾兄大鉴：

复函备悉。忠荩之忱，至为佩慰。

驻桂滇军及桂、粤各军前日奉命，由梧入粤，九日已克肇庆，十日即下三水，逆军溃败不支，陈逆已向惠州逃窜，想不能再稽显戮矣！粤中既定，闽、桂东西夹辅，形势巩固，足以进图发展，解决全局，中国前途，尚可乐观。吾兄掌握兵符，凭依天府大有可为之地，即希与同志将领，竭诚团固，候赴时机。倘川中内战不复发生，则即可以出而驱除国贼矣！严风秣厉多劳，惟为国努力。此致，即颂戎绥

一月十二日

据《国父全集》第三册（转录史委会藏《总理函稿》）

---

* 邵元冲函请免除留学生程天放入党基金。

致关建藩函

（一九二三年一月十三日）

芸农吾兄鉴：

来函备悉。国难频年，我同志或以时地之因缘，从多方面分途作事，虽此志始终未渝，而迹近嫌疑，类招非议，此中情隐，难冀共明，惟至得当时机，则努力襄建事功，证明心迹，斯是非终能大白也。在同志绳准交施，或憎多口；然不磷之质，正赖磨砻。吾兄奔走多劳，当事已皆深悉。际此国家多故，吾人正须为国奋斗，以达最后目的，幸毋灰阻，致戾初衷。盖惟诘难者愈多，而乃愈不得不奋厉精神，实现素抱。古之言修养者，取资于十手十目，文意极愿兄如是观也。此复，即颂

毅祺

一月十三日

据《国父全集》第三册（转录史委会藏《总理函稿》）

与吴南如的谈话*

（一九二三年一月十四日）

广东方面虽极望余回粤，惟余之行止，尚未能定，刻正在考虑之中。广东军队虽颇复杂，惟陈炯明一去，即无问题，收拾亦非难事。

* 吴南如曾任国务院秘书，来沪同孙中山商讨裁兵问题。本书转录该谈话时，对报道情况的文字作了删节。

是后对于大局,当仍秉统一和平之旨。惟欲谋统一,须先裁兵。前既屡次表示,盖武人把持军队,不特足以引起战祸,并实陷国家财政于绝地。至裁军之安插及以后军队之维持,则仍持兵工政策。

军人所以保卫国家,而非宜治理国家;排除武人政治之方,只有国民自起努力,造成有组织之民意,始可以打倒军阀。前年美国波兴上将手持六百万雄兵,不敢如中国军人之为非者,国民能力强厚,监督严密故也。

据上海《民国日报》一九二三年一月十五日
《孙先生关于时局之谈话》

复赵士觐函

(一九二三年一月十五日)

士觐兄鉴:

四日来函备悉。所云布置军事各节,如果办有成绩,即可向胡文官长[①]详细报告,并请伊设法接济可也。此复,即颂
筹祺

一月十五日

据《国父全集》第三册(转录史委会藏《总理函稿》)

复梅光培函

(一九二三年一月十五日)

光培兄鉴:

四日来函备悉。所经营各部既皆妥惬,足征进行敏捷,至为

① 胡文官长:即胡汉民。

嘉慰。

现西江既节节得胜，东路亦已兼程并进，粤局戡定在迩。兄宜及时动作，以促成功。卓文[1]早已赴港，谅晤谈矣。此复，即颂
筹祺

一月十五日

据《中央党务月刊》第十六期《总理函稿》

与国际通讯社记者的谈话*

（一九二三年一月十六日）

余与西林于前日始行见面，条件之说，绝对未有其事。余对于时局，主张和平统一，希望北方军阀彻底觉悟。今日所以仅将战争限于广东局部者，在予北方当局以觉悟之机会；否则余为革命党人，当以贯彻主张为职志，势不能与人为虚与委蛇之周旋，是以余之设立政府与否，当以北方有无真正觉悟与办法为断，其责任并不在余。

某西报之态度与言论，素为国人所知，其于民党及余个人向持反对，昨日此段纪事，难保非中伤挑拨之故智〔伎〕，望舆论界注意了解。

据上海《民国日报》一九二三年一月十七日
《孙中山先生对于时局之又一表示》

---

① 卓文：即朱卓文。

* 一九二二年底到一九二三年初，滇军杨希闵等部，桂军刘震寰、沈鸿英等部接受孙中山领导，讨伐陈炯明。上海《字林西报》却哄称讨陈非孙中山军队；孙且和岑春煊约定不在广州设立革命政府。国闻通讯社记者为此走访孙中山，孙作此答复。

复黄日权函

（一九二三年一月十六日）

日权吾兄鉴：

致苏中[1]函，业由渠代达，展悉一是。兄乔梓俱为国勤劳，曷胜佩慰。

所云奉令尊命赴邕，维持部队，须汇款以作川资各节，请就近与胡文官长接洽办理可也。此复，即颂

毅祺

一月十六日

据《国父全集》第三册（转录史委会藏《总理函稿》）

复林文忠函

（一九二三年一月十六日）

文忠志兄鉴：

十一月十四日来函，文已阅悉。陈逆忘义负恩，叛党乱国，凡有血气，莫不愤怒，是以讨贼之师蜂起于闽、粤、桂之中，不旬日取梧州，下肇庆而进。诸将士劳苦功高，固可嘉慰；而我海外同志出财出力，始终如一，尤堪敬佩也。兄函谓不论如何，决不变初志，忠诚爱国，溢于言表，可嘉可感。

贵分部同志对于党务素来热心，当此国步艰难之时，尚望力图

① 苏中：即徐苏中。

振作，谋党务之发达，即可以救国也。此复，即颂
毅祺

并候列位同志。

正月十六

据《国父全集》第三册(转录史委会藏《总理函稿》)

复王鸿庞宋以梅函

(一九二三年一月十六日)

鸿庞、以梅吾兄鉴：

来书备悉。所称联络高、廉等八属军官，请以何克夫兄统率，及陈德春亦经接洽，请直接加委任各节，希就近与胡文官长接洽，妥商办理可也。此复，即颂
筹祺

一月十六

据《国父全集》第三册(转录史委会藏《总理函稿》)

复克兴额函

(一九二三年一月十六日)

克兴额吾兄惠鉴：

来函备悉。蒙古政教不齐，民智闭塞，诚宜注意宣传，促进文化，以实现我党构成大华民族之根本计划。惟兹事体大，非小举所能奏效。若规模宏大，则需款又必浩繁。际此讨贼军兴，饷糈孔亟，权衡缓急，势必不能先此，故惟有暂俟缓图，至经济充俗〔裕〕时，再商具体之办法，则效可期矣。卓见当亦云然。此复，并颂

时祺

孙文　一月十六日

据《中央党务月刊》第十六期《总理函稿》

复徐耕陆函

（一九二三年一月十六日）

耕陆兄鉴：

巢君[①]携来大札，备稔一是。经营渐有成绩，至慰。

惟闽地新复，人心未静，一切进行，总以切实妥慎为宜。所商各节，现闽事已以全权付汝为办理，请就近与商可也。此复，即询时绥

一月十六日

据《国父全集》第三册（转录史委会藏《总理函稿》）

复梁柏明函

（一九二三年一月十六日）

柏明兄鉴：

来函备悉。所云经营西江、四邑等处军队，应予委任之处，请就近与胡文官长接洽可也。此复。即询

毅祺

一月十六

据《国父全集》第三册（转录史委会藏《总理函稿》）

---

① 巢君：即巢安澜。

批杨鹤龄函*

(一九二三年一月十六日)

真革命党,志在国家,必不屑于升官发财;彼能升官发财者,悉属伪革党,此又何足为怪。现无事可办,无所用于长才。

据《国父全集》第四册(转录史委会藏原件)

在上海各团体代表祝捷时的演说**

(一九二三年一月十七日)

今天承各团体代表到此,兄弟是很感激的,所以也要对诸位表一表我的意思。革命以还,在一般人看来,三民主义虽未完全达到目的;然满清已经推倒,民族主义总算告了成功。但是,中国现在仍处处被外人支配为鱼肉,同我们是有条约的二十余国,就是我们中国二十余位主人翁。他们只知道掠夺中国权利,并不为中国尽些微义务。就拿高丽人作比,他们是已经亡国人民,倘国内遇着天灾人患,日本政府总要想法子去救济他们,也可以说是尽点主人翁的义务。回观中国则为何如?所以,中国形式上是独立国家,实际比亡了国的高丽还不如。幸友邦中尚有美国为我国鸣不平,主张开华会,其结果吾国得收回青岛以及撤废客邮;但是如海关等大权,仍操诸外人之手。似此民族主义,能认为满足成功否?所以,

* 杨鹤龄于一月九日致函孙中山,请求给予官职,孙作此批答。

** 一月十六日,滇、桂联军攻克广州,各将领电请孙中山回粤任大元帅。十七日,上海各团体代表到孙中山住宅祝捷,孙中山发表此演说。

国民不特要从民权、民生上作工夫;同时并应该发展民族自决的能力,团结起来奋斗,使中国在世界上成为一独立国家。至于国内军阀,只要人民万众一心,与他们奋斗,是不患不推倒的。现在南方的军阀已推倒了(指陈炯明),将来北方军阀推倒是不成问题的。总靠在人民自身团结的力量坚固与否为转移。如兄弟提倡革命,推倒满清,手中并无兵无地盘,就是以人民的勇气为兵,同情的心理为地盘。今天希望诸位回到各贵团体,将兄弟的意思转告,使他们都明白中国目前的地位与人民应做的事情,那末,大家努力做去,中国方有强盛的希望呢。

据上海《民国日报》一九二三年一月十八日
《各团体代表晋谒中山先生》

复周公谋函

(一九二三年一月十七日)

公谋吾兄鉴:

二日来函备悉。所云滇、粤、桂讨贼军需饷各节,刻广州已克,饷糈当不缺乏,希转告刘总司令[1]与同志军队,协力歼敌,巩固广东策源地,则大局易于解决矣。

逐北多劳,至殷慰问。此复,藉询
戎祺

据《国父全集》第三册(转录史委会藏《总理函稿》)

① 刘总司令:即刘震寰。

复廉泉函*

（一九二三年一月十七日）

南湖先生大鉴：

来函藉悉。独以宏愿为良弼建祠，笃念故人，足征深厚。惟以题楹相委，未敢安承。在昔帝王颠倒英雄，常以表一姓之忠，为便私之计。今则所争者为人权，所战者为公理。人权既贵，则人权之敌应排；公理既明，则公理之仇难恕。在先生情深故旧，不妨麦饭之思；而在文分昧生平，岂敢雌黄之紊。况今帝毒未清，人心待正，未收聂政之骨，先表武庚之顽，则亦虑惶惑易生，是非滋乱也。看宝刀之血在，痛及先民；临楮素而心伤，难忘我见。用方雅命，希即鉴原。此复，藉询

时绥

一月十七日

据《中央党务月刊》第十六期《总理函稿》

复朱乃斌何汉强函

（一九二三年一月十七日）

乃斌、汉强兄鉴：

来函备悉。宣传之功，胜于武力。兄等致力于此，识见高超，

---

* 天津廉泉为在辛亥革命爆发后被革命党人炸毙之宗社党首领良弼建祠，函请孙中山为之题楹，被严词峻拒。此函曾登在当时许多报刊上。

至为佩慰。

所云各种宣传画片，请觅数幅寄览为幸。此复，即询
毅祺

据《国父全集》第三册（转录史委会藏《总理函稿》）

复崔通约等函*

（一九二三年一月十七日）

通约、大文、广泰、如舟、家谟、鹤琴、栋材、耀基诸兄惠鉴：

大函备悉。吾粤自陈逆叛变，奸淫掳掠，糜烂不堪。今幸义师一举，逆众土崩，足见公理尚存，人心助顺。文不必自行归粤，已可收拾。诸兄关怀桑梓，猥以返旆相催，殷挚之情，极为感佩。所冀秉兹热念，群策群力，共促成功，则所贶于乡国者大矣！此复，即询
毅祺

据《国父全集》第三册（转录史委会藏《总理函稿》）

致南斐洲支部电

（一九二三年一月十七日）

南斐洲支部转各同志鉴：广州下后，即令各军追击贼军，以绝后患。惟需款至急，请即筹款电沪。孙文。篠。

据《国父全集》第三册（转录《本部公报》一卷七号）

---

* 一九二三年一月七日，在南京暨南学校的崔通约、王大文等与华侨代表何广泰、李如舟、曹家谟、黄鹤琴、符栋材、黄耀基，联名函请孙中山回粤主持讨逆。

致杨希闵等电*

（一九二三年一月十八日）

广州电局转肇庆电局沿途探送杨总司令、刘总司令、沈总司令、广州魏总司令览：陈逆炯明祸粤残民，罪大恶极，前经明令申讨。该总司令等发难濛江，转战梧、肇，不匝月而桂、粤底定，具见该总司令等指挥有方，各将士奋勇用命，殊堪嘉许。仰即传令慰劳出力将士，准予择尤呈候核奖，伤亡士兵妥为抚恤。陈逆残部现尚盘踞惠州，据报密谋窜赣，希图勾结为患。查逆军屡败，士无固志，不难一战而定，该总司令等务须趁此声威，派兵穷追，勿令稍息残喘，功亏一篑，是为至要。孙文。巧。

据《国父全集》第三册（转录《民信日刊》）

致耳把都拉而吉子函

（一九二三年一月十八日）

耳把都拉而吉子先生惠鉴：

久慕英贤，极思通问，国家多故，致梗鸿邮。

西北地方辽阔，民俗朴厚，只以国家政局不宁，经营未暇，致使贪污坐据，宰割横施，言念同胞，曷胜隐痛。幸赖以宗教之力，宣传导化，使人民稍获慰安，此则执事之功不浅也。文持三民主义，首即以融化五族，普及教化为务，独惜所谋多阻，大功莫集。甚愿执

* 此系孙中山从上海发给杨希闵、刘震寰、沈鸿英、魏邦平的电报。

事交相辅益，竭忠尽智，以扫除政教之魔障，增进民族之幸福，则国家实利赖之。

兹特派王约瑟及毕少珊前来，面达各节，一切希开诚接洽，毋任殷感。此致，并颂
筹祺

一月十八日

据《中央党务月刊》第十六期《总理函稿》

复马文元函

（一九二三年一月十八日）

文元吾兄惠鉴：

为国宣勤，至深萦念；迩复闻热心党务，益用钦迟。

国事多艰，苍生待拯。东南半壁，以屡岁之牺牲，维千钧于一发，虽人民重困，而国局多裨。惟西北以交通滞阻，积障未除，猾吏凶横，坐据自大，致使政教坏于废弛，回、汉苦于隔阂，乃眷西顾，使我心忧。文持三民主义以治国，既求民族之融化，更图西北之发展，惟以时机未假，莫告成功。今幸西北同志渐多，经营有自，故切望推诚接纳，共策事功。吾兄夙具鸿图，幸为努力。

兹派王约瑟及毕少珊前来，面达一切，可与畅谈，倘有良机，务希奋发。此致，即颂
筹祺

一月十八日

据《国父全集》第三册（转录史委会藏《总理函稿》）

致马麒函

（一九二三年一月十八日）

吾兄大鉴：

久耳英贤，至深萦念。道途梗阻，慰问维艰。

执事既握韬钤，兼勤木铎，已著干城之绩，更宣敷教之劳，边圉绵袤，殊资依赖。惟际此国家多故，狐鼠纵横，西北寥天，置诸化外，遂使贪污坐据为雄，挑拨自固，此真国家之厄而西北之殃也。文持三民主义以治国，首图民族之融化，更谋西北之发展，故亟欲扫除恶障，改良政治，用得达我目的。惟兹事体大，东南半壁幸有经营，西北一隅实劳筹画。执事夙具雄图，谅能神契，切望交相辅益，共济艰难，则国家与民族，胥利赖之。

兹派王约瑟及毕少珊前来，面达一切，幸开诚接纳，毋任殷感。此致，即颂

筹祺

孙文　一月十八日

据《国父全集》第三册（转录史委会藏《总理函稿》）

复廖湘芸函

（一九二三年一月十八日）

湘芸吾兄大鉴：

来函述在梧会议[①]及滇、桂、粤军联合讨贼各种经过情形，策

① 在梧会议：指一九二二年十二月二十八日滇军总司令杨希闵、桂军总指挥刘震寰等率军攻克梧州后举行的军事会议。会后即整军东下，直指肇庆。

画周详，至为欣慰。

今各军果以旬日驱除陈逆，恢复粤省，足见秉义而行，终归胜利，逆贼虽凶无用也。闵君天培到此，已接见，嘉其志趣，业加温奖矣！此复，即颂

筹祺

一月十八日

据《中央党务月刊》第十六期《总理函稿》

致伍学熜杨西岩电

（一九二三年一月十九日）

学熜、西岩兄并示科儿：前日电委邓泽如为广东省长[1]，伍学熜为盐运使，杨西岩为财政厅长。徐固卿有要务，需驻北京。泽如为二十年来华侨同志中之健者，历次革命，皆竭诚勷助，且能深体商情，洞达治理，兄等与之共事，必无隔阂。孙文。皓。

据《国父全集》第三册（转录《邓编史稿》）

致胡汉民等电

（一九二三年一月十九日）

胡汉民、李烈钧、许崇智、魏邦平、邹鲁为全权代行大总统职权。因军、民两政需人综理，必须征集众长，方能治理。今粤局纠纷，文一时未能来，深赖诸贤共济，奠定桑梓，为改造全国之基。希

① 孙中山曾任命邓泽如为广东省长，邓辞不就；二十二日，改任胡汉民为广东省长。

善体此意，毋负委托。孙文。皓。

据邹鲁《回顾录》第一册(南京一九三七年出版)

复李易标电*

(一九二三年一月中旬)

李总指挥易标鉴：庚电悉。执事与各军顺流而下，旬日之间，所向皆捷，羊城指顾底定，诚不世之勋也。闻陈家军有回东江之意，宜乘胜穷追，不令休息，西林亦同此意也。

据孟德居士编《孙大元帅回粤记》(上海民权初步社一九二三年出版)

批梅光培函**

(一九二三年一月中旬)

代答：所言种种，皆有防备。福建主力军已启程回，当无他虞。务要转各同志，不可捕风捉影，布散流言，以免误会为好。

据《国父批牍墨迹》

---

* 桂军沈鸿英部第一军军长李易标于一月九日攻克肇庆后，即分电孙中山等，告知此事。复电原件无日期，据电称“羊城指顾底定”，故复电日期应在一月九日至十四日之间，酌定为一月中旬。

** 梅光培于一月二日自香港上书给孙中山，报告广东方面魏邦平、政学系联合桂系将领沈鸿英，图谋驱逐陈炯明，以便从中渔利，希望福建主力军回粤主持。批答称“福建主力军已启程回”，而许崇智等于一月九日发布回粤佳电，故批答时间应在一月中旬。

复黄德源李庆标函

（一九二三年一月二十日）

德源、庆标兄惠鉴：

接诵来翰，并闽侨会所名称及闽商姓名一纸，藉悉关怀桑梓，互策进行，良画荩筹，至堪嘉佩，经即转致林省长，料当照办。

目下讨贼军进攻泉、漳，不日可下，泉、漳一定，闽局全安，仍希兄等鼓励侨众，踊跃输将，义师倘获实力之后援，吾人必收最后之胜利，幸共勉诸。专此手复，并颂

筹祉

同志众兄均此致意。

孙 文

据《国父全集》第三册（转录《本部公报》一卷二号）

致魏邦平电

（一九二三年一月二十日）

广州魏丽堂总司令：兹特委兄为讨贼联军总司令，以期统辖讨贼各军，指挥如意。望勉为难，底定粤局。孙文。号。

据《孙大元帅回粤记》

批王亚樵等函

（一九二三年一月二十日）

交党务部集皖热心同志公评。

据《国父全集》第四册（转录史委会藏原件）

给彭素民等委任状

（一九二三年一月二十一日）

委任彭素民为本部总务部部长；林祖涵为本部总务部副部长；陈树人为本部党务部部长；孙镜为本部党务部副部长；林业明为本部财务部部长；叶楚伧为本部宣传部部长；茅祖权为本部宣传部副部长；张秋白为本部交际部部长；周颂西为本部交际部副部长。此状。

总理（印）

据《国父全集》第四册（转录《本部公报》第一卷第一号）

批何成濬函

（一九二三年一月二十一日）

作答：闽局将入于无办法之境，当以解决粤局为解决闽局之先导。

据《国父全集》第四册（转录史委会藏原件）

批袁兴周谭惟详呈*

（一九二三年一月二十二日）

代答：管[①]并未有报告过张克瑶[②]之事。运动无熟，乃由他路

---

* 袁兴周、谭惟详具呈攻讦管鹏，孙中山作此批答。原呈无年代，按其内容有“今者义师重复粤城”，当系指一九二三年。

① 管：管鹏。时任中国国民党执委会宣传部宣传委员，兼任安徽总支部筹备处长，于上年十一月经孙中山批准，与自豫入皖之靖国军联络。

② 张克瑶：系当时直系旅长。

之报告，则所攻不实。

据《国父全集》第四册（转录史委会藏原件）

致鲍应隆函

（一九二三年一月二十三日）

应隆吾兄大鉴：

来书备悉。筹饷踊跃，一举手间，即认壹千余元，足征诸同志见义勇为，不惜推解，以纾国难，如斯高义，非吾党人，诚难及此。操〔披〕甲执兵之士感此热心，益当为国出其死力也。本日报载陈逆已离惠州，想肃清不远，甚望益加努力，协竣全功，毋任殷勉之至。此复。并询诸同志

毅祺

一月二十三日

据《国父全集》第三册（转录史委会藏《总理函稿》）

给居正等委任状

（一九二三年一月二十三日）

委任居正、孙洪伊、杨庶堪、杭辛斋、覃振、张静江、于右任、吕志伊、周震鳞、廖仲恺、田桐、戴传贤、陈独秀、刘积学、张继、谢持、王用宾、詹大悲为本部参议。此状。

总理（印）

据《国父全集》第四册（转录《本部公报》一卷三号）

复温树德电

（一九二三年一月二十四日）

海军温司令鉴：巧电今日始达，无任快慰。广州联军迅速收复，赖兄以海军内应为多。粤省为文桑梓之地，果非文归无以抚绥安辑，则亦不敢辞劳。兹拟二十七日乘大洋丸归，二十九晚可抵港，请派员往接。惟兄整饬舰队，奋励精神，为文股肱心腹之寄，是所切盼。孙文。迥。（二十四日）

据《孙大元帅回粤记》

复王宠惠徐谦电

（一九二三年一月二十五日）

王宠惠兄、徐季龙兄鉴：敬及上日数电均悉。文顷已通电宣言，根据去年六月六日通电，主张以化兵为工为条件，期和平统一之推行办法，先裁全国兵数之半，请第三国出而佐理此事；并任借款为举办之费，以昭征实；由全国农、工、商、学、报每界举一人为监督，以昭信用。请告敬舆、子玉[①]：果欲和平统一，此其捷径，且最善法；倘能在现内阁手中完此大业，则衮衮诸公，名足千古，民国将蒙其庥。请兄善为说辞，通电明早可见各报。孙文。径。（印）

据北京《益世报》一九二三年一月二十九日
《关于裁军问题之两电》

① 子玉：即吴佩孚。

在上海招待新闻界时的演说

（一九二三年一月二十五日）

去年鄙人由广东失败来沪，曾请诸君聚会，彼时即以今后须以笔墨奋斗希望于诸君。现在时局益迫，机会益为适当，故更邀诸君商榷之。在诸君中，或犹怀疑于笔墨之力者。数日前，有北京贵同业某君见访，于致贺广州胜利之后，慨然谓笔墨之力，终究不如枪炮之灵。实则依鄙人所见，笔墨之力确极伟大。此次广东之事，看来似是枪炮之功，实则笔墨之效大不可没。缕缕述之，事殊神妙。陈炯明之在广州，干涉言论，无所不至。广州报纸在暴力之下，固不敢有所主张，即香港新闻纸亦以许多关碍，不克自由发挥。然而香港有画家数人，痛心于陈氏之作恶，相约以其擅长之艺术，描模陈氏之罪恶，绘影绘声，栩栩欲活。市民争相购买，或用在广告，或用代装饰，有聚而围观者，有相与品题者，数月以来，已成香港之流行品，而讨陈之观念，乃深入于人心；虽陈家将到香港者，鉴于街谈巷议及家悬户备之情形，亦悚然于人心之既去，是以滇军发难，一战而下广州。迨陈炯明退往惠州，所部犹不下一万余众，乃通电独立或宣布脱离关系者，即其平日认为腹心手足之士卒，至欲负隅反攻而不能。香港画报平日之浸润感化，盖深有力焉。吾人今日固不能抹杀彼讨陈诸将士之功，然笔墨之权威要亦不可否认。今兹粤中之事，二十日而解决，前十日可谓系枪炮之勋劳，后十日实笔墨奋斗之效果也。

诸君去年至今，笔墨上用力不少，然或不免于浪战。盖作战须有计划，攻击必有目标。鄙人去年由粤来沪，于时局尚鲜所考察，故仅能以文字奋斗望之诸君，而未能以具体规画相与商榷。今则已有所得，故特请诸君共为研究。去年对于粤事，以讨陈为目标，由笔墨与枪炮合作，而得今日之速效。今者吾人对于救国，宜以裁兵为目标，作战之方，当专向此进行。数月以来，北方政府迭派代表来商统一，而鄙人主张则独以裁兵为说。北方当局每谓非统一不能裁兵，实则不办裁兵即无法统一。简捷言之，今日吾人直不敢统一耳。数年以来，民党与官僚决战，纷纷扰扰之余，得著唯一结果，即外国人宣言非统一不能借款。因此北方政府亦汲汲求统一，其求统一，专为借款耳。吾人于民国元年曾上袁世凯之当，助成南北统一，而彼乃利用统一完成大借款，以打革命党。革命党固创造中华民国者。今北方许多小袁世凯，其头脑未必不与大袁世凯相同，统一为借款，借款为打革命党，打革命党为推翻民国。诸君皆爱护民国者，故必主张先裁兵而后统一。使彼曹不裁兵而谋统一，他人吾不敢知，若鄙人则实不放心，故吾人欲得真正之和平统一，必以裁兵为第一步。

我之所谓裁兵，决非无办法之裁兵。第一、南北同时裁去现有兵额之半，此视去年六月六日鄙人宣言，已属让步。盖前之宣言，因北方自称有护法诚意，故要求北方先裁也；第二、裁兵之后，以兵为工，虽给以加倍之饷，在国家犹为合算。裁兵之款何从出？友邦本希望我裁兵，故已有表示。果各军阀皆肯裁兵，必有赞助办法。吾人固绝对不赞成政府借外债，然裁兵借债则应予协赞。缘实行裁兵，非款莫办；化兵为工，可开辟利源，举外债亦无害也。

然而，各方均有办法，而军阀仍不肯裁兵，则将如之何？是不得不望诸君发挥其笔墨之权威，以与军阀相战。苟舆论一致要求，彼曹亦决难抵抗。所以鄙人今晚奉邀诸君，即在提此作战计划与目标，希望诸君费三个月之精神，每日特辟一版之篇幅，专作裁兵之鼓吹，或以言论，或以图画。万一此两者资料均缺乏，则即满纸全印“裁兵”两字亦可。先从上海做起，使上海市民，人人了解，人人主张，则推而至于全国，其事至易。

裁兵一端，可论者殊多。大要在说明兵多之害，或搜集事实，或凭其不远于事实之理想，发为能吻合人民心理之言论，同时更说明裁兵之利。第一，使军士本身晓然于易兵为工之有利于彼。今日兵饷，至多每月八元，常须积欠或克扣。依我之计划，化兵为工，则他们可月得十六元，而国家于此巨款，亦决非虚糜，大工既举，利源自辟也。

上海总商会等各团体已有觉悟，发起裁兵制宪理财委员会。然同时提出之事，目标既分，效力即减。今宜将目标竭力缩小，只要求一件事，裁了兵即太平矣。上海之于全国，犹香港之于广东。上海人心所趋，全国自必景从，每天牺牲一版，三个月必可成功。三个月后，倘仍有悍然不知觉悟之军阀，抵拒舆论，则鄙人自问号召三万至五万有节制有主义之兵队，决非难事。彼时以对待陈炯明者对待不肯裁兵之军阀，枪炮与笔墨同力合作，以广东之事为例，此事必易成功。盖有主义之兵三五万，足可抵乌合之众三五十万，而诸君之笔墨力量，则断乎不止十倍于香港之三数画家也。望诸君一心一得〔德〕，努力为国，敬举一觞，祝裁兵胜利！

据上海《民国日报》一九二三年一月二十六日
《孙中山先生劝各报鼓吹裁兵》

和平统一宣言

（一九二三年一月二十六日）

北京黎宋卿先生，张敬舆先生，冯焕章先生，天津段芝泉先生，奉天张雨亭先生，保定曹仲珊先生，洛阳吴子玉先生，南京齐抚万先生，杭州卢子嘉先生①，并各省农工商学各界及各报馆转全国国民公鉴：

文于往年八月十五日发表宣言，对于国事，主张使护法问题完全解决，以和平方法促成统一；对于粤事，主张讨伐叛国祸粤之陈炯明，以申国法而靖粤难。今者，讨贼诸军已逐去陈逆而戡定粤局，则障碍既除，建设斯易。文于抚辑将士及绥靖地方外，当竭尽心力以敦促和平统一之进行，并务以求达护法事业之圆满结束。如是，庶几六年以来之血战，卒得导民国于法治之途，凡诸为国牺牲者，可得代价而少慰，而此分崩离析之局，亦卒得归于统一，文始获与国人雍容讨论以图治。

惟旷观全国，以北京政府尚未纯践合法之涂辙，故犹多独立自主省分，北京命令不能逮及，统一之业仍属无期。迴〔回〕忆年来南北纷争，兵灾迭见，市廛骚扰，闾里为墟，盗匪乘隙，纵横靡忌，百业凋残，老弱转徙，人民颠连困苦之情状，怵目恫心。文窃以为谋国之道，苟非变出非常，万不获已，不宜轻假兵戎，重为民困。前者西南起义，特因护法之故，不得已而用兵。至于今日，则各方渐有觉悟，信使往来，力求谅解，较之昔时已为进步。曩者法统之复，亦可为时局一大转捩，诚得西南护法诸省监护匡助，以底于成，此时之中国当已入于法治之轨。徒以陈逆叛变，护法政府中断，而北京政府所为，遂致任情而未及彻底。且以毁法之徒，谬托于恢复法统，国会纠纷，及今未解。而于人民所渴望之裁兵、废督诸大端，反言

① 指北京政府总统黎元洪、署理国务总理兼陆军总长张绍曾、陆军检阅使冯玉祥、前国务总理段祺瑞、奉天督军张作霖、直隶督军曹锟、两湖巡阅使吴佩孚、江苏督军齐燮元、浙江督军卢永祥。

行相违，不复稍应其求，而增兵备战之息，乃嚣且〔然〕尘上。不知兵日益增，政日益弊，长此不悛，匪特求治无期，助乱速祸，实未知所止。

今之大病，固在执政柄兵者未有尊重法律之诚心，而国中实力诸派利害不同，莫相调剂，亦其致此之缘故。试举今日国内势力彼此不相摄属者，辜〔姑〕较计之，可别为四：一曰直系，二曰奉系，三曰皖系，四曰西南护法诸省。此四派之实际利害，果以何冲突，亦自难言。然使四派互相提携，互相了解，开诚布公，使卒归一致，而皆以守法奉公引为天职，则统一之实不难立见。文今为救国危亡计，拟以和平之方法，图统一之效果，期以〔与〕四派相周旋，以调节其利害。在统一未成以前，四派暂时划疆自守，各不相侵，内部之事，各不干涉，先守和平之约，以企统一之成。倘蒙各派领袖谅解斯言，文当誓竭绵薄，尽其力所能及，必使和平统一期于实现。而和平之要，首在裁兵；未有张皇武力，滥行招募，而可讼言和平以餂人者。诚知兵多之足以乱国祸民，则减之惟恐不速，不容借端推诿，以黩武之私衷，为强国之瞽论。各派首领不乏明达，见义勇为，当仁不让，其间当大有人在也。

当此〔世〕谬说，有谓须俟统一后始可议及裁兵者。此未免为怙乱之谈。何者？兵不裁则无和平，无和平则难统一。盖拥兵以言政而政紊，拥兵以言法而法骫。强权盛则公理衰，武力张则文治弛。此必至之期，国人所身受而语焉能详者也。不裁兵而言和平，犹挟刃以谈揖让；不和平而言统一，犹视斗争为求友好。愚者且窃然嗤之，而况并世之贤豪，岂复昧此，而谓国人可欺耶！然此非徒责难之谈、堕空之论，其裁兵办法，可以坐言起行者，文筹之已审，其纲要有三：一、本化兵为工之旨，先裁全国现有兵数之半。二、各派首领赞成后，全体签名，敦请一友邦为佐理，筹划裁兵方法及经费。三、裁兵借款，其用途除法定监督机关外，另由债权人并全国农工商学报各团体各举一人监督之。其详细条目，则由专员妥订，诸公朝赞，则夕可见诸施行。此在诸公一转念间，而国民将咸拜嘉赐；文亦当率西南诸将，敬从诸公之后，不敢有避。

统一成而后一切兴革乃有可言，财政、实业、教育诸端始获次第为理，国民意志方与以自由发舒，而不为强力所蔽障。其为统一，则永久而非一时，精神而非形式，国人同奋于法律范围之内，而无特殊势力之可虞。盖兵者所以防国，而非私卫及假以窃权之具也。能如是，乃真民治，重符共和盛轨，以与列强共跻于平等之域，百世实利赖之。不然者，民岩可畏，不戢自焚。文爱国若命，将不忍坐视沦胥，弗图振〔拯〕救。诸公之明，当不复令至此。语曰："人之好善，孰不如我。"诸公当代人贤，谋国有素，其一聆鄙言而决然许之、毅然行之乎？此实诚悃之忠言，期代人民呼吁，而冀诸公相与为实践，以矫虚与委蛇之失，而塞河清难俟之机〔讥〕也。敬布区区，愿闻明教。

孙文　民国十二年一月二十六日发于上海

据上海《民国日报》一九二三年一月二十六日

《孙中山先生和平统一宣言》

孙文越飞联合宣言*

（一九二三年一月二十六日）

孙逸仙博士与苏俄派至中国特命全权大使越飞授权发表下记

* 一九二三年一月十六日，苏俄驻华特命全权大使越飞赴上海与孙中山谈判。签订宣言后，孙中山又派廖仲恺赴日本与越飞继续会谈有关中俄联合、共同反帝具体事宜。

宣言。在越君留上海时，与孙逸仙博士为数度之谈话，关于中俄间关系，披沥其许多意见，对以下各点，尤为注意。

一、孙逸仙博士以为共产组织，甚至苏维埃制度，事实均不能引用于中国。因中国并无使此项共产制度或苏维埃制度可以成功之情况也。此项见解，越飞君完全同感。且以为中国最要最急之问题，乃在民国的统一之成功，与完全国家的独立之获得。关于此项大事业，越飞君并确告孙博士，中国当得俄国国民最挚热之同情，且可以俄国援助为依赖也。

二、为明了此等地位起见，孙逸仙博士要求越飞君再度切实声明一九二〇年九月二十七日俄国对中国通牒列举之原则。越飞君比向孙博士重行宣言，即俄国政府准备且愿意根据俄国抛弃帝政时代中俄条约（连同中东铁路等合同在内）之基础，另行开始中俄交涉。

三、因承认全部中东铁路问题，只能于适当之中俄会议解决，故孙逸仙博士以为现在中东铁路之管理，事实上现在只能维持现况；且与越飞同意，现行铁路管理法，只能由中俄两政府不加成见，以双方实际之利益与权利，权时改组。同时，孙逸仙博士以为此点应与张作霖将军商洽。

四、越飞君正式向孙博士宣称（此点孙自以为满意）：俄国现政府决无亦从无意思与目的，在外蒙古实施帝国主义之政策，或使其与中国分立，孙博士因此以为俄国军队不必立时由外蒙撤退，缘为中国实际利益与必要计，中国北京现政府无力防止因俄兵撤退后白俄反对赤俄阴谋与抵抗行为之发生，以及酿成较现在尤为严重之局面。

越飞君与孙博士以最亲挚有礼之情形相别，彼将于离日本之际，再来中国南部，然后赴北京。

一九二三年一月二十六日

孙逸仙　越飞签字于上海

据《外交月报》第二卷第一期(一九三三年一月十五日出版)《孙越宣言全文与国共联合》

与王用宾的谈话*

(一九二三年一月二十六日)

自民六护法以来,一般政界要人及社会群众,皆知国家分裂若此,有统一之必要;但政治不外历史之教训,即政治之经验。吾人今日所主张之统一政策,即此七年之政治经验也。依我六年来之观察,前此所用政策不外三种:其一武力统一,即能以兵力打胜一切者,乃能统一也。此种政策之失败,自不待言。其二为法律统一,然法律是一种理论,至于欲求实现此理论,仍非诉之实力不为功。其动机虽与武力不同,而结果乃与武力相等。其三为策士统一,即离开今日政治之实象,而以纵横捭阖之手段行之。如前此之联省会议、庐山会议、国是会议之类皆是也。以上三种统一政策,虽有诚伪、善恶、虚实之不同,而有一绝对相同之点,即一切皆就政界之人而言统一,未尝实证于国民之前,而求其承认是也。中国今日纷扰之根本病源,即强仆各自有其是非,而四万万之弱主人,无置喙之机会是也。欲人民对于今日政争发言,须先使人民认识政争为何物。前述三种统一政策,武力固为人民所畏避,即法律统一之说,亦是陈义过高,人民仍难骤然理解。至于策士统一,乃纯然

* 王用宾号大蕤,中国国民党党员,新受孙中山委任为本部参议,现任参议员,当时受黎元洪、张绍曾委托,由京至沪,与孙中山商谈南北统一问题。

为多数人升官发财而为之，于人民尤为毫不相关。

余意今日国民所最苦者，莫如兵多，即主张先裁兵；而裁兵即统一之根本条件。人民乐于裁兵，故人民亦必乐于统一。故余自信余之统一政策，最易得人民之了解，故可断定人民亦必因此而乐于为我之后援。人民表面上似无能力，然要知对于某问题，既得一种直觉之了解，则实力异常伟大，不使枪炮，而其力大于枪炮十倍百倍而未已。盖人民有罢工之能力，有罢市之能力，有抗纳税之能力，有撤回代表之能力；果使人民一旦正确认识其幸福在于统一，统一在于裁兵，一人传十，十人传百，虽有拥兵百万、据地千里之军阀，一朝可使之为独夫。故余之统一政策，即本此七年之经验，而知惟有以裁兵谋统一，则手段与目的完全一致，最容易得国民之直觉。

据胡汉民编《总理全集》（上海民智书局一九三〇年版）第二集《裁兵为谋统一之政策》

致段祺瑞函

（一九二三年一月二十六日）

芝泉先生惠鉴：

兹特派于右任晋商要事，即祈赐予接洽。至文对于时局意见，已于今日电达，想邀英览矣。即颂

冬祺

一月二十六日

据《国父全集》第三册（转录史委会藏《总理函稿》）

复张绍曾函

（一九二三年一月二十六日）

敬舆先生惠鉴：

大蕤兄来，获诵手书，虚怀下问，无任钦感。

文对于时局意见，已于今日电达，想邀台览。余事即托大蕤兄面罄，恕不一一。

孙文　一月廿六日

据《国父全集》第三册（转录史委会藏《总理函稿》）

给周佩箴委任状

（一九二三年一月二十六日）

委任周佩箴为本部财务部副部长。此状。

总理（印）

据《国父全集》第四册（转录《本部公报》一卷三号）

与国闻通信社记者的谈话

（一九二三年一月二十七日）

余此次本不愿回粤，欲在上海与各方进行和平统一，共图建设。乃粤省军民各界函电纷驰，以军队云集，纠扰堪虞，要求赴粤，藉便镇慑调解，俾资善后，因定于今日回广州一视，略事料理，即行返沪。讵忽得急报，昨晚驻粤各军在江防司令部开军事会议，邀魏邦平到会，桂军沈鸿英竟执魏氏而杀之(但同时另有报告，谓魏仅被执而未杀)。主客军既已决裂，余欲前去调解之目的已然丧失，只好待其自然解决，故取消轮船舱位，不即出发。余为主张和平之人，自不便命令攻击沈鸿英军队。惟魏果被杀，则已挑起粤军反感，沈军人数不过数千，恐难任其猖獗；所可叹者，在广州作战，地方受害耳。

据上海《民国日报》一九二三年一月二十八日《孙中山先生中止返粤》

复王永泉函

（一九二三年一月二十七日）

伯川吾兄惠鉴：

曹君勉菴来，获诵手书，并备聆种切，具见远虑深谋，极为欣感。吾辈谊切同舟，苟可为兄助，无不尽力，勿以为念。

文现以诸将领屡电敦促，不获已于今日赴粤一行，所有闽粤大计，俟抵粤后当再奉告。文昨曾发表和平统一宣言，想已入览。匆匆草复，藉颂

戎绥

一月廿七日

据《国父全集》第三册(转录史委会藏《总理函稿》)

复张开儒函

（一九二三年一月二十七日）

藻林吾兄惠鉴：

竞生[①]兄赍来手书，已聆悉。

---

① 竞生：即叶夏声。

文今日赴粤[①]，与兄等筹商善后，良觌匪遥。特先奉复，即颂

筹绥

一月廿七日

据《国父全集》第三册（转录史委会藏《总理函稿》）

致张作霖函*

（一九二三年一月二十八日）

扶舆[③]先生惠见〔鉴〕：

襄〔曩〕承惠助，至纫高谊。兹幸联军讨贼已奏肤功，陈逆所部望风降縻〔靡〕，隆〔赖〕诸将努力，亦执事声援之威有从〔以〕振之。

文于日前通电，宣布和平统一裁兵主张。后本拟赴粤一行，抚辑主客诸军，殊将行之前数小时，乃得急电云："沈鸿英军与滇军因开军事会议冲突，致将魏邦平捕缚，生死未卜；同时，复勒缴第三师械，恐酿战祸"云云。行期遂因而终止。此行既不遽〔遂〕设，政厅〔府〕主旨本在和辑诸军，今已破裂，自无速往之必要。惟查此次变起，滇军方面仅激于主客歧视之见，而以邦平为挑〔排〕外首领，故恨之特深，谬为感情冲动，未暇详权其利害；沈鸿英则蓄谋叵测，甘受洛吴[④]指使，妄思盘踞广州，以遂其宰割之欲；而政学系中二三败类复为虎作伥，煽惑沈军，以献媚洛吴，致使粤局安而复危，定而

① 孙中山赴粤之行，因沈鸿英于一月二十六日发动江防之变而中阻。

* 原件未见。现据《辽宁大学学报》一九八一年第五期所载，疑误颇多，今按文意酌加改定或存疑。原件未署年份，据函称：日前曾发布和平统一通电、发生沈鸿英逮捕魏邦平事件，当系一九二三年一月二十八日。

③ 据《新发现的孙中山致张作霖的信》的作者称：原函开头二字被挖掉，"扶舆"二字系原函收藏者、曾任奉天都督府秘书的李维桢所加，原名应系张作霖号"雨亭"。

④ 洛吴：直系洛派首领吴佩孚。

复乱，破坏之恶，至堪发指。

沈鸿英衅迹既彰，罪名已著。文唯督率向义诸军，讨兹离叛。独憯〔惜〕粤中自遭陈逆蹂躏以还，公私匮竭；今复不幸，遇鸿英中道疑贰，攘窃省会，一再用兵，饷源困乏，不可言喻。特派路孝忱晋谒麾下，申请援助。如能照前所拟数，速与汇寄，则士饱马腾，荡平逆气〔氛〕，可操左券。国步中兴，义师复振，皆悉出闳赐。万一时促不及遽集，亦请量助巨额，俾克有济三军，感节〔激〕匪可言宣，文亦得大力为国劳罄。执事之助，与日俱永，遂听下风，伫闻明教。

洛吴自北庭政争挫败以来，力图长江，未尝稍懈，援闽图浙，野心凌踔。今幸子嘉移师边境，小警其横。文致力川、湘，效绩渐见。川中诸将，自刘成勋以次各师师长皆已入党。湘赵[①]地位动摇，有非让组安不能弭辑〔戢〕之势。此二三省份，吴氏终将缩乎〔手〕无所复施其策。

惟广东为吾党策源地，负固如陈逆，且犹不旬月而驱之，乃突遭沈鸿英反噬，大业中梗。彼吴丑力〔行〕且将窜入腹心，若不除沈，前途岂复堪此耶？暂失之沈，祸犹微；久失之吴，则害中于国家，而公我皆将为竖子所蔑笑。以执事与文谋国之忠，结纳之固，岂复能一日堪此耶！词之缕缕，唯执事立决而惠助之，威〔感〕且无量。

又俄国外交所关尊防至巨，其详由孝忱面陈。文倾〔顷〕与越飞氏谈话，报章译载有将要点遗漏者，兹特饬人补译，抄如别纸，幸赐察览。有见教处，为文力所能及者，亦望告孝忱转述。

时艰，为国珍卫。即颂

---

① 湘赵：湖南督军赵恒惕。

勋祺

孙文　一月廿八日

据《辽宁大学学报》一九八一年第五期载

《新发现的孙中山致张作霖的信》

命洪兆麟翁式亮立功自赎令*

（一九二三年一月二十八日）

令潮梅善后处长洪兆麟、第六独立旅长翁式亮

据黄维潘、姜汉翘面陈各节，并阅该处长、旅长等来缄电，情辞恳切，本大总统与人为善，准予责成该处长、旅长等立功自赎，仰即切实联络东北两江、广东原有各部军队为讨贼军前锋，进讨沈鸿英所部桂军，毋任祸粤，破坏大局，并仰会商李参谋总长、许总司令①妥迅进行。所有办理情形，著随时具报。切切。此令。

孙　文

据《国父全集》第四册（转录史委会藏原件）

中国革命史

（一九二三年一月二十九日）

余自乙酉中法战后，始有志于革命，乙未遂举事于广州，辛亥而民国告成；然至于今日，革命之役犹未竣也。余之从事革命，盖已三十有七年于兹，赅括本末，胪列事实，自有待于革命史。今挈

* 洪兆麟、翁式亮原系陈炯明亲信。滇、桂联军于本月十五日攻克肇庆后，洪等被迫在潮汕宣布离陈独立，并伪表欢迎孙中山回粤。

① 李参谋总长、许总司令：即李烈钧、许崇智。

纲要述之于左。

一、革命之主义

革命之名词，创于孔子。中国历史，汤武以后，革命之事实，已数见不鲜矣。其在欧洲，则十七八世纪以后，革命风潮遂磅礴于世界，不独民主国惟然，即君主国之所以有立宪，亦革命之所赐也。余之谋中国革命，其所持主义，有因袭吾国固有之思想者，有规抚欧洲之学说事迹者，有吾所独见而创获者，分述于左：

一、民族主义　观中国历史之所示，则知中国之民族，有独立之性质与能力，其与他民族相遇，或和平而相安，或狎习而与之同化；其在政治不修及军事废弛之时，虽不免暂受他民族之蹂躏与宰制，然率能以力胜之。观于蒙古宰制中国垂一百年，明太祖终能率天下豪杰，以光复宗国，则知满洲之宰制中国，中国人必终能驱除之。盖民族思想，实吾先民所遗留，初无待于外铄者也。余之民族主义，特就先民所遗留者，发挥而光大之；且改良其缺点，对于满洲，不以复仇为事，而务与之平等共处于中国之内，此为以民族主义对国内之诸民族也。对于世界诸民族，务保持吾民族之独立地位，发扬吾固有之文化，且吸收世界之文化而光大之，以期与诸民族并驱于世界，以驯致于大同，此为以民族主义对世界之诸民族也。

二、民权主义　中国古昔有唐虞之揖让，汤武之革命，其垂为学说者，有所谓"天视自我民视，天听自我民听"，有所谓"闻诛一夫纣，未闻弑君"，有所谓"民为贵，君为轻"，此不可谓无民权思想矣。然有其思想而无其制度，故以民立国之制，不可不取资于欧美。欧美诸国有行民主立宪者，有行君主立宪者，其在民主立宪无论矣；即在君主立宪，亦为民权涨进君权退缩之结果，不过君主之遗迹犹未划绝耳。余之从事革命，以为中国非民主不可，其理由有三：既知民为邦本，则一国以内人人平等，君主何复有存在之余地，此自学理言之者也。满洲之入据中国，使中国民族处于被征服之地位，国亡之痛，二百六十余年如一日，故君主立宪在他国君民无甚深之恶感者，犹或可暂安于一时，在中国则必不能行，此自历史事实而言之者也。中国历史上之革命，其混乱时间所以延长者，皆由人各欲帝制自为，遂相争相夺而不已。行民主之制，则争端自绝，此自将来建设而言之者也。有此三者，故余之民权主义，第一决定者为民主，而第二之决定则以为民主专制必不可行，必立宪然后可以图治。欧洲立宪之精义，发于孟德斯鸠，所谓立法、司法、行政三权分立是已。欧洲立宪之国，莫不行之；然余游欧美，深究其政治、法律之得失，知选举之弊，决不可无以救之。而中国相传考试之制，纠察之制，实有其精义，足以济欧美法律、政治之穷，故主张以考试、纠察二权，与立法、司法、行政之权并立，合为五权宪法；更采直接民权之制，以现主权在民之实，如是余之民权主义，遂圆满而无憾。

三、民生主义　欧美自机器发明，而贫富不均之现象随以呈露；横流所激，经济革命之焰，乃较政治革命为尤烈。此在吾国三十年前，国人鲜一顾及者。余游欧美，见其经济界岌岌危殆之状，彼都人士方焦头烂额而莫知所救。因念吾国经济组织，持较欧美，虽贫富不均之现象无是剧烈，然特分量之差，初非性质之殊也。且他日欧美经济界之影响及于吾国，则此种现象，必日与俱增，故不可不为绸缪未雨之计。由是参综社会经济诸家学说，比较其得失，觉国家产业主义，尤深稳而可行。且欧美行之为焦头烂额者，吾国行之实为曲突徙新〔薪〕，故决定以民生主义与民族主义、民权主义同时并行，将一举而成政治之功，兼以塞经济革命之源也。

综上所说，则知余之革命主义内容，赅括言之，三民主义、五权宪法是已。苟明乎世界之趋势与中国之情状者，则知余之主张，实为必要而且可行也。

二、革命之方略

专制时代，人民之精神与身体皆受桎梏，而不能解放，故虽有为国民利害着想献身以谋革命者，国民不惟不知助之，且从而非笑与漠视之，此事之必然者也。虽欲为国民之向导，然独行而无与从；虽欲为国民之前锋，然深入而无与继。故从事革命者，于破坏敌人势力之外，不能不兼注意于国民建设能力之养成，此革命方略所以为必要也。余之革命方略，规定革命进行之时期为三：第一为军政时期，第二为训政时期，第三为宪政时期。第一为破坏时期，在此时期内，施行军法，以革命军担任打破满洲之专制，扫除官僚之腐败，改革风俗之恶习等。第二为过渡时期，在此时期内，施行约法（非现行者），建设地方自治，促进民权发达，以一县为自治单位，每县于敌兵驱除战事停止之日，立颁布约法，以规定人民之权利义务与革命政府之统治权。以三年为限，三年期满，则由人民选举其县官；或于三年之内，该县自治局已能将其县之积弊扫除如上所述者，及能得过半数人民能了解三民主义而归顺民国者，能将人口清查，户籍厘定，警察、卫生、教育、道路各事照约法所定之低限程度而充分办就者，亦可立行自选其县官，而成完全之自治团体。革命政府之对于此自治团体，只能照约法所规定，而行其训政之权。俟全国平定之后六年，各县已达完全自治者，皆得选代表一人，组织国民大会，以制定五权宪法；以五院制为中央政府，一曰行政院，二曰立法院，三曰司法院，四曰考试院，五曰监察院。宪法制定之后，由各县人民投票选举总统，以组织行政院；选举代议士，以组织立法院；其余三院之院长，由总统得立法院之同意而委任之，但不对总统及立法院负责，而五院皆对于国民大会负责。各院人员失职，由监察院向国民大会弹劾之；而监察院人员失职，则国民大会自行弹劾而罢黜之。国民大会职权，专司宪法之修改及制裁公仆之失职。国民大会及五院职员、与夫全国大小官吏，其资格皆由考试院定之。此为五权宪法。宪法既定，总统、议员举出后，革命政府当归政于民选之总统，而训政时期于以告终。第三为建设完成时期，在此时期施以宪政，此时一县之自治团体，当实行直接民权。人民对于本县之政治，当有普通选举之权、创制之权、复决之权、罢官之权。而对于一国政治，除选举权之外，其余之同等权则付托于国家〔民〕大会之代表以行之。此宪政时期，即建设告竣之时，而革命收功之日也。革命方略大要如此，果能循此行之，则不但专制余毒，涤除净尽，国民权利，完全确实，而国民建设之能力，亦必稳健而无虞，何致有政客之播弄与军人之横行哉！故革命主义，必有待于革命方略，而后得以完全贯彻也。

三、革命之运动

余之从事革命，建主义以为标的，定方略以为历程，集毕生之精力以赴之，百折而不挠。求天下之仁人志士，同趋于一主义之下，以同致力，于是有立党；求举国之人民，共喻此主义，以身体而力行之，于是有宣传；求此主义之实现，必先破坏而后有建设，于是有起义。革命事业千头万绪，不可殚述，要其荦荦，在此三者，分述于左。

（一）立党　乙酉以后，余所持革命主义，能相喻者，不过亲友数人而已。士大夫方醉心于功名利禄，惟所称下流社会，反有三合会之组织，寓反清复明之思想于其中。虽时代湮远，几于数典忘祖，然苟与之言，犹较缙绅为易入，故余先从联络会党入手。甲午以后，赴檀岛美洲，纠合华侨，创立兴中会，此为以革命主义立党之始。然同志犹不过数十人耳。迄于庚子，以同志之努力，长江会党及两广、福建会党，始并合于兴中会，会员稍稍众，然所谓士林中人，为数犹寥寥焉。庚子以后，满洲之昏弱日益暴露，外患日益亟；士夫忧时感愤，负笈欧、美、日本者日众；而内地变法自强之潮流，亦遂澎湃而不可遏，于是士林中人，昔以革命为大逆无道、去之若浼者，至是亦稍稍知动念矣！及乎乙巳，余重至欧洲，则其地之留学生已多数赞成革命，余于是揭橥生平所怀抱之三民主义、五权宪法以为号召，而中国同盟会于以成立；及重至日本东京，则留学生之加盟者，除甘肃一省未有留学生外，十七省之人皆与焉。自是以后，中国同盟会遂为中国革命之中枢，分设支部于国外各处，尤以美洲及南洋为盛。而国内各省，亦由会员分往，秘密组织机关部，于是同盟会之会员，凡学界、工界、商界、军人、政客、会党无不有同趋于一主义之下，以各致其力。迄于辛亥，无形之心力且勿论，会员为主义而流之血，殆遍沾洒于神州矣！

（二）宣传　余于乙未举事广州，不幸而败，后数年，始命陈少白创《中国报》于香港，以鼓吹革命。庚子以后，革命宣传骤盛，东京则有戢元成〔丞〕、沈虬斋、张溥泉等发起《国民报》。上海则有章太炎、吴稚晖、邹容等籍《苏报》以主张革命。邹容之《革命军》、章太炎之《驳康有为书》，尤为一时传诵。同时国内外出版物为革命之鼓吹者，指不胜屈，人心士气，于以丕变。及同盟会成立，命胡汉民、汪精卫、陈天华等撰述《民报》。章太炎既出狱，复延入焉。《民报》成立，一方为同盟会之喉舌，以宣传主义；一方则力辟当时保皇党劝告开明专制、要求立宪之谬说，使革命主义，如日中天。由是各处支部，以同一目的，发行杂志、日报、书籍；且以小册秘密输送于内地，以传播思想。学校之内，市肆之间，争相传写，清廷虽有严禁，未如之何也。

（三）起义　乙未之秋，余集同志举事于广州，不克，陆皓东死之；被株连而死者有丘四、朱贵全二人；被捕者七十余人，广东水师统带程奎光与焉，遂庾〔瘐〕死狱中，此为中国革命军举义之始。庚子再举事于惠州，所向皆捷，遂占领新安、大鹏，至惠州、平海一带沿海之地，有众万余人，郑士良率之，以接济不至而败。同时，史坚如在广州，以炸药攻毁两广总督德寿之署，谋歼其众，事败，被执遇害。自后革命风潮，遂由广东渐及于全国，湖南黄克强、马福益之举事，其最著者也。及同盟会成立之翌年，岁次丙午，会员举事于萍乡、醴陵，于时革命军起，连年不绝，其直接受余之命令以举事者，则有潮州黄冈之役、惠州之役、钦廉之役、镇南关之役、钦廉上思之役、云南河口之役。盖丁未、戊申两岁之间，举事六次，前仆后继，意气弥厉，革命党之志节与能力，遂渐为国人所重。而徐锡麟、秋瑾、熊成基之举事于长江，亦与两广遥相辉映焉。其奋不顾身以褫执政之魄者，则有刘思复之击李准，吴樾之击五大臣，徐锡麟之击恩铭，熊成基之击载洵，汪精卫、黄复生等之击摄政王，温生财之击孚琦，陈敬岳、林冠慈之击李准，李沛基之击凤山。其身或死或不死，其事或成或不成；然意气所激发，不特敌人为之胆落，亦足使天下顽夫廉、懦夫有立志矣！事势相接，庚戌之岁，革命军再挫于广州；至辛亥三月二十九日，黄克强率同志袭两广督署，死事者七十二人，皆国之俊良也。革命党之气势，遂昭著于世界。是年八月，武昌革命军起，而革命之功，于以告成。综计诸役，革命党人以一往直前之气，忘身殉国；其慷慨助饷，多为华侨；热心宣传，多为学界；冲锋破敌，则在军队与会党；踔厉奋发，各尽所能，有此成功，非偶然也。

以上三者为其荦荦大者，他若外交之周旋，清廷阴谋之破坏，惟所关非细，不能尽录，留以待诸修史。

四、辛亥之役

辛亥八月十九日，革命军起义于武昌，拥黎元洪为都督。各省革命党人，不约而同，纷起以应，数日之内，光复行省十有五，遂于南京组织临时政府，举余为临时大总统。清廷命袁世凯与临时政府议和，遂使清帝退位。民国统一，余乃辞职，推荐袁世凯于参议院，续任为临时大总统焉。此一役也，为中国之大事，其得失利害，实影响于以后全体国民之祸福，不可以不深论也。

此役所得之结果，一为荡涤二百六十余年之耻辱，使国内诸民族一切平等，无复轧轹凌制之象。二为划除四千余年君主专制之迹，使民主政治于以开始。自经此役，中国民族独立之性质与能力屹然于世界，不可动摇。自经此役，中国民主政治已为国人所公认，此后复辟帝制诸幻想，皆为得罪于国人而不能存在。此其结果之伟大，洵足于中国历史上大书特书，而百世皆蒙其利者也。

然以为此役遂足以现中华民国之实乎？则大谬不然。于何证之？以十二年来之已事证之。十二年来，所以有民国之名，而无民国之实者，皆此役阶之厉也。举世之人，方疾首蹙额，以求其原因而不可得，余请以简单之一语而说明之，曰：此不行革命方略之过也。

革命方略，前已言之，规定革命进行之时期为三：第一军政时期，第二训政时期，第三宪政时期。此为荡涤旧污、促成新治所必要之历程，不容一缺者也。民国之所以得为民国，胥赖于此。不幸辛亥革命之役，忽视革命方略，置而不议，格而不行，于是根本错误，枝节横生，民国遂无所恃以为进行，此真可为太息痛恨者也！今举其害于左：

(一)由军政时期一蹴而至宪政时期,绝不予革命政府以训练人民之时间,又绝不予人民以养成自治能力之时间。于是第一流弊,在旧污末〔未〕由荡涤,新治末〔未〕由进行。第二流弊,在粉饰旧污,以为新治。第三流弊,在发扬旧污,压抑新治。更端言之,即第一为民治不能实现,第二为假民治之名,行专制之实,第三则并民治之名而去之也。此所谓事有必至,理有固然者。

(二)军政时期及训政时期,所最先著重者,在以县为自治单位,盖必如是,然后民权有所托始,主权在民之规定,使不至成为空文也。今于此忽之,其流弊遂不可胜言。第一,以县为自治单位,所以移官治于民治也。今既不行,则中央及省仍保其官治状态,专制旧习,何由打破?第二,事之最切于人民者,莫如一县以内之事,县自治尚未经〈训〉练,对于中央及省,何怪其茫昧不知津涯。第三,人口清查,户籍厘定,皆县自治最先之务。此事既办,然后可以言选举。今先后颠倒,则所谓选举,适为劣绅、土豪之求官捷径,无怪选举舞弊,所在皆是。第四,人民有县自治以为凭藉,则进而参与国事,可以绰绰然有余裕,与分子构成团体之学理,乃不相违。苟不如是,则人民失其参与国事之根据,无怪国事操纵于武人及官僚之手。以上四者,情势显然。临时约法,既知规定人民权利义务;而于地方制度,付之阙如,徒沾沾于国家机关,此所谓合九州之铁铸成大错者也。

(三)训政时期,先县自治之成立,而后国家机关之成立。临时约法,适得其反,其谬已不可救矣。然即以国家机关之规定论之,惟知袭取欧美三权分立之制,且以为付重权于国会,即符主权在民之旨;曾不知国会与人民,实非同物。况无考试机关,则无以矫选举之弊;无纠察机关,又无以分国会之权;驯致国会分子,稂莠不齐,熏莸同器;政府患国会权重,非劫以暴力,视为鱼肉,即济以诈术，弄为傀儡。政治无清明之望，国家无巩固之时，且大乱易作，不可收拾。

以上所述，皆十二年来之扰攘情状，人人所共见共闻者。寻其本原，何莫非不行革命方略有以致之。余于临时大总统任内，见革命方略格而不行，遂不惜辞职，非得已也。

五、讨袁之役

辛亥之役，以不行革命方略，遂致革命主义无由贯彻，已如上述。在此情况之中，使当政府之局者，为忠于民国之人，亦无由致治，仅可得小康而已。余于袁世凯之继任为临时大总统也，固尝以小康期之，乃倡率同志，退为在野党，并自任经营铁道事业。盖以为但使国无大故，则社会进步，亦足以间接使政治基础臻于完固。如此，则民国之建设虽稍迟滞，犹无碍也。顾袁世凯之所为，则无一不与民国为仇，其不轨之心，日甚一日。袁世凯之出此，天性恶戾，反复无常，固其一端；然所以敢于为此者，一由革命方略不行，则缘之而生之弊害，断不能免。人见弊害如此，则执以为党人诟病，谓民主之制，不适于中国。而党人亦因以失其信用。一由专制之毒深入人心。习于旧污者，视民主政治为仇雠，伺瑕抵隙，思中伤之以为快。群趋重于袁世凯，将挟以为推翻民国之具，而袁世凯亦利用之，以自便其私。积此二者，袁世凯于是有划除南方党人势力根据之计画，有推倒民治、恢复帝制之决心。于狙杀宋教仁，小试其端；于五国借款不经国会通过，更张其焰。东南讨袁军举事太迟，反为所噬。辛亥之役，革命军所植于国内之势力，遂以荡涤无余。及乎国会解散，约法毁弃，则反形已具，帝制自为之心事，跃然如见矣！余乃组织中华革命党，恢复民国以前革命党之面目，而加以严格之训练。以辛亥覆辙，申儆党人，俾于革命之进行，不致徬徨歧路。自二年至于五年之间，与袁世凯奋斗不绝。及乎洪宪宣布，僭窃已成。蔡锷之师，崛始云南，西南响应，而袁世凯穷途末路，众叛亲离，卒郁郁以死。民国之名词，乃得绝而复苏。

经此一役，余以为国人应有之觉悟，其至低限度，亦当知袁世凯式之政治，不能存在于民国之内，必彻底以划除之也。不期国人之意识，乃无异于辛亥。辛亥之役，以为但使清帝退位，则民国告成，讴歌太平，坐待共和幸福之降临，此外无复余事。所有民国一切之设施与旧制之更张，不特不以为必要，且以为多事。丙辰之役，以为但使袁世凯取消帝制，则民国依然无恙，其他袁世凯所留遗之制度，不妨萧规而曹随。似袁世凯所为，除帝制外，无不宜于民国者。甚至袁世凯所毁弃之约法与所解散之国会，亦须力争，而后得以恢复，其他更无俟言。故辛亥之结果，清帝退位而止；丙辰之结果，袁世凯取消帝制而止。

六、护法之役

自民国二年至于五年，国内之革命战事，可统名之曰讨袁之役；自五年至于今，国内之革命战事，可统名之曰护法之役。袁世凯虽死，而袁世凯所留遗之制度，不随以俱死，则民国之变乱，正无已时，已为常人意料所及。果也，曾不期年，而毁弃约法、解散国会之祸再发，驯至废帝复辟，民国不绝如缕。复辟之变，虽旬余而定；而毁法之变，则愈演愈烈。余乃不得不以护法号召天下。

夫余对于临时约法之不满，已如前述，则余对于此与革命方略相背驰之约法，又何为起而拥护之，此必读者所亟欲问者也。余请郑重以说明之。辛亥之役，余格于群议，不获执革命方略而见之实行，而北方将士，以袁世凯为首领，与余议和。夫北方将士与革命军相距于汉阳，明明为反对民国者，今虽曰服从民国，安能保其心之无他。故余奉《临时约法》而使之服从，盖以服从《临时约法》为服从民国之证据。余犹虑其不足信，故必令袁世凯宣誓遵守约法，矢忠不贰，然后许其和议。故《临时约法》者，南北统一之条件，而民国所由构成也。袁世凯毁弃《临时约法》，即为违背誓言，取消其服从民国之证据，不必待其帝制自为，已为民国所必不容。袁世凯死，而其所部将士，袭其故智，以取消其服从民国之证据，则其罪与袁世凯等，亦为民国所必不容。故拥护约法，即所以拥护民国，使国之人对于民国无有异志也。余为民国前途计，一方面甚望有更进步、更适宜之宪法，以代《临时约法》；一方面则务拥护《临时约法》之尊严，俾国本不因以摇撼。故余自六年至今，奋然以一身荷护法之大任而不少挠。

护法事业，凡三波折。六年之秋，余率海军舰队，南去广州，国会开非常会议，举余为大元帅，余乃以护法号令西南。西南将帅虽有阴持两端不受约束者，然于护法之名义，则崇奉不敢有异。故其时西南与北方战，纯然护法与非法战也。及余解职去广州，继起之军政府，对于护法，不能坚持；而西南诸省，因之亦生携贰，率至军政府有悍然取消护法之举，于是护法事业几于坠地。九年之冬，余重至广州，翌年五月，再被选为大总统，始重整护法之旗鼓，以北向中原。而奸宄窃发，进行蹉跌，北方将士反以护法相号召，冀收统一之效。余固喜之，顾以国会问题犹未解决，护法事业终为有憾，然余甚愿以和平方法，睹护法之完全告成也。护法之战，前后六载，国家损失不为不重，人民牺牲不为不大；军兴既久，所在以养兵为地方患，故余于护法事业将告结束之际，发起化兵为工之主张以补救之。如实行此主张，于国利民福，当有所裨；否则，护法之役所得效果，惟留法之不可毁之一念于国人脑中而已，较辛亥、丙辰所得结果，不能有加也。

七、结　论

中华革命之经过，其艰难顿挫如此。据现在以策将来，可得一结论曰：非行化兵为工之策，不能解目前之纷纠；非行以县为自治单位之策，不能奠民国于苞桑，愿我国人一念斯言。

民国十二年一月二十九日

据《申报五十周年纪念专刊》（一九二三年二月编印）《中国之革命》

致卢焘函

（一九二三年一月三十日）

寿慈吾兄惠鉴：

刘俊三君赍来手书，并为道近况，藉悉壮怀犹昔，深为感佩。

兄本长才，可期多助；一时小挫，不足为大贤累，幸努力为国奋斗，苦心人天不负也。吾辈神交已久，迄无缘一面，白水苍葭，不胜遐想。倘便道枉存，一倾积愫，实所钦迟。此复，藉颂

筹祺

一月三十日

据《国父全集》第三册（转录史委会藏《总理函稿》）

给丁惟汾等委任状

（一九二三年一月三十日）

委任丁惟汾、黄复生、朱之洪为本部参议；徐苏中、周雍能、李

凤梧为总理办公处秘书;李翼民为总理办公处书记。此状。

总理(印)

据《国父全集》第四册(转录《本部公报》一卷四号)

给谭平山委任状

(一九二三年一月三十日)

委任谭平山为本党广东工界宣传员。此状。

总　　　　理(印)

总务部部长彭素民(副署)

宣传部部长茅祖权(代署)

据《国父全集》第四册(转录《本部公报》一卷四号)

与日本《朝日新闻》记者的谈话

(一九二三年一月三十一日)

此次越飞赴日,系为观察日本人民对于俄国之观念为如何。以日俄关系之重要,此实为日本人民表白真正意见之绝好机会,愿日本新闻界唤起人民之注意,勿盲然失此机会。

据上海《国民日报》一九二三年二月一日

《日报记者谒中山先生》

复刘震寰函

(一九二三年一月三十一日)

显丞吾兄惠鉴:

昨周君公谋来,发出迎柬,高谊干云,纫感无既。

本拟返粤一行，与兄等筹商善后，不意船位甫订，而沈鸿英谋变，捕杀丽堂之警耗迭至，诸同志愈以祸变未知所届相劝阻，遂不果行，枉劳候迓，尚希亮察。此间确报，鸿英所欲图害者，实不仅丽堂一人。广东一省、贵部及其他诸同志部队，亦均在彼暗算之列。在鸿英向隶盗阀，久降北虏，其仇贼吾党，破坏西南，无足深怪；独惜此次桂军以义始，徒以鸿英一人之故，几蒙不义之名。外间不察，甚至疑滇、桂军皆党于沈，沈愈挟之以市利，殊令人慨叹不置。

粤中诸军屡电请讨，谓欲肃清两广内奸，维持护法根据地，如沈鸿英者，决不可不亟谋铲除；海滨、展堂诸人亦均以是为请。文以士气不可过遏，除恶终宜务尽，业经复电允可。兄为吾党健者，想不待此书之至，早已磨盾草檄矣。夫乘机以去敌，义立而众归，在昔贤豪之兴，罔不由此。今沈部不过数千，论力则我众彼寡，论理则彼屈我直，胜负之形，无俟交绥而已见，此殆天夺沈魄，而玉执事于成耶。语曰“天与不取，反受其殃”，幸速图之。即颂

戎安不一

孙文　一月三十一日

据《国父全集》第三册（转录史委会藏《总理函稿》）

致杨希闵函*

（一九二三年一月三十一日）

肇基兄大鉴：

此次联军讨贼，以兄所部滇军为倡义之首，劳苦多功，亟堪嘉慰。不幸以主客误会，激成事变，文之行期因而中止。

---

* 此函由杨庶堪代笔，签名为孙中山手笔。

日来沈军电北，渐启异谋。吾兄义声著于国人，万不可稍受其惑，致隳令望。远道传闻，或多失实，文之坚信兄等始终无二。兹特专函，由李文汉、寸性奇两君面达，并述文倚畀吾兄之至意。苦衷密画悉可与汉民、协和、海滨、映波、和卿、锡卿①详筹之。

国难频仍，文与兄等历年患难之经，不宜轻听佥壬，或稍自疑。吾党为国牺牲之钜，兄辈躬与其役，当不忍以一朝之忿，而小忽百年大计也。临风布臆，伫竢嘉猷。手此，即颂
勋安不一

孙文　一月三十一日

据上海图书馆藏手稿

批陈肇英函*

（一九二三年一月下旬）

作答奖勉，并告以闽局情形复杂，当暂听其自然，俟粤局彻底解决之后，再想办法。

据《国父批牍墨迹》

命召集中央干部会议令**

（一九二三年一月下旬）

定二月二日召集中央干部会议，著总务部即发通知并预备

① 协和、映波、和卿、锡卿：即李烈钧、杨蓁、邓泰中、卢师谛。

* 东路讨贼军运输队总队长陈肇英自福州来函，报告福建局势复杂，恐许崇智部离闽赴粤后，福建或有意外事件发生。原函仅署一月十九日。从福州发往上海，途中尚需数日，故酌定批来函日期为一月下旬。

** 《国父全集》第四册标明此手令为二月，似据开会日期。按一般召开会议规程，应在开会前数日发出通知，故酌定为一月下旬。此系国民党本部举行的第一次中央干部会议，曾议决“中国国民党中央干部会议规则”十二条。

一切。

总理　文

据《国父全集》第四册(转录史委会藏原件)

致全粤父老电*

(一九二三年一月下旬)

自陈逆炯明叛国称兵，残祸吾粤，七月于兹矣。文惟无知人之明，至重劳父老忧，实深抱疚，故自离粤以来，无日不亟图拯救。兹幸各军举义，诛锄暴逆，吾父老亦深明顺逆之所在，上下一心，为义师后盾，用是不俟兼旬，克靖粤难。全粤局主持有人，各军将士体念父老艰虞，自能力维秩序。至各省援军，亦皆仗义而来，为国宣劳。将来各有任务，实无丝毫权分之思，凡我父老，其各安居乐业，毋滋惊扰为盼。

据《国父全集》第三册(转录《会书》之九《文电》)

《五修詹氏宗谱》序

(一九二三年一月)

同志詹大悲以其族启光、启全祖及大三祖支下续修家乘，征余言弁。

余曰：夫天下一家，则人不独亲其亲、子其子，是世之极治也。抑自治非臻于是，则亦不足以言其至也。欧政使国与民相系而不

---

* 原电未标明时间，据电称陈炯明叛变已历七月，且讨贼各军已“克靖粤难”，“全粤局主持有人”，此电当系一九二三年一月二十二日已电委胡汉民为广东省长之后发出，故定为一月下旬。

离。某居、某婚、某生殁、某何业、逮财若干，公之籍各具，无或取征于家。其为家也简，二世以上恒异处。人视其族，亦恒不独亲，是去极治乃甚修，而于国之治，为能范围其民而不涣者也。吾国家天下数千年，群之事不备于有司，家教而族约以为一家，有人事业文章可传者，官史或不具，惟家乘所详，视官史且信。若里居、生殁、婚异，凡为群之状，非家乘一无所稽焉。是为政之敝，而固无谬于自治之意也。

吾党主义三，民族主义冠焉。民族惟独立并存，各贡其工作之值于世界，然后可使进化同程，以共趋于极治之域。今欲甲乙或丙无强弱不更为敌，异昔之人相食，则必先使之各去敌意而互谋亲爱，是故积民族之亲，则一人类之非敌也；积家族之亲，则一国一民族之非敌也。余稽詹氏先代时，有人能为天下之人尽瘁，今兹家乘之作，其将于是萃族人谋所以光大先烈者，而姑以亲亲之事为之熇矢也。其进而革民族相食之陋也，将惟是；其益进而树天下一家之基也，将亦惟是。若是，固亦吾同志无尽之责也，愿共勉之，余尤愿贵族诸君子闻余言而皆有所以共勉也。

中华民国十二年一月穀旦

孙文谨撰

据湖北省蕲春县县志编写组藏《五修詹氏宗谱》

（朱宗震同志抄赠）

发起宫崎寅藏追悼大会启*

（一九二三年一月）

宫崎寅藏先生，日本之大改革家也，对于吾国革命历史上，尤著有极伟大之功绩，此为从事于中华民国缔造之诸同志所谂知者

* 原件无月日，现据《宫崎滔天全集》第五卷《年谱》第七二三页酌定为一月。

也。不幸先生于去冬病殁。噩耗传来，痛惋曷似，追念往烈，倍增凄恻。盖以先生之死，不惟于邻邦为损失一改革运动之领袖，而于吾国前途上亦失去一良友，不有追悼，何伸哀忱。同人等兹拟就沪上为先生发起追悼大会，以志不忘，而慰幽魂。如荷赞同，即希赐署台衔，列名发起，实深感幸。

孙文、杨庶堪、覃振、廖仲恺、田桐、居正、戴传贤、张继、刘积学、王用宾、孙洪伊、詹大悲、叶楚伧、邵力子、黄复生、柏文蔚、朱之洪、田桓、林祖涵、陈中孚、吕超、朱霁青、蒋中正、吴苍、顾忠琛、茅祖权、路孝忱、周震鳞、叶荃、吴介璋、吕志伊、朱一鸣、杨赓笙、吴忠信、熊秉坤、于右任、章炳麟、蒋作宾、陈少白、周佩箴、周颂西、张静江、蒋尊簋、吴公干、杭辛斋、赵铁桥、黄大伟、汪兆铭、胡汉民、帅功、谢持、彭素民、何犹兴、锺孟雄、陈树人、刘伯英、曾省三、季宾、管鹏、凌昭、冯子恭、徐承炉、费公侠、周仁卿、张拱辰、朱克刚、张春木、叶纫芳、朱蔚、徐苏中、周雍能、杨述凝、施成、李凤梧、蒋宗汉、孙镜、郭培富、郑观、向崑、刘其渊、曾繁庶、陈树枬、刘彦、林业明、周景溪、丁惟汾、李儒修、张秋白。（以签名先后为序）

据《国父全集》第四册（转录史委会藏原件）

宫崎寅藏先生追悼大会筹备处通告第一号

（一九二三年一月）

敬启者：宫崎寅藏先生，日本之大改革家也；对于吾国革命历史，尤著有极伟大之功绩，此为从事于中华民国缔造之诸同志所谂知者也。不幸先生于去冬病殁。噩耗传来，痛惋曷似。追念往烈，倍增凄恻。盖以先生之死,不惟于邻邦为损失一改革运动之领袖,而于吾国前途上亦失去一良友,不有追悼,何伸哀忱。同人等兹就沪上发起宫崎先生追悼大会,以表哀思。如中外人士与宫崎先生有旧或素钦其为人,拟赠以诔词、挽联及花〈圈〉等事者,请送至法界环龙路四十四号收转为荷。至于公祭地点及日期时间等,一俟筹备完峻后,再行布告。先此奉闻,统希鉴察。

发起人:孙文、覃振、孙洪伊、杨庶堪、田桐、柏文蔚、廖仲恺、戴传贤、邵力子、居正、刘积学、田桓、张继、王用宾、陈中孚、叶楚伧、詹大悲、黄复生、朱之洪、蒋中正、陈少白、林祖涵、顾忠琛、周佩箴、吕超、路孝忱、周颂西、朱霁青、叶荃、张静江、吴苍、吴介璋、蒋尊簋、茅祖权、朱一鸣、吴公干、周震鳞、吴忠信、杭辛斋、吕志伊、熊秉坤、赵铁桥、杨赓笙、章炳麟、黄大伟、于右任、蒋作宾、汪兆铭、胡汉民、管鹏、张春木、帅功、凌昭、朱蔚、谢持、冯子恭、周雍能、彭素民、费公侠、杨述凝、何犹兴、张拱辰、施成、锺孟雄、朱克刚、李凤梧、陈树人、叶纫芳、蒋宗汉、刘伯英、徐承炘、孙镜、曾省三、周仁卿、郭培富、季宾、徐苏中、郑观、向崑、刘其渊、曾繁庶、林业明、陈树枬、刘彦、周景溪、丁惟汾、李儒修、张秋白。

据《宫崎滔天全集》第五卷卷首影印件

复任金函

(一九二三年一月)

任金志兄鉴:

黄子聪君归国,得接手书,并承惠赠柯木手杖一枝,以表击贼之意，志诚心热，感佩殊深。谢谢！

比年以来，国事益坏，官僚军阀无恶不作，幸有我海内外同志奋斗不懈，国贼虽多，终必有尽数扫击之日，此责任愿与我同志共负之。此复，并颂

毅安

据《国父全集》第三册（转录史委会藏《总理函稿》）

复利物浦支部函

（一九二三年一月）

骆潭部长、静愚书记均鉴：

读去冬十二月二十四日来函，藉悉贵支部现大加改良，党员对于党事国事，视同家事，为之欣慰不置。

中华民国系吾党所缔造，维持拥护，亦惟乃吾党之责权。国事之隆替，视乎吾党势之盛衰；而党势之盛衰，则视乎吾党员对于党事之观念如何，此不易之理也。近者，本党修订总章，大加整顿，即欲唤起党员之精神，扩张本党之势力。来函所言，实获我心。

诸君远适异国，寄人篱下，相助相扶，端赖有党，非仅为交换知识，共肩国事已也，故海外党员尤有视党事如家事之必要也。诸君既明乎此，甚望相敬相爱，相恕相戒，身体力行，以感化敌派。此复，即颂

群祺

并候列位同志。

据《国父全集》第三册（转录史委会藏《总理函稿》）

复梁楚三函

（一九二三年一月）

楚三志兄鉴：

得元月五日手书，知前函及委状，均经收妥，甚慰。

讨贼军兴，需款急要，兄亲自出发加东、加中各埠鼓吹筹饷，劳瘁不辞，可为感佩。加属同志众多，热心素著，使能相恕相爱，协力不懈，则收效必大。兄卓识宏谋，经历又富，自能振作有余。所请暂托总务科主任陈鸿文兄代理部务一节，应即照准。

此复，并颂

精神

据《国父全集》第三册（转录史委会藏《总理函稿》）

复横滨支部函

（一九二三年一月）

同志诸兄均鉴：

接诵禧电，备荷眷注，感纫至深。

近念横槟党务进展非常，规模气象焕然一新，非诸君子黾勉奉公，毅诚将事，曷克臻此。日来粤局陡变，平反之期，指日可俟。愿兄等攘袂奋兴，作义军后援，救乡救国，端在斯举，其共勉之。此复，即颂

新禧

孙　文

据《国父全集》第三册（转录《本部公报》一卷二号）

复佟兆元函

（一九二三年二月一日）

得一先生执事：

辱惠书，远承藻饰，敢不加勉。文与执事虽未尝相见，然当秀翘兄在奉天时，数数来书，辄为道执事梗概。文于执事，盖所谓神交，不在形迹之疏与密也。

吾国外交素称棘手，东省处日俄之冲，交涉尤难。执事周旋其间，绰有余裕，具见长才，曷胜佩慰。

蒙赠贵乡珍产，一一敬领。何时得与执事晤对一堂，纵谈天下事耶？维日望之矣。丹甫北来，已嘱其代达一切。专复并谢。即颂时绥

二月一日

据《中央党务月刊》第十八期（一九三〇年一月出版）《总理函稿》

复于冲汉函

（一九二三年二月一日）

云章先生执事：

秀翘来，备述雅意；又辱惠笺，推奖逾恒，令人感奋。

执事才智轶众，经验宏多，对于全局之统筹，必有踌躇而满志者。文自陈氏败窜，方期提挈两粤，与天下豪杰，共策和平。不图旬日之间，沈变继作，北庭谬妄，即欲乘间抵隙，肆其野心，以达彼武力鞭策天下之宿志，良用慨然。文当此惟有继续努力，贯彻初

衷，以与祸国者奋战而已。如荷不弃，尚希时锡嘉言，匡其不逮，企盼之殷，盖有非语言所可宣者。余由丹甫面达。即颂

筹祺

二月一日

据《中央党务月刊》第十八期《总理函稿》）

复李友兰函

（一九二三年二月一日）

香斋先生执事：

别来时时系念；复辱惠书，所以期许文而为之筹策者至厚，隆情卓识，敢不拜嘉。不图天未厌乱，炯明甫定，鸿英跳梁，粤局之安，尚需时日，文惟当为国自奋耳。尚望执事时惠嘉言，匡其不逮，并希尽大力之所能至者，助而成之，则澄请〔清〕统一之功，当不难立见。不尽之怀，由丹甫兄面达。耑复，藉颂

筹祺

二月一日

据《中央党务月刊》第十八期《总理函稿》

复何成濬函

（一九二三年二月一日）

雪竹吾兄惠鉴：

翁君[①]携来手书，已聆悉。师行无滞，至惬鄙怀。现陈贼虽窜，沈贼又起，更望从速进剿，迟恐滋蔓难图。闽局极杂，粤军撤

① 翁君：即翁吉云。

后，将愈泯棼不可理，当以解决粤局为解决闽局之先导。至鲁贻、媿生、卓然[①]诸兄处，已遵嘱去电勉励矣。专复，即颂

戎绥

二月一日

据《中央党务月刊》第十八期《总理函稿》

复李梦庚函[*]

（一九二三年二月一日）

梦庚先生执事：

惠书嘉慰无似。别数月耳，而粤事变换，有如弈棋，曷胜浩叹。今足下历举所见，娓娓而谈，实足以匡文不逮，一俟粤局大定，当有以勉副厚望也。泯源[②]、得一诸君，诸承关垂，极为欣感，相见时幸代致拳拳。未尽之怀，由丹甫兄面达。专复，即颂

时绥

二月一日

据《中央党务月刊》第十八期《总理函稿》

复杨宇霆函[**]

（一九二三年二月一日）

邻葛先生大鉴：

顷奉大示，以主义精神相结合，又复归本于信义，名言谠论，度越前伦。文虽不敏，敢不力竭棉薄，以从贤豪之后；况东省自得执

---

① 鲁贻、媿生、卓然：即黄展云、吴媿生、许卓然。

* 李梦庚（少白）系张作霖亲信，曾于一九二二年二月奉张命到桂林与孙中山商谈。

② 泯源：即王永江。

** 杨宇霆时任奉军总参议。

事与诸贤助理，军民两政日臻盛轨。

文方欲控制百粤，共策进行；何期陈逆将就肃清，而桂军之沈鸿英，豺子野心，顿谋反噬。粤军总司令魏丽堂君推诚相与，猝不及防，竟为所困。粤军一、四两师顷退驻江门；桂军刘震寰所部亦与海军联络一气，誓讨沈逆；在闽粤军计当抵粤；即陈逆部曲对于沈逆之攘窃行为，亦感怀义愤，迭电输诚，愿为前驱。

文生平接物以诚，从未以狡诈用事。今沈逆包藏祸心，窃据羊城，谋危大局，非独粤人所不容，当亦执事所深恶也。文与执事现相矢以信义，相结以精神，尚希时锡嘉言，以匡不逮。肃复，即颂筹安

孙文　二月一日

据《国父全集》第三册（转录史委会藏《总理函稿》）

批于应祥函*

（一九二三年二月一日）

代答：着即往粤见程颂云①，相机办理。

据《国父全集》第四册（转录史委会藏原件）

批李烈钧电**

（一九二三年二月二日）

筹款不易，港商亦必畏缩，然当尽力去做。沪上潮商或有望，

---

* 于应祥拟收编湘、粤、桂边界之散兵，向孙中山请示办法。

① 程颂云：即程潜。

** 李烈钧于一九二三年一月二十一日由香港抵广州，旋即转赴潮汕，收抚陈炯明部洪兆麟、尹骥、李云复等，曾自汕头致电孙中山报告收抚情况并请孙中山恳电港、沪筹助军饷数十万元。

着潮汕各官联名发电来潮州会馆，请各潮商协力。

据《国父全集》第四册（转录史委会藏原件）

复黄展云函

（一九二三年二月三日）

鲁贻吾兄惠鉴：

翁吉云君来，得一月十七日手书，欣悉我兄正为讨贼军筹薪饷，指囷高义，何以逾此，感极感极。

近年来各省区域之见重，党谊往往为所湮没。据道路传闻，虽闽省多贤，亦不免此，矫而正之，将惟足下是赖。足下吾党健者，为党为国，伟略必多，望时时惠示为幸。即询

近益不具

二月三日

据《中央党务月刊》第十八期《总理函稿》

给柏文蔚等委任状

（一九二三年二月三日）

委任柏文蔚、吕超、黄大伟、蒋作宾、蒋中正、顾忠琛、朱霁青、路孝忱、叶荃、吴介璋、朱一鸣为本部军事委员会委员；杨子修为总理办公处办事员。此状。

总理（印）

据《国父全集》第四册（转录《本部公报》第一卷四号）

复陈肇英函

（一九二三年二月五日）

雄甫吾兄惠鉴：

接诵元月十九日手书，欣悉我兄随佐汝为讨贼，鱼水相得，深为忭庆。八闽本兄旧游地，遗爱在民，进行当更顺遂。张贞愿为讨贼军前驱，极嘉，可商之汝为，渠自有处。闽事极杂，须俟粤局彻底解决后，再谋整理。此时无力兼顾，姑听其自然可也。耑复，并颂
时绥

二月五日

据《中央党务月刊》第十八期《总理函稿》

复徐镜清函

（一九二三年二月五日）

瑞霖吾兄惠鉴：

一月十三日惠笺及敬告全闽父老昆弟书均奉悉。

兄此次服务桑梓，外摧强寇，内戢同袍，想已心力交瘁，偶萌退念，亦属恒情。惟起视寰宇未宁，即吾人之责任未尽。文老矣，尚未敢自逸，兄何忍遽言高蹈？况值粤军返粤，闽局愈危，尤望大力勉为撑持。若夫既遯以鸣洁，是特硁硁小丈夫之行，非文所望于吾党志士也。特复，并颂
痊安

二月五日

据《中央党务月刊》第十八期《总理函稿》

复杨汉烈函

（一九二三年二月五日）

汉烈吾兄惠鉴：

惠书暨茶叶五箱，已一一领悉。

乃者闽南告靖，兄力实多。文尚未为国报功，厚赠愧曷敢当。弟以精诚所在，芹曝之献，尚不可却，矧属我兄嘉贶，敢不敬领。垩室荒江，朔风如吼，因念远征诸将士尚崎岖于冰山雪壑间，未遑宁处，辄用疚心，何时得为兄等解甲卮酒相劳，一慰平生耶？尚勉旃哉！企予望之。此复，藉颂

戎安

二月五日

据《中央党务月刊》第十八期《总理函稿》

批黄展云电*

（一九二三年二月五日）

答：粤局陈逆虽倒，沈贼又来，此与吴佩孚大有关系。彼辈以为既已得粤，遂敢申手于闽。此时必彻底固粤，乃能救闽，望诸兄竭力维持，不日当有大解决也云云。

据《国父全集》第四册（转录史委会藏原件）

---

* 黄展云于一月二十日致电孙中山，深恐许崇智部离闽后福建局势因“他党图谋益急，倍形艰危”，要求维持福建局势。孙中山以粤局重要，仍于二月二日命许部离闽回粤。

给曾省三等委任状

（一九二三年二月七日）

委任曾省三、何犹兴、锺孟雄、叶纫芳、田桓为本部总务部干事。此状。

总理（印）

据《国父全集》第四册（转录《本部公报》一卷五号）

给杨庶堪委任状

（一九二三年二月七日）

任杨庶堪为劳军使。此状。

孙　文

中华民国十二年二月七日

据中国革命博物馆藏原件

给郑观等委任状

（一九二三年二月七日）

委任郑观、刘其渊、蒋宗汉为本部党务部干事。此状。

总理（印）

据《国父全集》第四册（转录《本部公报》一卷五号）

给田桓委任状

（一九二三年二月七日）

委任状：委任田桓为本部总务部干事。此状。

中国国民党总理孙文

中华民国十二年二月七日

据中国革命博物馆藏原件

复刘玉山函*

（一九二三年二月八日）

玉山吾兄惠鉴：

奉手教，速文还粤，荩等卓识，至为佩慰。

近来地域之谬见，寖淫全国，往往置国事党谊于不顾。兄桂人也，独能于桂军将领之不法如沈鸿英者，持义不苟，痛加诛斥，高瞻远瞩，洵足为吾党矜式，可与共天下事矣！粤事关系全局，幸协同诸友军努力戡定，文必竭其棉薄为兄等助，或来粤与兄等共苦乐也。特复，顺颂

筹祺

二月八日

据《中央党务月刊》第十八期《总理函稿》

---

* 《中央党务月刊》载，该函为三月八日。据函称：此时沈鸿英已于一月二十六日发动江防之变，桂军将领刘玉山致函时在上海的孙中山，“速文还粤”，故该函应在一月二十六日之后，孙中山二月十五日离沪返粤之前，当为二月八日。

复刘震寰函

（一九二三年二月八日）

显丞吾兄惠鉴：

哲生[①]来，奉到专函，并据面述，文既欣扶义之坚，复感用心之苦，大义隆情，令我心折。

沈氏[②]目前虽已退驻西江，其志实在不小。吾恐粤难方兴未艾，而大局之底定，亦必较诸往日更费经营。望吾兄速商同志各军蹑击勿失，迟则彼与赣合，为祸将愈大矣。文或者当刻期还粤，与兄暨诸同志一商大计也。不尽之怀，由哲生面罄。此颂

筹绥不一

二月八日

据《国父全集》第三册（转录史委会藏《总理函稿》）

复陈天太函

（一九二三年二月八日）

天太师长台鉴：

罗良斌君来，获诵近笺，忠挚之气，溢于言表，实深欣慰。

粤中近数月来祸变之多，古所罕见。文早拟于陈逆远飏后还粤一行，绥抚诸部；不意牵于人事，略迟吾行，而沈鸿英之变遂作。

① 哲生：即孙科。

② 沈氏：即沈鸿英。

粤局幸赖足下扶助于前，尚望维系于后。有必要时，文仍当南还，一劳足下与诸军将士便商大计也。特复并谢，即颂
戎绥不一

二月八日

据《中央党务月刊》第十八期《总理函稿》

复杨希闵函

（一九二三年二月八日）

绍基吾兄惠鉴：

夏副官长[①]来，得惠书，恳挚极慰。

粤事始终赖兄维持，使于国事有所藉手，挞伐多劳，排解犹苦，同志无不称叹。惟消息阻遏，屡电不通，即录来诸要电，至今犹有未到者，设在他人，不几疑文有意与兄疏远耶？而兄乃皎然益明，不为尘蔽，临冠南[②]之乱，守严峻之威，正大坚贞，有非寻常所可比拟者矣。今北方无和平诚意，近益挟其武力统一之谬见，以与我周旋。大憝不除，民治终无进步，艰巨之任，惟兄与诸同志是赖也。粤中根本关系綦重，文或者勉副兄之期望，返粤一行。行止之时，当再奉告。先此奉复，并颂
筹祺不具

二月八日

据《国父全集》第三册（转录史委会藏《总理函稿》）

---

① 夏副官长：即夏声。

② 冠南：即沈鸿英。

复梁鸿楷函

（一九二三年二月八日）

鸿楷吾兄惠鉴：

王忍盦君赉来手书，已晤悉。兄久困于陈逆积势之下，欲起驱陈，本为难事，今果如志，大义既昭然于天下，而兄之屈伸妙用，亦非寻常人所可企及也，曷胜幸慰。文刻下统筹全局，不图陈逆已去，而沈贼又来。今虽退驻西北两江，其志实不在小，望速与各友军努力诛锄，以竟全功。如有必要时，文或者南旋，一劳兄等便商大计也。余由王君面达。耑复，藉颂

戎安不一

二月八日

据《国父全集》第三册（转录史委会藏《总理函稿》）

给吴公干等委任状

（一九二三年二月八日）

委任吴公干为中国国民党上海第一分部部长；何世桢为中国国民党上海第二分部部长；连濬为中国国民党上海第三分部部长；何荣山为中国国民党上海第一分部评议部正议长；高伯谦为中国国民党上海第一分部评议部副议长。此状

总　　　　理（印）

总务部部长彭素民副署

党务部部长陈树人副署

财务部部长林业明副署

交际部部长张秋白副署

据《国父全集》第四册(转录《本部公报》一卷五号)

给刘殿生委任状

(一九二三年二月八日)

委任刘殿生为中国国民党上海第一分部党务科主任。此状。

总　　　　　　理(印)

总务部部长彭素民副署

党务部部长陈树人副署

据《国父全集》第四册(转录《本部公报》一卷五号)

给程亮初委任状

(一九二三年二月八日)

委任程亮初为中国国民党上海第一分部会计科主任。此状。

总　　　　　　理(印)

总务部部长彭素民副署

财务部部长林业明副署

据《国父全集》第四册(转录《本部公报》一卷五号)

给冯幼拔委任状

(一九二三年二月八日)

委任冯幼拔为中国国民党上海第一分部宣传科主任。此状。

总　　　　理(印)

总务部部长彭素民副署

宣传部部长叶楚伧副署

据《国父全集》第四册(转录《本部公报》一卷五号)

给林焕廷等委任状

(一九二三年二月八日)

委任林焕廷为中国国民党上海第一分部总务科主任;邝公耀为中国国民党上海第一分部执行部书记;黄尚周、刘生初、黄鹤朋、关民生、冯闰生为中国国民党上海第一分部干事;朱蔚然为中国国民党上海第一分部评议部书记;林安、周柏祥、蔡章成、林海筹、罗惠棠、何广生、吴钊为中国国民党上海第一分部评议部评议员。此状。

总　　　　理(印)

总务部部长彭素民副署

据《国父全集》第四册(转录《本部公报》一卷五号)

给李儒修等委任状

(一九二三年二月八日)

委任李儒修、朱克刚、张春木为本部宣传部干事。此状。

总理(印)

据《国父全集》第四册(转录《本部公报》一卷五号)

给熊秉坤委任状

（一九二三年二月八日）

委任熊秉坤为本部军事委员会委员。此状。

总理（印）

据《国父全集》第三册（转录《本部公报》一卷五号）

给冯子恭等委任状

（一九二三年二月八日）

委任冯子恭、徐承炉、张拱辰为本部交际部干事。此状。

总理（印）

据《国父全集》第四册（转录《本部公报》一卷五号）

给吴忠信委任状

（一九二三年二月八日）

委任吴忠信为本部军事委员会委员。此状。

总理（印）

据《国父全集》第四册（转录《本部公报》一卷五号）

批彭素民函*

（一九二三年二月八日）

如有必要时，可用总理之名召集干部会议。

据《国父全集》第四册（转录史委会藏原件）

* 总务部部长彭素民函请孙中山召集中央干部临时会议。

批总务部呈*

（一九二三年二月八日）

与会而不必连署；若代部长，乃得投票及连署。

据《国父全集》第四册（转录史委会藏原件）

复张开儒函

（一九二三年二月九日）

藻林吾兄惠鉴：

养电五日始到。前竞生来沪，晤谈关于兄之用心，有所未尽，哲生昨以电报言之，今来沪更面详一切，令人歉然于怀。国难未已，兄何能退官，当仍出共天下事也。

罗君来，又辱惠书。陈君困乏，早在意中，重以兄言，自当力为设法。惟际此扰攘拮据之会，每苦于供不应求，希兄时时慰藉陈君，务谅此间艰难，而善抚辑士兵为要。不尽。即颂

近佳

二月九日

据《中央党务月刊》第十八期《总理函稿》

---

* 总务部向孙中山呈述各副部长职权范围。

复任鹤年函*

（一九二三年二月十日）

鹤年足下：

来书具悉。

粤为西南根本要地，关系匪轻，多劳擘划，实深欣慰。桂沈跋扈专横，别有所图，若不速除，后患曷极。诚如尊论，望即协助显丞，迅图进取，与讨贼诸军一致动作，此不独两粤人士之所企图，大局前途亦系之矣。千万努力。不具。

三〔二〕月十日

据《中央党务月刊》第十八期《总理函稿》

致胡汉民等函

（一九二三年二月十日）

汉民、海滨并各同志公鉴：

文初本欲广州一下，则立即回粤，而以汉民、伯兰、季龙①为全权代表，以办护法政府之收束；换言之，即为一议和之机关。万一和议决裂，则当再从事于军事。后以汉民以为在沪无容有此机关，我乃改为我留沪，而汉民回粤。又转意以为最好我能始终不回粤而在上海，以应付各方，其理由已与汉民详言之。乃汉民去后，我在沪便发觉政系与沈氏之诡谋，曾电汉民设法图之，此约在江防之变前十日。

---

* 原刊载该函日期为三月十日，据函称："桂沈跋扈专横，别有所图"，系指一月二十六日江防之变，故该函应在此次事变之后，孙中山返粤之前，应为二月十日。

① 伯兰、季龙：即孙洪伊、徐谦。

从此以后，日日接电，非回粤不可，我亦以为来或能消患于无形也。不期适起程之日，则得江防之变消息，而北京政府态度亦变，吴佩孚对吾人之真面目则全露。事已至此，以为虽回亦无益矣。及滇军代表夏君[①]到沪，详报一切事变情形及滇军态度，似又应有来之必要。惟屡得粤电，则吾同志之内部又呈分裂之象，今对此分裂之象，不能不有以处断之。第一问题，若我不必回粤，则粤中政事，当由兄等全权担任之，此所以有任汉民长粤之事。第二问题，若非我回粤不可，则我到粤之后，必欲借〔居〕粤之机会，以试行我五权之制，分县之治，并同时彻底澄清粤中积弊。如是则吾党中坚同志，决不欲其担任地方行政之事，而欲其在我左右，以成立一五权机关(此机关未与北京破裂以前，不名为政府，而但行政府之实权)。吾革命数十年来，未曾得过一自由之地，一自由之机，以施行我之抱负。今若回粤，则满意以为此其地此其时矣。乃兄等不察，斤斤以省长、财政厅、盐运使为去就之争，此我大惑不解也。现在所任命之省长、财政厅、盐运使，非必以其人皆适当，亦断难保其无弊，惟其人已定于粤事未得手以前，今不妨由他一试耳。一旦有不称职，则去之可也。总之，我到粤则必欲兄等在中央机关做事，不欲兄等在地方机关做事，幸为谅之。

孙文　二月十日写于上海

据北方杂志社国父墨宝筹印委员会发行《国父墨宝》

(北平一九四八年出版)

给邢诒濡等委任状

(一九二三年二月十日)

委任邢诒濡为宋卡中国国民党分部正部长，王顺厚为宋卡中

① 夏君：即夏声。

国国民党分部副部长，陈宽柙为宋卡中国国民党分部评议部正议长，黄令伦为宋卡中国国民党分部评议部副议长；杨国英为洞多利中国国民党分部正部长，陈祝民为洞多利中国国民党分部副部长，何景云为洞多利中国国民党分部评议部正议长，杨质权为洞多利中国国民党分部评议部副议长；谭少军为玛琅中国国民党分部正部长，李廷华为玛琅中国国民党分部副部长，范百弓为玛琅中国国民党分部评议部正议长；马焕球为锦碌中国国民党分部正部长，高振汝为锦碌中国国民党分部副部长，周开穗为锦碌中国国民党分部评议部正议长，梁评旺为锦碌中国国民党分部评议部副议长；李启瑞为海阳中国国民党分部正部长，张耀东为海阳中国国民党分部副部长，李值生为海阳中国国民党分部评议部正议长，邓国钦为海阳中国国民党分部评议部副议长；何镜波为南定中国国民党分部正部长，郑铁城为南定中国国民党分部副部长，陈惠昭为南定中国国民党分部评议部正议长，林潮清为南定中国国民党分部评议部副议长；傅青云为打拿根中国国民党分部正部长，黄建为打拿根中国国民党分部副部长，区源泰为打拿根中国国民党分部评议部正议长，黄炳为打拿根中国国民党分部评议部副议长；甄挥振为稳梳中国国民党分部正部长，李能相为稳梳中国国民党分部副部长，李跃来为稳梳中国国民党分部评议部正议长，李江伟为稳梳中国国民党分部评议部副议长；王大同为兰顿中国国民党分部正部长，李秩男为兰顿中国国民党分部副部长，黄质强为兰顿中国国民党分部评议部正议长，王五星为兰顿中国国民党分部评议部副议长；伍陶吾为湿比厘中国国民党分部正部长，林逸川为湿比厘中国国民党分部副部长，伍祝川为湿比厘中国国民党分部评议部正议长，黄福初为湿比厘中国国民党分部评议部副议长。此状。

总　　　　　　理（印）

总务部部长彭素民副署

党务部部长陈树人副署

财政部部长林业明副署

宣传部部长叶楚伧副署

交际部部长张秋白副署

据《国父全集》第四册(转录《本部公报》一卷六号)

给张经席等委任状

(一九二三年二月十日)

委任张经席为宋卡中国国民党分部党务科主任;洪惠庆为洞多利中国国民党分部党务科主任;池荇塆为玛琅中国国民党分部党务科主任;陈汉文为锦碌中国国民党分部党务科主任;冯时朗为海阳中国国民党分部党务科主任;郑荣武为南定中国国民党分部党务科主任;黄吉棠为打拿根中国国民党分部党务科主任;李树楠为稳梳中国国民党分部党务科主任;张健南为兰顿中国国民党分部党务科主任;林鹤龄为湿比厘中国国民党分部党务科主任。此状。

总　　　　理(印)

总务部部长彭素民副署

党务部部长陈树人副署

据《国父全集》第四册(转录《本部公报》一卷六号)

给陈文闸等委任状

(一九二三年二月十日)

委任陈文闸为宋卡中国国民党分部会计科主任;辜世爵为洞多利中国国民党分部会计科主任;陈丁为玛琅中国国民党分部会

计科主任；马芳为锦碌中国国民党分部会计科主任；卢盈芳为海阳中国国民党分部会计科主任；胡廷祚为南定中国国民党分部会计科主任；杜林为打拿根中国国民党分部会计科主任；李荣韬为稳梳中国国民党分部会计科主任；张翊初为兰顿中国国民党分部会计科主任；林浣为湿比厘中国国民党分部会计科主任。此状。

总　　　　理（印）

总务部部长彭素民副署

财政部部长林业明副署

据《国父全集》第四册（转录《本部公报》一卷六号）

给符卓颜等委任状

（一九二三年二月十日）

委任符卓颜为宋卡中国国民党分部宣传科主任；洪森国为洞多利中国国民党分部宣传科主任；黄克白为玛琅中国国民党分部宣传科主任；张全享为锦碌中国国民党分部宣传科主任；张宝钊为海阳中国国民党分部宣传科主任；黄进步为南定中国国民党分部宣传科主任；赵振岳为打拿根中国国民党分部宣传科主任；李铁如为稳梳中国国民党分部宣传科主任；李惠民为兰顿中国国民党分部宣传科主任；邓兆枢为湿比厘中国国民党分部宣传科主任。此状。

总　　　　理（印）

总务部部长彭素民副署

宣传部部长叶楚伧副署

据《国父全集》第四册（转录《本部公报》一卷六号）

给罗瑛等委任状

（一九二三年二月十日）

委任罗瑛为宋卡中国国民党分部总务科主任，苏飏周为宋卡中国国民党分部执行部书记，苏澍偕、邢定荣、邢栗山、林熙树、张睿阶、王昌运、邢甘桃、林凤梧为宋卡中国国民党分部干事，陈祖恩、张亦超、翁世伟、潘先华、翁和标、王宗妙、翁世仕、吴天涯、黄柏、锡子侯为宋卡中国国民党分部评议部评议员；陈连枝为洞多利中国国民党分部总务科主任，苏啸山为洞多利中国国民党分部执行部书记，辜世英、陈连捷、汤濂、黄星五、张仁俭、王龙为洞多利中国国民党分部干事，苏天霖、洪谷平、辜华权、郑兴国为洞多利中国国民党分部评议部评议员；李得英为玛琅中国国民党分部总务科主任，杨百海为玛琅中国国民党分部执行部书记，张平安为玛琅中国国民党分部干事，周灵、林爽、周怀、薛鸿雯为玛琅中国国民党分部评议部评议员；马锐进为锦碌中国国民党分部总务科主任，李颖、林芳为锦碌中国国民党分部执行部书记，梁广、郑厚常为锦碌中国国民党分部干事，朱德煊、周朝桂为锦碌中国国民党分部评议部书记，陈添、甄添、张叶、林乐、吴有、郑生、周伦、黄伟、梁瑞钿、马如安、马如庆、李添来、马玉昆、黄春荣、林圣永、郑子钦、周瑞实、周霭瑞、张双全、张安为锦碌中国国民党分部评议部评议员；关秩融为海阳中国国民党分部总务科主任，郭仁甫为海阳中国国民党分部执行部书记，关耀芳、曾海恩、陈石奇、陈锦泉为海阳中国国民党分部干事，陈福海为海阳中国国民党分部评议部书记，李少雄、朱露华、陈洞滨、李清全、李兆年、卢心铭为海阳中国国民党分部评议部评议员；张椿楠为南定中国国民党分部总务科主任，冯菊逸为南定中国国民党分部执行部书记，梁国之、郑其三、程楚九、郑开、陈灼南、吴弥显为南定中国国民党分部干事，梁镜堂为南定中国国民党分部评议部书记，彭梦生、梅翼之、黄福康、方锦泉、林英、邹炳为南定中国国民党分部评议部评议员；杨子清为打拿根中国国民党分部总务科主任，陆佩文为打拿根中国国民党分部执行部书记，伍友初、陈培、黄显新、温树棠为打拿根中国国民党分部干事，吴伟廷为打拿根中国国民党分部评议部书记，张德、颜毅、姚耀球、胡球、张康、蒲善明为打拿根中国国民党分部评议部评议员；李寿为稳梳中国国民党分部总务科主任，司徒重臣、余耀宗为稳梳中国国民党分部执行部书记，李成启、陈如同、伍汉莲、陈寿民为稳梳中国国民党分部干事，刘伯乾为稳梳中国国民党分部评议部书记，甄永藩、甄其正、黄种强、李社洽、李松尧、陈嗣昌、黄盛、汤培、伍星屏为稳梳中国国民党分部评议部评议员；黄彬为兰顿中国国民党分部总务科主任，王敦五、何若渠为兰顿中国国民党分部执行部书记，钟的臣、李锡福、张鋈钦、王自立、刘子培、王星垣、陈季和、赵庄、司徒协为兰顿中国国民党分部干事，王柒耀为兰顿中国国民党分部评议部书记，钟玉吾、黄雁秋、李玉吾、刘明为兰顿中国国民党分部评议部评议员；林醒亚为湿比厘中国国民党分部总务科主任，龚乾初为湿比厘中国国民党分部执行部书记，颜伯樑、伍洁生、伍孚卿、林祝三为湿比厘中国国民党分部干事，林竹溪为湿比厘中国国民党分部评议部书记，伍达卿、赵铁汉、林容光、伍莘憧、赵慎民、林伟楠为湿比厘中国国民党分部评议部评议员。此状。

总　　　　　理(印)

总务部部长彭素民副署

据《国父全集》第四册(转录《本部公报》一卷六号)

批胡汉民电*

（一九二三年二月十日）

转电汝为，着严备击贼。

据《国父批牍墨迹》

复陆世益函**

（一九二三年二月上中旬）

数年不见，良念不置，每于报端获悉吾兄在北方工作情形，孤行独往，奋斗无懈，无甚〔任〕欣佩。顷奉赐书，对于根本利害，既洞烛无遗，所拟办法，复透切已极。文不日返粤，于改组党务、创立党军、宣传党义诸端，皆拟依据进行。兵工计划，尤为中国起死回生之无二办法，文筹划已久，数年心力悉在于斯。诚如尊论，真正之兵工必于国家统一之后始可着手。着手之时，宜令全国兵士先修筑碎石道路，次及铁路等工事，即令兵士渐为工事之主人，国家仅负统一监理之责。大兵工厂之创设，文亦有志而未逮者，数年于兹。将来至少如克虏伯工厂之规模者，须成立三四处始足分配。文此次返粤，当首先减削兵额，量力实行兵工，想兄所乐闻也。大驾何日南来，敬扫径以待。

据陆世益《孙中山先生兵工计划论》（上海北新书局一九二七年出版）中《总理第二次之兵工书牍》

---

* 胡汉民当时在广州代行大总统职权并兼广东省长，他于二月十日致电孙中山，报告陈炯明在香港召集会议，图谋卷土重来。

** 山西国民党人陆世益于年初自山西上书孙中山，讨论兵工问题，提出“改造党与军之组织”、“注意宣传工作”、“实行兵工计划”三种“改造大计”。原函无月日，据函称：“文不日返粤”，故酌定为二月上中旬。

致邓本殷冯铭楷函*

（一九二三年二月上中旬）

品泉、纯卿足下：

粤人常喜言自治，文亦尝赞其成，设非炯明称兵，不自治而自乱，百粤金瓯，孰得而缺之？抚今追昔，能勿慨然。今炯明已矣，而沈鸿英又乘机窃踞，降附北庭，以蹂躏吾粤，自决藩篱，引鬼入室，粤人无不切齿痛恨，即滇桂军稍明大义者，亦矢言诛沈。语曰："智者不背时而立功"，想足下胆识素优，必不昧此良机也。特因伯芬之便，托致鄙怀，惟足下裁度之。即颂

筹绥不一

据《国父全集》第三册（转录史委会藏《总理函稿》）

致林俊廷函

（一九二三年二月上中旬）

蒲田先生执事：

自陈贼倡乱，执事每每慨助讨贼军，至今黄明堂辈犹数数来书，称道不置，足征执事侠义，迥异等伦。乃者幸赖诸将努力，陈贼败逃，方期两粤从此谧宁，民治可谋发展，不图天未厌乱，枝节横生，吾民何辜，能勿慨叹！切望执事念辅车唇齿之义，共策进行，勿徒以被发缨冠，塞救灾恤邻之责。特托宋君伯芬致候，幸进而教之。即颂

---

* 此函和以下四函，均未署日期。据数函称：皆系孙中山托宋伯芬南下返粤时分送，时在江防事变之后，孙中山尚未返粤之前，故酌定为二月上中旬。

筹祺不一

据《中央党务月刊》第十八期《总理函稿》

致黄明堂函

（一九二三年二月上中旬）

明堂吾兄惠鉴：

忆自陈逆倡乱，兄即首先讨贼，不幸北江军退，兄乃崎岖于粤桂之交，困苦艰难，犹日以杀敌自励。此次滇桂军尚未东下，而兄已率部先出灵山。兄之热心毅力，诚令人倾倒。顾文远处上海，兄有所求，未能即应，每念及此，犹难为怀。今幸陈贼已逃，兄军全胜，以为可以稍遂兄之志矣；不图陈逆残部尚待安戢，而沈鸿英竟敢肆其变祸之谋，以破坏西南之局，若不亟谋讨伐，不独有违除恶务尽之训，且贻拒虎进狼之讥，文与兄将俱无辞以自解矣。故兄将来之责任仍属最重，望益加努力为祷。兄责任既重，则后方关系匪轻，凡与黄志桓接近之人，总宜谨防，不可使任后方要务。宋伯芬其人可以重任，兄所知者，合浦县事或其他要务，若以属宋君，必能胜任愉快，幸为留意。此致，藉颂

戎安

据《中央党务月刊》第十八期《总理函稿》

致陈德春等函*

（一九二三年二月上中旬）

恩波军长、汝岩旅长、尧臣旅长、介臣总指挥惠览：

---

* 此系分缮致陈德春、陈家威、王定华、申葆藩的同文函件。

此次讨贼军兴，曾未兼旬，而大勋立集，非执事策应之力，曷克神速若此？文电传来，无任佩慰。

不图天未厌乱，炯明虽去，沈贼复来，大局既费支持，吾粤首遭蹂躏，瞻念前途，痛心曷极。在文酷爱和平，固不忍轻于启衅，重苦吾民；第拒虎进狼，不独文无以自解，抑亦大违执事向义之初衷矣。执事久历戎行，忠勇素著。今文既以重任相属，务希与诸军和衷共济，以坚定之志，成戡乱之功，有厚望焉。

兹因伯芬还粤之便，特致殷问。即颂

戎绥不一

据《国父全集》第三册（转录史委会藏《总理函稿》）

致黄业兴函

（一九二三年二月上中旬）

统才足下：

粤中能战之将士，足下实其一人，文知之最深，故延揽益切。自去年六月炯明叛变而后，文即驰书遣使通达殷勤，距今才数月耳，想足下犹能忆及。今陈逆败窜，益知顺逆之分不能假借，而智者弃逆效顺尤贵及时。足下虽失之东隅，深可惋惜，然桑榆之收，犹未晚也。现在沈鸿英依附北庭，蹂躏吾粤，破坏大局，殊堪发指，文必督诸军诛之。足下若能率所部翻然听文之命，成立功名，此其时矣。足下粤人，应恭桑梓；足下猛将，应爱国家。文于足下，实有厚望，故不惮一再言之。伯芬南下，特嘱其便道趋晤，幸即当机立断，毋再游移。如有所怀，尽可直白。专此，即颂

戎绥

据《国父全集》第三册（转录史委会藏《总理函稿》）

批彭素民呈*

（一九二三年二月上中旬）

入党与受职，皆当宣誓，乃能振起本党精神。

据《国父批牍墨迹》

致谢文炳□育麒函

（一九二三年二月十二日）

文炳、育麒足下：

唐铸携来手书，藉悉足下与该军将士向义各情。顷复据醉生①来沪，详述一切，热诚毅力，实堪嘉许。足下与诸将士从此与文一心，相维终始，欣慰何极。昔贤有言："从前种种，譬如昨日死，以后种种，譬如今日生。"文甚愿与君等共守斯旨，时相惕勉。沈鸿英逆迹已著，今虽退驻北江，实欲与赣南北军联络，在我非速图剿灭之不可。望即查照前电，邀击勿失，迟则彼与驻赣北军合，君等腹背受敌，危矣！详情由醉生面达。即颂

戎绥不一

据《中央党务月刊》第十八期《总理函稿》

---

* 中国国民党总务部长彭素民于二月八日呈报孙中山：各部联席会议公决，入党不必宣誓，请孙中山批示。原批未署年月，但孙中山和中国国民党本部当时均在上海，批复时间当在二月八日至二月十五日孙中山离沪赴粤之间。

① 醉生：即梁醉生。

复沈鸿英函*

（一九二三年二月十二日）

冠南足下：

令亲郑君赉来手书，并备述尊指，具悉。国家之事，须正当办法，乃能得正当解决，绝非挟私任术、好逞阴谋、与民治之道背驰者所能胜；中间或能侥倖得一二胜利，结果亦终归于败，可以断言。此古今中外之成事具在，可资考证者也。今足下本西南护法诸将中僇力国事之一人，三四年来异向殊趋，足下率众奔突，转战于粤、桂、赣、湘，其劳已极，然而今日所得不过如此。文以为足下饱经忧患，阅历益深，凡人性之真伪，民意之向背，必灼见无遗，而得一真正觉悟，故有联军讨陈之举。不幸联军甫入广州，即有二十六日江防会议之变，此不独贻笑于人，即足下且不免各方之疑议。足下全日通电辩释，则足下之怀有隐痛，定可知矣。足下勇毅善战，文所深知，倘得相维始终，共力国事，诚文之愿，亦国之幸也。贵部偶有不谨，未免贻人口实。传曰“不矜细行，终累大德”。望足下勤加戒饬，勿使人笑贵军以义始，以不义终。而文亦得免于自决藩篱、引鬼入室之讥，则岂惟吾两粤之休，大局前途，实利赖之。来书促文还粤，并言服从文之命令，文日间即来粤一行，勉副期望。耑复，

藉颂

筹祺

据《国父全集》第三册（转录史委会藏《总理函稿》）

---

* 沈鸿英叛变后，失道寡助，陷于穷蹙，乃耍弄缓兵之计，致函孙中山伪表输诚。

复熊宝慈函

（一九二三年二月十二日）

宝慈足下：

来函领悉。此次讨贼之役，先后疏附，深资助力，至为佩慰。顾以财政支绌，接济未能如愿，良用歉然。所冀足下以大义自慰勉，谅我苦衷。粤局前途，尚多驳结，有待于足下之努力奋斗者，为日正长。特因醉生还粤之便，致书殷问，并徇醉生之请，暂拨千元交醉生，聊备兄与九维[①]、醉生三人办事之费，幸惟亮察不具。

二月十二日

据《中央党务月刊》第十八期《总理函稿》

复张九维函

（一九二三年二月十二日）

茹辛足下：

来书备悉。足下此次冒险入粤，热心宏愿，至足纫念。燮丞虽过于谨细，未能反戈杀贼，然取消极态度，暗为牵制，使贼军减一助力，其功亦有足多者也。此间困窘，略拨千元，供足下与宝慈、醉生等办事费，幸维谅察不具。

据《国父全集》第三册（转录史委会藏《总理函稿》）

① 九维：即张九维。

复李炳荣函

（一九二三年二月十二日）

燮丞足下：

粤局多变，何止沧桑，抚今追昔，欣慨交集。前黄亚伯偕令兄汝训赍来手书，已悉一切。比恐形迹过密，贻累足下，故未裁复，惟托亚伯与令兄代致殷勤，然深为足下危，而足下竟毅然不动声色，策应讨贼军，使粤垣无喋血之惨，珠海有澄清之期，韬略之奇，识者无不称叹，足下功业固自有其不朽者在也。兹因醉生返粤之便，特具函致候。即询

近佳不一

二月十二日

据《中央党务月刊》第十八期《总理函稿》

致马福祥等函*

（一九二三年二月十二日）

○○镇守使、都统、统领惠览：

顷马邻翼君为道近况，并盛称执事整军经武，捍卫边圉，深为佩慰。甘肃民俗强悍，自古屏藩西北，今得执事加以训练，当更知耻有方。年来内忧外患纷乘迭起，而西北独幸安然无事，是皆君等

* 此系孙中山致马福祥、马麒、马廷勷、马鸿英、马麟、马国良函。当时马福祥等分任甘肃省镇守使、都统、统领等职。

坐镇之力也。倘能扩而充之，力矫近日各省军人之地域偏见，而注意全局，一以强国为务，将见丰功伟烈，照耀寰宇，以视拘拘于一隅者，岂可同日语哉。兹特托马邻翼代致鄙忱，幸省察焉。即颂
戎绥不一

据《国父全集》第三册（转录史委会藏《总理函稿》）

复温树德函

（一九二三年二月十三日）

子培吾兄惠鉴：

李屏华君来，获诵惠书，肫挚可感。文已迭电详复，想邀谅察。

文常以为天下事当与天下豪杰共之，苟忠于文之主义，虽仇可友，如杨坤如、李云复之流，皆尝围攻公府，谋贼吾命，文近犹许其自新，任之不疑，况兄与文并无如杨、李之深仇，而往年岑、莫[①]秉政，兄为文炮击观音山之义举，文至今固未尝一日忘也。务望勉励前修，勿为敌所间。文定某日启程来粤，与兄等共商善后，良觌匪遥，特先布臆，藉颂
筹绥不具

据《国父全集》第三册（转录史委会藏《总理函稿》）

复蒋中正电*

（一九二三年二月十三日）

电悉。弟寒晚或删早行，如兄赶不上，请乘他船速来为祷。

---

① 岑、莫：岑春煊、莫荣新。

* 蒋中正于十三日曾致电胡汉民、汪兆铭、杨庶堪，请孙中山缓行，孙中山复电促其赴粤。

文。元。

据毛思诚编《民国十五年前之蒋介石先生》
第六编(四)(一九三七年三月印行)

复王永泉函*

(一九二三年二月十四日)

伯川吾兄惠鉴:

奉读五日惠书,辱承推奖,愧负虚声,当益自勉,以副期许。张敬舆尝以和平统一事来商,文亦乐观厥成。惟彼之基础,全筑于保洛军阀①之上,所标榜者全与文宥电②相左,空言往返,诚意毫无。吾辈此时惟有自固本根,振导民意,以促彼自命北洋正统者之觉悟。否则,彼等武力统一之迷梦未醒,以分赃谋苟合,适以长乱,非忠于谋国者所愿与闻也。

闽事务望采纳文近日各电,与子超、鲁贻共济。子超为最忠于我党主义、力倡民治之一人,纵惑于闽人治闽之谬说,亦不至引谋危民国之洪宪遗孽如刘冠雄者以自杀,文可断言拥刘③之说,特拥萨④者捏此以乱吾谋耳,万勿过听。

文因粤中诸将领迭电敦促,定明日赴粤一行。匆匆草复,即颂
春祺

据《中央党务月刊》第十八期《总理函稿》

---

* 原函无日期,函中称明日赴粤,当系二月十五日的前一天,即十四日所发。

① 保洛军阀:指以曹锟为首的直系保定派和以吴佩孚为首的直系洛阳派。

② 宥电:指一月二十六日孙中山发表的《和平统一宣言》。

③ 拥刘:拥护刘冠雄督闽。

④ 拥萨:拥护萨镇冰督闽。

在香港大学的演说*

（一九二三年二月十九日）

我此时无异游子宁家，因香港及香港大学，乃我知识之诞生地也。我本未预备演说，但愿答复一问题，此问题即前此屡有人向我提出，而现时听众中亦必有许多人欲发此问者。

我以前从未能予此问题以一相当答复，而今日则能之。问题维何？即我于何时及如何而得革命思想及新思想是也。我之此等思想发源地即为香港。至于如何得之，则我于三十年前在香港读书，暇时辄闲步市街，见其秩序整齐，建筑闳美，工作进步不断，脑海中留有甚深之印象。我每年回故里香山二次，两地相较，情形迥异，香港整齐而安稳，香山反是。我在里中时竟须自作警察以自卫，时时留意防身之器完好否。我恒默念：香山、香港相距仅五十英里，何以如此不同？外人能在七八十年间在一荒岛上成此伟绩，中国以四千年之文明，乃无一地如香港者，其故安在？

我曾一度劝其乡中父老，为小规模之改良工作，如修桥、造路等，父老韪之，但谓无钱办事。我乃于放假时自告奋勇，并得他人之助，冀以自己之劳力贯彻主张。顾修路之事涉及邻村土地，顿起纠葛，遂将此计划作罢。未几我又呈请于县令，县令深表同情，允于下次假期中助之进行。迨假期既届，县令适又更迭，新县官乃行

---

* 孙中山应香港大学学生邀请作此演说。原报载无演说具体日期，今据《民国日报》二月二十八日的报道定为二月十九日。原报载中的第三人称“彼”，此处均改作第一人称“我”。

贿五万元买得此缺者，我无复希望，只得回香港，由市政之研究进而为政治之研究。研究结果，知香港政府官员皆洁己奉公，贪赃纳贿之事绝无仅有，此与中国情形正相反。盖中国官员以贪赃纳贿为常事，而洁己奉公为变例也。我至是乃思向高级官员一试，迨试诸省政府，知其腐败尤甚于官僚。最后至北京，则见满清政治下之龌龊，更百倍于广州，于是觉悟乡村政治乃中国政治中之最清洁者，愈高则愈龌龊。

又闻诸长老，英国及欧洲之良政治，并非固有者，乃人经营而改变之耳。从前英国政治亦复腐败恶劣，顾英人爱自由，佥曰："吾人不复能忍耐此等事，必有以更张之。"有志竟成，卒达目的。我因此遂作一想曰："曷为吾人不能改革中国之恶政治耶？"

中国对于世界他处之良好事物皆可模仿，而最要之先着，厥为改变政府。现社会中最有力之物，即为一组织良好之政府，中国则并无〈良〉政府，数百年来只有败坏一切之恶政府。我因此于大学毕业之后，即决计抛弃其医人生涯，而从事于医国事业。由此可知我之革命思想完全得之香港也。

我既自称革命家，社会上疑义纷起，多所误会，其实中国式之革命家，究不过抱温和主义，其所主张者非极端主义，乃争一良好稳健之政府。我经多年之工作组织，卒将满清推倒，而建立一民国以代之。民国成立仅十二年，然自愿存在，必永久常在无疑。在此十二年间，困难至多，人民深遭痛苦，乃责革命家之造乱，谓旧时君主较愈于今。然此事实漠视数重要问题，凡民国以人民为主人，我之目的，即在使中国四百兆人皆跻于主人地位，而如何取得此地位之法，一般人似皆未知之。此次改革如造屋然，旧屋已倒，新屋未成，将来造成之后，幸福无量。今日之痛苦，实极小之代价而已。

中国以外，革命家之同志甚多，而反对者亦不少。反对派人谓中国改造民国之机会尚未成熟，以恢复帝制为宜。然十二年来复辟企图已有二次，一为袁世凯，一为清帝，均经失败。夫民国政治之未成功，乃因尚未全上轨道，而在过渡中耳。果欲中国长治久安者，必须首先完成此工作，即必须将新屋建造竣工。革命党所遭反对元素甚多：第一为满人，力图扑灭新思想；第二为官僚，务与革党为敌；第三则为军阀。必此等阻力悉除，中国始能永久平安。

党人今仍为求良政治而奋斗，一俟达此目的，中国人民即将满足而安居。试观海峡殖民地与香港，前者有华人一百万有奇，后者有华人六十万，我等未往该两地之前情形如何不必论，今则皆安居乐业而为良好公民，可见中国人民乃容易管理者也。

学友诸君乎！诸君与余同受教育于此英国属地，并在同一之学校，吾人必须以英国为模范，以英国式之良政治传播于中国全国。

据上海《民国日报》一九二三年三月七日
《补记孙先生在港演说全文》

在香港工商界集会的演说*

（一九二三年二月二十日）

予此次来港，蒙工商各界到码头欢迎，殊深感谢。惜当时香港政府为保护予计，未许诸君下船相见，未免抱歉。但香港政府已向予表明意见，自后彼此互相协助，一致行动，各商人亦可与予一致行动。从前因各商家协助革命，为政府逮捕，今可无虞，当可与予

---

* 二月十七日孙中山由沪抵港，二十日邀集香港工商界领袖约四十余人商量在广东实行裁兵筑路问题。

一致行动。予所希望于各商家者，亦系望其与予一致行动耳。当予前在上海时，北京政府及各省要人，均派代表来与予磋商统一问题。予曾发表宣言，主张先裁兵后统一。予发表宣言后，当得各方面赞成，且有裁兵会之组织；惟曹锟、吴佩孚欲以武力统一，未表赞成，故事未就。但予为实践宣言起见，当从广东裁兵始。或谓广东若裁兵，他省来攻奈何？予将应之曰：兵不贵多而贵精，苟广东有一十万兵，将其裁去一半，余一半之精兵，当能卫省及保护地方而有余。至所裁之兵用以筑路，则全省道路自通，地方自然发展，则兵之工价，虽厚于兵饷亦无妨，而兵当工〔甘〕于筑路，而不愿当兵也。不过筑路须款，是目前最要问题。然借款亦已有把握，因今日下午上海银行总理士梯云君请予茶会，余曾以裁兵借款事告之，他极赞成，愿向小吕宋、爪哇、星架坡各分行借出，不需特别抵押，所用以抵押者，只将来所筑路，或其方法系将道旁之地以现在之价值定购，待路通价涨时，即以溢利还债。至借款用途，系照予日前宣言办法，系由本省农、工、商、学、报五界各举代表一人，连同债主派出一人共同监督。若各商家赞成此事，和平统一之希望目的，当可立见。

据上海《民国日报》一九二三年三月一日
《孙总统对港商界之演说》

致魏邦平电

（一九二三年二月二十日）

广州魏丽堂总司令：兹特委兄为讨贼联军总司令，以期统辖讨贼各军，指挥如意。望勉为〈其〉难，底定粤局。孙文。号。

据《孙大元帅回粤记》

在广州滇桂军欢迎宴会的演说*

（一九二三年二月二十一日）

杨总司令、刘总司令、各将领和同志诸君：

今天蒙杨总司令、刘总司令来欢迎，本大总统是很感谢的。

本大总统向来是在广东的，为什么今天再回广东呢？因为去年六月陈炯明造反，粤军叛乱，本大总统在广东不能行使职权，至八月离开乱地，北往上海。到了今年正月，得滇桂联军和各附义诸军队的力量，赶走了叛贼陈炯明，所以今天再回广东。滇桂联军为大义讨贼，刚才恢复广州，但是各军队进城之后，非常复杂，不幸而有主军和客军的猜疑。惟现在大敌当前，如今日报纸已载陈家军曾和东路讨贼军宣战，这项猜疑是万不可有的。本来各军同为大义讨贼，原是没有主客之分的。如果说到主客之分，粤军是主，滇桂军是客，去年威迫本大总统走的，就是主军；今日欢迎本大总统来的，还是客军。现在东江叛乱的粤军，一定是要讨伐的，万不能说革命的军队可以任意叛乱，如果有叛乱的便要诛灭。不但是叛乱的粤军要诛灭，就是各省的反叛军队，都是要诛灭的。本大总统是中华民国的大总统，要中华民国成统一的国家，从此就要打破各省的界限。本大总统这次回广东来，是要统一滇桂粤诸军，造成统一的中华民国的。

我们中国本来是统一的，但是自辛亥年革命以来，革命的事业还没有成功，这个病根便在于调和。调和的意思，本来是大公无

---

* 孙中山于二月二十一日抵广州，即设大本营，以大元帅名义，节制海陆各军。

私，求和平统一的。无奈一般腐败的官僚和军阀，发起反对共和。譬如袁世凯称帝、张勋复辟、督军团造反同割据的联省自治，把一个国家弄到四分五裂，所以中华民国便不统一。这个不统一，便是革命没有成功。这回滇、桂诸军收复广州，功劳是很大的，责任是很重的，但是以后的责任还要更重大。这个重大的责任，便是在整顿内部，以广东为模范，统一西南；以西南为模范，统一中国。至于统一的方法，有舆论和武力两种，本大总统这次回粤，是主张和平统一的，因为现在全国人心实在厌乱，是有舆论做我们的后援，又有诸君的武力做基础。有了武力和舆论，这次革命是一定成功的。原来革命本是发源于南方，但是北方的共和程度也是很高的。譬如辛亥年武昌发起革命，北方便有许多省份赞成，不久便成了一个统一的中华民国。我们现在如果要再创造一个统一的共和国家，只要先除去西南的盗贼和反叛，再用武力和舆论，北方一定是赞成的。就中国现在情形而论，就有力量的，东北方有奉天的张雨亭，东方有浙江的卢子嘉，其次有段祺瑞的皖系和西南革命发源的各省。但是卢子嘉属于皖系，所以可简单分之为奉、皖和西南三系。这三系已经携手了。但是北方还有一系，表面似乎是很强的，就是盘据直隶、山东、河南、湖北几省的直系。这一系管辖北方政府，无恶不作，好象古人说"挟天子以令诸侯"一样，主张纯用武力统一中国。反对这项主张的有三派，就是刚才所说的奉、皖和西南三系。这三派都已联合，主张和平统一。直系主张武力统一，譬如调孙传芳征闽，利用杨森征川，他若两广和云贵也被他们干涉。他们武力虽然很大，然而只能及于北方，不能及于南方。譬如去年吴佩孚想干涉南方，便用计谋联络陈炯明造反。所以滇军这次打败陈炯明，便是打败吴佩孚，便是吴佩孚已经失败。本大总统这次回来，专在整理广东。近来西南为什么打仗，因为反对共和的叛徒没有除尽。

这次已经除去陈炯明，但是他的余毒尚盘据潮、梅、惠州一带。这一带地方是很大的，几乎占广东全省之半。如果不扫清这个余毒，便不能安享太平。这个余毒尚存，便是大患当前，所以还要请诸君担负责任。除清这个大患，方可稍事休息，再来整理民事，为人民谋幸福。发展西南富源，从前没有机会的原故，因为有明为革命而暗为叛逆的，所以不能成功。其他各省也是如此，不过力量不如陈炯明之大罢了。现在陈炯明已经赶走了，如果用广东的大力量做根本，扫清内乱，成功的机会，当较大于前。譬如本大总统这次经过香港，觉得有一个很大的机会。香港政府的态度，从前是很赞成吴佩孚的，譬如香港报纸，便极力代吴佩孚宣传。到了陈炯明造反之后，数月内中国不但不能统一，而且广东的军队奸淫抢劫，无所不为；政治腐败，日甚一日。香港的外人看见，知道吴佩孚真不能有为，觉悟他们从前的主张大错，所以这次便根本改变方针，竭力和真正民党亲善，我们现得了一个和门户极接近的帮助，便是成功的大机会。

革命的成功与否，就古今中外的历史看起来，一靠武力，一靠外交力。外交力帮助武力，好象左手帮助右手一样。从前美国独立，革英国的命，所以成功的原因，一半固然由于本国武力的血战，但一半可说是由于法国外交力的帮助。如果专靠武力，决计是难于成功的。譬如洪秀全革命，由广西打过湖南、湖北，以至建都南京，而终不能成功的原因，大半是由于外交失败，没有外交力的帮助。所以革命的成功与否，外交的关系是很重大的。我们现在既得了香港外交力的帮助，又有诸君武力的基础，以后要想革命成功，统一很快，便要取和平的态度，以取得舆论的后援。所以本大总统这次回粤，便主张第一和平统一，第二扫清叛乱军队，第三化兵为工，第四精练一部分军队。如果不想法则安插过量的军队，便和四川一样，兵士太多，长年的打仗。从前有主军与客军相打，现在内部相打。目前两广兵多为患，真是和四川相同。要消灭这个祸患，应该赶快设法安插不良之兵。

本大总统前在上海宣言，主张化兵为工，奉、皖两系是很赞成的，只有直系不赞成。我们主张是先裁兵后统一，直系主张先统一后裁兵。诸君要晓得裁兵便是统一的方法，先裁兵后统一，那才算是真统一，如果先统一后裁兵，便是假统一。譬如袁世凯从前不裁兵，借统一的招牌，便借了很多的外债，打败我们民党。又如两个民家械斗，要想和平解决，便先要停止器械的战争。佛家所说"放下屠刀，立地成佛"，我们要想成佛，必先要放下屠刀才好呀！这个道理是很容易明白的。至于本大总统主张裁兵，是在化兵为工，并不是把所有的兵完全裁去。就现在兵士的情形而论，在广东的饷项每月只发六七元，有时伙食都领不到手，另外每日还有早操、午操、晚操，总共约有七八小时之多，一旦有了战事，还要去拼死命，这项情形是很苦的，是很可怜的。不但广东的兵士是如此，就是各省的也是一样。到了化兵为工之后，每日做工不过六小时，在劳动一方面是很舒服的；饷项除原饷之外，另加工钱一倍。简言之，便是可以得双饷。至于做工的种类，或是开辟道路，或是办极大工厂，所做的工是永远的，不是临时的。象这样讲来，在没有化兵为工之先，兵士的饷项既少，操练又辛苦，生命又危险；在已经化兵为工之后，兵士的饷项加倍，劳动合度，生命又安全，他们一定是情愿去做工的。所以这次欧洲大战之后，欧美联军一共有几千万的兵，不到一二年之后，大半可以裁去的道理，便是用这个安插的方法。本大总统这次回粤，化兵为工，便是利用欧战后各国裁兵的方法，整顿西南的交通，发展一切的实业。诸君要晓得我们革命，是要做什么事呢？是替人民谋幸福的。革命的责任是爱民的，不是害民的。本大总统自明日起，就想一个办法，整理内部，令西南可以成为一个模范，让东北各省看见了，诚心向我，自可不用武力统一全国。如果各省明白了西南的革命是为大义的，就是到不得已的时候，要用武力，自然是“东面而征西夷怨，南面而征北狄怨”，所谓“仁者无敌于天下”，不必要用大武力，各省是很欢迎的。到了各省欢迎，所用的武力是很小的。我们自今晚起，要把这个责任担负起来，大家向前奋斗，另外造成一个新局面。这次得滇、桂诸军的援助，赶走叛贼陈炯明，本大总统是很感谢的，特为公敬一杯。

据黄昌谷编《孙中山先生演说集》《和平统一化兵为工》

（上海民智书局一九二六年二月初版）

给林丽生委任状

（一九二三年二月二十一日）

委任林丽生为中国国民党广东支部财政科科长。此状。

总　　　理（印）

总务部部长彭素民副署

财政部部长林业明副署

据《国父全集》第四册（转录《本部公报》一卷七号）

给赵公璧委任状

（一九二三年二月二十一日）

总理任命：委任赵公璧为中国国民党广东支部党务科科长。此状。

总　　　理（印）

总务部部长彭素民副署
党务部部长陈树人副署
据《国父全集》第四册(转录《本部公报》一卷七号)

给林云陔委任状

(一九二三年二月二十一日)

委任林云陔为中国国民党广东支部宣传科科长。此状。

总　　　　理(印)
总务部部长彭素民副署
宣传部部长叶楚伧副署
据《国父全集》第四册(转录《本部公报》一卷七号)

给何效由等委任状

(一九二三年二月二十一日)

委任何效由为坎问顿中国国民党分部正部长,伍碧梧为坎问顿中国国民党分部副部长,吕见三为坎问顿中国国民党分部评议部正议长,朱彪吾为坎问顿中国国民党分部评议部副议长;黄汉章为三宝雁中国国民党分部正部长,丁芳园为三宝雁中国国民党分部副部长,郑寿培为三宝雁中国国民党分部评议部正议长,王信智为三宝雁中国国民党分部评议部副议长;王尚琴为怡朗中国国民党分部正部长,关国深为怡朗中国国民党分部副部长,陈文远为怡朗中国国民党分部评议部正议长,胡维材为怡朗中国国民党分部评议部副议长;陈家兰为邦咯中国国民党通讯处主任;谭瑞恭为庇能中国国民党分部正部长,朱子机为庇能中国国民党分部副部长,陈应钦为庇能中国国民党分部评议部正议长，廖恪卿为庇能中国国民党分部评议部副议长；詹行瑰为万磅中国国民党分部正部长，云逢益为万磅中国国民党分部副部长，韩卓章为万磅中国国民党分部评议部正议长，林干廷为万磅中国国民党分部评议部副议长；苏法聿为巴生港口中国国民党分部正部长，严福纪为巴生港口中国国民党分部副部长，王瑞廷为巴生港口中国国民党分部评议部正议长，王觉民为巴生港口中国国民党分部评议部副议长；杨建周为初贝中国国民党分部正部长，林钦为初贝中国国民党分部副部长，郭子昂为初贝中国国民党分部评议部正议长，林鸿宝为初贝中国国民党分部评议部副议长；陈飏生为芹苴兴亚中国国民党分部正部长，吴养初为芹苴兴亚中国国民党分部副部长，胡振南为芹苴兴亚中国国民党分部评议部正议长，苏受滔为芹苴兴亚中国国民党分部评议部副议长；刘柳坡为滀臻兴民中国国民党分部正部长，王洽仁为滀臻兴民中国国民党分部副部长，梁秀林为滀臻兴民中国国民党分部评议部正议长，马宗峻为滀臻兴民中国国民党分部评议部副议长；陈慈名为丐冷中国国民党分部正部长，张伯荫为丐冷中国国民党分部副部长，陈振有为丐冷中国国民党分部评议部正议长，彭子耕为丐冷中国国民党分部评议部副议长；陈星阁为薄寮中国国民党分部正部长，陈倡云为薄寮中国国民党分部副部长，李少帆为薄寮中国国民党分部评议部正议长，李斗田为薄寮中国国民党分部评议部副议长。此状。

总　　　　理(印)

总务部部长彭素民副署

党务部部长陈树人副署

财政部部长林业明副署

宣传部部长叶楚伧副署

交际部部长张秋白副署

据《国父全集》第四册(转录《本部公报》一卷七号)

给陈卓郎等委任状

(一九二三年二月二十一日)

委任陈卓郎为坎问顿中国国民党分部党务科主任;郑其妙为三宝雁中国国民党分部党务科主任;陈章宙为怡朗中国国民党分部党务科主任;严云卿为邦咯中国国民党通讯处党务科科长;邹烈卿为庇能中国国民党分部党务科主任;范济沈为万磅中国国民党分部党务科主任;林鸿兴为巴生港口中国国民党分部党务科主任;吴元瑛为初贝中国国民党分部党务科主任;冯萼生为芹苴兴亚中国国民党分部党务科主任;游子山为滀臻兴民中国国民党分部党务科主任;孔祥麟为丐冷中国国民党分部党务科主任;张荫庭为薄寮中国国民党分部党务科主任。此状。

总　　　　　理(印)

总务部部长彭素民副署

党务部部长陈树人副署

据《国父全集》第四册(转录《本部公报》一卷七号)

给伍毅廷等委任状

(一九二三年二月二十一日)

委任伍毅廷为坎问顿中国国民党分部宣传科主任;丁芳园为三宝雁中国国民党分部宣传科主任;容观棣为怡朗中国国民党分部宣传科主任;陈家玲为邦咯中国国民党通讯处宣传科科长;崔民

生为庇能中国国民党分部宣传科主任；冯骏声为万磅中国国民党分部宣传科主任；戴保珍为巴生港口中国国民党分部宣传科主任；林鸿曜为初贝中国国民党分部宣传科主任；李镜泉为芹苴兴亚中国国民党分部宣传科主任；梁孝镠为湳臻兴民中国国民党分部宣传科主任；李心汉为丐冷中国国民党分部宣传科主任；黄伟卿为薄寮中国国民党分部宣传科主任。此状。

总　　　　理(印)

总务部部长彭素民副署

宣传部部长叶楚伧副署

据《国父全集》第四册(转录《本部公报》一卷七号)

给李侠夫等委任状

(一九二三年二月二十一日)

委任李侠夫为坎问顿中国国民党分部会计科主任；黄碧湖为三宝雁中国国民党分部会计科主任；黄道生为怡朗中国国民党分部会计科主任；陈毓成为邦咯中国国民党通讯处会计科科长；张志坤为庇能中国国民党分部会计科主任；邢诒禄为万磅中国国民党分部会计科主任；林兴宜为巴生港口中国国民党分部会计科主任；吴选英为初贝中国国民党分部会计科主任；叶子清为芹苴兴亚中国国民党分部会计科主任；冯锡如为湳臻兴民中国国民党分部会计科主任；王星南为丐冷中国国民党分部会计科主任；陈仰之为薄寮中国国民党分部会计科主任。此状。

总　　　　理(印)

总务部部长彭素民副署

财务部部长林业明副署

据《国父全集》第四册(转录《本部公报》一卷七号)

给林文彬等委任状

（一九二三年二月二十一日）

委任林文彬为坎问顿中国国民党分部总务科主任，许凤仪、梁旭东为坎问顿中国国民党分部执行部书记，李卓生、谭杨业、麦荣坤、江卓熊、谢将兴为坎问顿中国国民党分部干事，许瑞龙为坎问顿中国国民党分部评议部书记、彭绍尧、盘全昌、李持邦、甘耀华、戚甘强、张晴旭为坎问顿中国国民党分部评议部评议员；黄巽夫为三宝雁中国国民党分部总务科主任，陈存汉为三宝雁中国国民党分部执行部书记，夏求、杨世经、陈振抱、黄奕会、余章广、锺鸣、黄广育、陈登爵、王康、林改良、蔡世秀为三宝雁中国国民党分部干事，郑寄毫为三宝雁中国国民党分部评议部书记，黄允材、陈存汉、锺荣兴、陈金创、陈扫净、余斯博、何文坤、郑其祥、吕口、曾杏初、李石平、叶良齐、陈文章、陈创全为三宝雁中国国民党分部评议部评议员；余伯昭为怡朗中国国民党分部总务科主任，施朴生、陈宇明、王尚乳、杨捷、黄三莫、王文举、张簪瑶、陈醉村、颜文耀、戴寒松、胡维创、陈文光为怡朗中国国民党分部干事，赵平山、孙瑞隆、颜锦标、杨开珍、曹杰夫、黄汉寿、叶景文、陈妈意、余和光、伍松现、黄和甫为怡朗中国国民党分部评议部评议员；丘启辉为邦咯中国国民党通讯处总务科科长，严云卿为邦咯中国国民党通讯处执行部书记，丘观胜、马国仁、周成训、陈发吾为邦咯中国国民党通讯处科员；崔广仁为庇能中国国民党分部总务科主任，许炳康、刘兆基、谢炳光、黎日滋、梁沦芳、林贞、吴鉎万、梁云、浓茹景、周陈会洪、郑百富、黄安山、谭桂初、陈尧为庇能中国国民党分部干事，林德胜、李宪民、黄世和、区小光、黄显仁、黎炽生、罗禹言、伍勤民为庇能中国国民党分部评议部评议员；洪继全为万磅中国国民党分部总务科主任，陈略为万磅中国国民党分部执行部书记，吴泰、韩万准、邢业舜、吴登昌、符鸿杏、张生笏、潘应卿、邢定培为万磅中国国民党分部干事，邢福苓、陈镇清、林明盛、林猷旭、邢定缵、林寿乔、邢福云、黄闻任为万磅中国国民党分部评议部评议员；陈德熹为巴生港口中国国民党分部总务科主任，林梅瑞为巴生港口中国国民党分部执行部书记，周公松、严安助、陈再喜、王宗沂为巴生港口中国国民党分部干事，黄运国、陈克佩、黄礼坡、林生财、苏有福、张运秀、苏法贺、许松桢为巴生港口中国国民党分部评议部评议员；曾自完为初贝中国国民党分部总务科主任，杨月乔为初贝中国国民党分部执行部书记，王明初、符英、邓华侨、林克利、张永益、唐昌存、符福东、陈玉清为初贝中国国民党分部干事，黄有程、傅峻山、符气仁、林月轩、符寿山、吴善初、林鱼新、符致琳为初贝中国国民党分部评议部评议员；冯奖卿为芹苴兴亚中国国民党分部总务科主任，王有容为芹苴兴亚中国国民党分部执行部书记，陈尧生、钱国卿、锺明、罗子山、蔡有门、李卓云、袁振、陈锡球、李秀生为芹苴兴亚中国国民党分部干事，余冠英为芹苴兴亚中国国民党分部评议部书记，李灼轩、陈植生、卢炳良、张孟鹏、关铁刚、陈凤五、丁瑞生、陈琼玲、邓合为芹苴兴亚中国国民党分部评议部评议员；吴逸民为濬臻兴民中国国民党分部总务科主任，陈征为濬臻兴民中国国民党分部执行部书记，刘照轩、黄寿州、杨镇胜、赵福、罗敦惠、锺声鸿、廖谋、林昭春、冯成、赵洵臣、萧寅健、黎迪、张汉溪、萧茂业、侯恒为濬臻兴民中国国民党分部干事，翁洗尘为濬臻兴民中国国民党分部评议部书记，曾鸣鸾、戴文蔚、殷子桑、张永铮、柳嘉发、张刷五、黄升平、洪远霖、陈克贵、任彤为濬臻兴民中国国民党分部评议部评议员；

林铭三为丐冷中国国民党分部总务科主任，黄睦为丐冷中国国民党分部执行部书记，文炳荣、曹云光、许映初、李丰、陈满庭、卢正兴、卢阳丰、陈向荣、郑卓仁为丐冷中国国民党分部评议部评议员；陈振先为薄寮中国国民党分部总务科主任，陈勉之为薄寮中国国民党分部执行部书记，吴润生、吴竹之、陈逊谦、郭清石、吴庆云、陈镇邦、萧友三、杨兢华、苏子彬、陈卓卿、吕绪知、黄少文为薄寮中国国民党分部干事，刘汉山为薄寮中国国民党分部评议部书记，刘巽生、陈少辉、关日升、游子章、李锦华、杨维三、陈继南、林若豪、许仰山、王人伟为薄寮中国国民党分部评议部评议员。此状。

总　　　　　理（印）

总务部部长彭素民副署

据《国父全集》第四册（转录《本部公报》一卷七号）

与东方通讯社记者的谈话

（一九二三年二月二十二日）

广东欲再建政府与否，不能明答，惟欲尽全力以促进统一。至其手段，则以西南之团结为必要，固不俟言。余与张、段之三角联盟，现正进行甚顺利，当以之制吴佩孚。吴若不从余之主张，当用联盟之武力讨之。但予不背夙昔先裁兵后统一之主张，不问北方之态度如何，余欲裁去西南所有兵数之半，以示诚意于天下，此点当为一般人留意者也。

又近时外人间有谓中国统一必借外力；中国之政治，将来当依商业团体支配者，此亦一有理之议论也。至关于广东一省之事，则财政之穷乏已极，各军之处置，为国家之大问题，将有非常之困难伴之而生；然余既有诚意，确信可圆满解决也。

据上海《民国日报》一九二三年二月二十五日
《孙总统宣述政见》

实行裁兵宣言

（一九二三年二月二十四日）

北京参众两院议员及护法议员诸先生、黎宋卿先生、张敬舆先生、冯焕章先生、王亮畴先生、各部总次长、天津段芝泉先生、奉天张雨亭先生、保定曹仲珊先生、洛阳吴子玉先生、杭州卢子嘉先生、南京齐抚万先生、上海岑西林先生、何茂如先生、章太炎先生、蔡孑民先生、南通张季直先生、成都刘禹九先生、熊锦帆先生、云南唐蓂赓先生、湖南赵夷午先生、贵州袁鼎卿先生、南宁林甫田先生[①]，各省省议会、省长、督军、总司令，各师旅团长、并各省教育会、商会、工会、农会、各法团及各报馆均鉴：文曩在上海，于一月二十六日宣言和平统一及裁兵纲要，并列举国内实力诸派，冀共提携，推诚相与，以酬国人殷殷望治之盛心。其后迭奉芝泉、雨亭、子嘉、宋卿、敬舆诸公先后复电，均荷赞同。文亦以叛陈既讨，统一可期，虽滇、桂、粤、湘诸将及人民代表屡电吁请还粤主持，文仍迟回，思以其时为谋和平统一良好机会；又以沪上交通便利，各方接洽亦最适宜，故陈去已将弥月，而文之返粤固尚未有期也。不图以统筹全国之殷，致小失抚宁一方之雅。江防司令部会议之变，哄动一时。黠者妄思从而利用，间文心膂，飞短流长，以惑蔽国人耳目，以致黎、张

① 受电人依次为：黎元洪、张绍曾、冯玉祥、王宠惠、段祺瑞、张作霖、曹锟、吴佩孚、卢永祥、齐燮元、岑春煊、何丰林、章太炎、蔡元培、张謇、刘成勋、熊克武、唐继尧、赵恒惕、袁祖铭、林俊廷。

南下代表因而中止，其为浅薄已可慨叹。文之谋国，岂或以一隅胜负生其得失也。而直系诸将，据有国内武力之一，乃独于文裁兵主张，久付喑默，怀疑之端，亦无表示。报纸所传，竟谓洛吴对于自治诸省，均欲以武力削平。以平昔信使往还，推之当世诸贤，不容独有此迷梦。贤者固不可测，文于今日犹未忍遽以不肖之心待之，而深冀其有最终之一悟也。抑文诚信尚未孚于国人，致令此唯一救国之谟，或反疑为相对责难之举。藉非然者，何推之浙卢、奉张而准，而于举国人心厌乱之时，复有一二军阀逆此潮流而趋，而邻于悍然不顾一切也？以文与西南护法诸将讨贼伐暴之初志，国有大梗，何难重整义师与相周旋。顾国人苦兵久矣，频年牺牲已为至巨，而代价复渺然不可必得。文诚思之心悸，万不获已，唯有先行裁兵以为国倡。古人言："请自隗始。"以是之故，断然回粤，决裁粤兵之半，以昭示天下。文兹于今月二十一日，重莅广州矣。于抚辑将士绥靖地方外，首期践文裁兵之言，同时复从事建设以与吾民更始，庶几文十数年来苦心经营之建国方略，一一征诸实现。以吾地广人众之中华民国，卒与列强共跻于平等大同之域，共和幸福，乃非虚语。天相中国，能进而推之西南诸省，以暨全国，其为闳愿，岂胜企仰。然一隅之与全国，渐进之与顿改，其图功之利钝，收效之速缓，昭然未可同日而语，称铢而计。故文之愚，尤以统一为能立供国民以福利，遂不惜举当世所矜之武力，以为攘窃权利之具者，躬自减削，以导国人。亦冀拥节诸公翻然憬悟，知今日而言图治，舍裁兵实无二途。文倡于前，诸公继之，吾民馨香之祷，岂有涯涘？若必恃暴力以压国人，横决之来，殊可危惧。诸公之明，当不出此。披沥陈言，鹄候裁教。孙文。敬。（印）

据大本营秘书处《海陆军大元帅大本营公报》（以下简称《大本营公报》）第一号（一九二三年三月九日出版）

在广州宴请各军军官时的演说*

（一九二三年二月二十四日）

民国成立，于兹已十二载，鉴于年来民国之政治、比之满清尤为不及，审其缘因，年来把持国事者，均系军阀武人；争权夺利，祸国误民，有国家共和之名，无国家共和之实。我人民虽然推倒满清，国家共和，尚未见享有真正共和之幸福。譬如我之房屋为贼人占据，我为攻击贼人起见，不惜击毁之。既将我之房屋击毁，贼人已逃，尤须将我之房屋建设完好，然后始有屋可住。今贼人已逃，我之房舍尤〔犹〕未建设，于己犹无益也。故文历年为国奔走，不辞劳瘁，亦如为建设完好之房舍，得以安居。以后望诸公同心协力，将此破烂之房舍极力建造，则不独文之数十年来所抱之宗旨，得偿素愿；则民国前途，实利赖之。至军人之天职，首重服从命令，抱定宗旨而行，幸勿为朝秦暮楚，致受灭亡。如陈炯明，昔为民党最铮铮之人物也，不期中途失节，卒至身败名裂，足见反复无常之人，终归灭绝，吾人可引为殷鉴。

据孟德居士编《孙大元帅回粤记》

附：同题异文

本总统此次回粤，全仗滇、桂附义各军驱除陈逆之力，但凡

---

* 这次宴会在广州农林试验场举行，出席宴会者有时在广州的各军少校以上军官。

为军人，必要知军人之本务，如士、农、工、商之各执一艺，惟军人即在执枪，须知顺逆之分。其本务即在执枪杀逆贼，不是执枪杀人民。陈逆炯明不分顺逆，一味作假。谁知天下事以假伪不能胜真诚。吾国改革以还，变乱频仍，推其原因，皆由军人不明顺逆所致，故凡为军人，必要知其本务之所在，本其良心真实做去，自可操最后之胜利。吾经数十年艰苦，总不外持一“真”字为奋斗之工具，更愿持此共勉。先图统一西南，然后统一全国，以救四万万同胞。

据上海《民国日报》一九二三年三月三日
《孙总统返粤后之新猷》

任命沈鸿英职务令

（一九二三年二月二十四日）

大元帅令

特任沈鸿英为桂军总司令。此令。

中华民国十二年二月廿四日

据《大本营公报》第一号

给杨希闵的训令

（一九二三年二月二十四日）

大元帅训令第一号

令讨贼军滇军总司令杨希闵

辛亥之役，滇军将士光复云南，构成民国。自是以后，宣劳于国，干城之望与日俱隆。丙辰护国，实为功首。丁巳以后，护法军兴,转战西南,厥勋至伟。前岁,本大元帅督师北伐,该军将士忠义奋发,间关会师,方期奠安中原,削平大难,而去岁奸宄窃作,百粤沦陷,该军将士奉命讨贼,不避艰险,卒能摧锋破敌,驱除大憝,克复名城,使正义复明,国命不坠,劳苦功高,实深嘉慰。滇军总司令杨希闵,忠诚特著,督率有方,允为元功,宜加特褒,并着该总司令将有功将士择优奖励,全军将士一律犒劳。当此国难未靖,凡我将士,务宜同心一德,始终不懈,以酬夙志,而竟全功,有厚望焉。此令。

中华民国十二年二月廿四日

据《大本营公报》第一号

给沈鸿英的训令

（一九二三年二月二十四日）

大元帅训令第二号

令桂军总司令沈鸿英

去夏粤中变作,正义沦晦,本大元帅分命诸将出师讨贼,该总司令沈鸿英,躬率所部,会合西路诸军举兵东下,军威所指,贼势披靡,遂使元恶窜奔,南都光复,奇勋伟绩,嘉尚实深。该总司令暨所部各将士,于护法之役久著勋劳,近复不避险艰,同扶大义,允宜褒奖,以励戎行。尤望共矢公忠,勉成大烈,使六年以来之护法事业得竟全功,分崩离析之邦家终归安定,有厚望焉。此令。

中华民国十二年二月廿四日

据《大本营公报》第一号

给刘震寰的训令

（一九二三年二月二十四日）

大元帅训令第三号

令讨贼军西路总司令刘震寰

十年援桂之役，讨贼军西路总司令刘震寰，建义梧州，遂立奇功，自是驰驱全桂，备历贤劳。去岁粤中变作，正义幽晦，该总司令躬受密命，矢志讨贼，于逆焰鸱张之际，坚苦经营，忠信以结军心，和衷以联诸将，终能会师东下，驱除巨憝，克复名城。该总司令忠勇兼备，勋劳特著，允宜褒嘉，用彰殊绩，所有该军将士，均着犒赏，以示激劝。当此百粤粗定，国难未平，尤宜益矢忠勤，卒成伟业，有厚望焉。此令。

中华民国十二年二月廿四日

据《大本营公报》第一号

给朱培德的训令

（一九二三年二月二十四日）

大元帅训令第四号

令中央直辖滇军总司令朱培德

去岁本大元帅督师北伐，分命诸将略定赣中，中央直辖滇军总司令朱培德，率百战之健儿，转战千里，军锋所指，无坚不摧。及闻粤中变作，政府播迁，慷慨旋师，气吞狂虏，忠义激烈，允为军人之楷模。迨至元恶稽诛，师行蹉跌，该总司令撑拄危难，固结军心，崎岖湘桂之间，备尝艰苦，终能会合各军，削平粤难，前功获竟，嘉慰实深。该总司令朱培德，捍卫正义，懋著勋诚，允宜褒奖，所部各将士均加犒劳，以慰劳苦，尤望益励忠荩，为国宣劳，终成护法之全功，共奏建国之大业，有厚望焉。此令。

中华民国十二年二月廿四日

据《大本营公报》第一号

给程潜的训令

（一九二三年二月二十四日）

大元帅训令第五号

令驻江办事处程潜

粤军将士自随从护法以来，转战闽海，返旆粤中，戡定桂疆，勋劳著于天下。本大元帅久视为干城腹心之寄。去夏陈炯明负义作乱，几使百战之健儿，蒙万劫之奇耻，至深痛愤，各该将士隐忍待时，志存匡复，及西路讨贼诸军举兵东下，第一、三、四师首先响应，以振军威，各路将士翕然从风，共扶大义，遂使元恶成瓦解之势，士民慰来苏之望，令名克保，可为嘉尚。尤望各该将士念前功之难，继国难之未已，益加奋发，共矢真诚，俾建国之乐，臻于完成，上不负先烈，下以示来者，其共勉之。此令。

中华民国十二年二月廿四日

据《大本营公报》第一号

给杨希闵的训令

（一九二三年二月二十四日）

大元帅训令第六号

令滇军总司令杨希闵

陈逆叛国，我滇、桂、粤各军奉命讨贼，不浃旬而戡定国难，曾经本大元帅下令褒嘉，以彰勋劳。现当粤局粗定，各军麇集于省城及北江一带，各该将领对于军队管理，诸多未便，亟应指定防地，分别驻守，俾资统率。桂军总司令沈鸿英，着将所率全部，移驻肇庆并西江北岸，上至梧州各地方，择要防守；所遗北江一带防地，着滇军总司令杨希闵迅即派队接防。西路讨贼军总司令刘震寰所部，着驻石龙、东莞、虎门各处。东路讨贼军第四师长吕春荣所部，着移驻罗定各地方。此外各部军队着就现驻地点驻扎。自经规定以后，各部军队，非奉本大元帅命令，不得擅自移动，致滋纷扰。该总司令等务各督率所部，申明纪律，保卫地方，以期毋负本大元帅抚兵恤民之至意。此令。

中华民国十二年二月廿四日

据《大本营公报》第一号

给海军官兵的训令

（一九二三年二月二十四日）

大元帅训令第七号

令海军各舰舰长及官佐士兵

往者护法之役，本大元帅躬率海军来粤，首倡义师，西南诸省相继响应。我海军将士为国宣劳，厥功至为宏伟。去年粤变，海军守义至坚，本大元帅督率诸舰，亲讨贼军，中经三战，我亲爱之海军将士，死伤各数十人，本大元帅躬与其役，睹兹惨烈，为之陨涕。我中华民国之海军，于历史著莫大之光荣者，实以是役为最。本大元帅感怆之情，尤为特深。今幸滇桂联军讨贼成功，本大元帅重返广州，愿念前劳，允堪嘉尚，褒恤之典，将以次颁给。而所以殷殷期望于诸将士者，则在念国难之未平，历史之足贵，长保初志，共襄伟业，勿为奸人播弄，以自丧其荣名，而贻先烈以羞。本大元帅亦与诸将士永相终始，共保无疆之庥，勉之勿怠。此令。

中华民国十二年二月廿四日

据《大本营公报》第一号

致蒋中正电

（一九二三年二月二十五日）

转介石兄鉴：各要事须兄相助，万望速来，并示行期。文。有。

据《民国十五年前之蒋介石先生》第六编（四）

给余荣等委任状

（一九二三年二月二十六日）

委任余荣为雪梨中国国民党支部正部长；马树培为雪梨中国国民党支部副部长；黄右公为雪梨中国国民党支部评议部正议长；郭照为雪梨中国国民党支部评议部副议长。此状。

总　　　　理（印）

总务部部长彭素民副署

党务部部长陈树人副署

财务部部长林业明副署

宣传部部长叶楚伧副署

交际部部长张秋白副署

据《国父全集》第四册(转录《本部公报》一卷八号)

任命张继职务令

(一九二三年二月二十六日)

委任张溥泉为中国国民党北京支部长。每月办公费贰千元。此令。(二月廿六日发)

孙　文

据胡编《总理全集》第四集影印原件

给张绍峰朱景委任状

(一九二三年二月二十六日)

委任张绍峰为雪梨中国国民党支部党务科正主任;朱景为雪梨中国国民党支部党务科副主任。此状。

总　　　　　理(印)

总务部部长彭素民副署

党务部部长陈树人副署

据《国父全集》第四册(转录《本部公报》一卷八号)

给黄树培林汝扬委任状

（一九二三年二月二十六日）

委任黄树培为雪梨中国国民党支部会计科正主任；林汝扬为雪梨中国国民党支部会计科副主任。此状。

总　　　理（印）

总务部部长彭素民副署

财务部部长林业明副署

据《国父全集》第四册（转录《本部公报》一卷八号）

给黄来旺马伯乔委任状

（一九二三年二月二十六日）

委任黄来旺为雪梨中国国民党支部宣传科正主任；马伯乔为雪梨中国国民党支部宣传科副主任。此状。

总　　　理（印）

总务部部长彭素民副署

宣传部部长叶楚伧副署

据《国父全集》第四册（转录《本部公报》一卷八号）

给董直等委任状

（一九二三年二月二十六日）

委任董直为雪梨中国国民党支部总务科正主任；徐日初为雪

梨中国国民党支部总务科副主任;李少勤、马亮华为雪梨中国国民党支部执行部书记;方锡、马月华、陈福祥、陈金兰、萧照彬、苏冠民、陈富章、刘思华、刘才、黎秉兴、刘启华、董晃、郑观陆、陈锦才、陈恩夫人为雪梨中国国民党支部干事;李迺文为雪梨中国国民党支部评议部书记;刘博明、高金玉、黄品、冯关田、陈福、伍六、余吉屏、陈孔如、高义、梁乙、司徒坤、余宗耀、梁维林、欧阳南、余提、刘畴、余瑞、陈芳、杨宽、萧贵、梁学为雪梨中国国民党支部评议部评议员。此状。

总　　　　理(印)

总务部部长彭素民副署

据《国父全集》第四册(转录《本部公报》一卷八号)

委派姚雨平等职务令

(一九二三年二月二十六日)

大元帅令

派姚雨平、罗翼群、周之贞、朱卓文、吴铁城、黄芸苏为工兵局筹备委员。此令。

中华民国十二年二月廿六日

据《大本营公报》第一号

任命林树巍职务令

(一九二三年二月二十六日)

大元帅令

任命高雷讨贼军总司令林树巍兼高雷绥靖处处长。此令。

中华民国十二年二月廿六日

据《大本营公报》第一号

发给姚雨平等公费令

（一九二三年二月二十六日）

工兵局筹备委员姚雨平、罗翼群、周之贞、朱卓文、吴铁城、黄芸苏自任事之日起，每月着各支领公费叁佰元。此令。

孙　文

中华民国十二年二月廿六日

据《国父全集》第四册（转录史委会藏原件）

致林焕廷电

（一九二三年二月二十七日）

上海林焕廷：请云陔[①]同仲恺即回粤，有要务付托，千万勿却。孙文。（二月廿七日发）

据谭延闿编《总理遗墨》（以下简称谭编《总理遗墨》，一九二八——一九三〇年影印版）第一辑

任命李章达职务令

（一九二三年二月二十七日）

大元帅令

---

① 云陔：即林云陔。

任命李章达代理广东电政监督兼广州电报局局长。此令。
中华民国十二年二月廿七日

据《大本营公报》第一号

发给周雍能旅费令

（一九二三年二月二十七日）

着会计司发给周雍能公费五百元。此令。

孙　文

民国十二年二月廿七日

据《国父全集》第四册（转录史委会藏原件）

委派胡汉民等职务令

（一九二三年二月二十八日）

大元帅令

特派胡汉民、孙洪伊、汪精卫、徐谦为办理和平统一事宜全权代表。此令。
中华民国十二年二月廿八日

据《大本营公报》第一号

任命黄昌谷职务令

（一九二三年二月二十八日）

大元帅令

任命黄昌谷为宣传委员。此令。

中华民国十二年二月廿八日

据《大本营公报》第一号

给吴公辅李慕石委任状

(一九二三年二月二十八日)

委任吴公辅为巴达维亚中国国民党支部宣传科正主任；李慕石为巴达维亚中国国民党支部宣传科副主任。此状。

总　　理(印)

总务部部长彭素民副署

宣传部部长叶楚伧副署

据《国父全集》第四册(转录《本部公报》一卷八号)

给李汉平等委任状

(一九二三年二月二十八日)

委任李汉平为巴达维亚中国国民党支部总务科正主任；黎卓云为巴达维亚中国国民党支部总务科副主任；吴杰己为巴达维亚中国国民党支部执行部书记；张公悌为巴达维亚中国国民党支部评议部书记，谢逸如、张公悌、吴审玑、涂欣可、丘政衡、李秋畹、李伊珊、王爱常、陈善可、沈宜昌、谢耀南、赖景生、蓝耀庚、李介眉、陈元鈖、巫爱我、彭春朗、黎慎阶为巴达维亚中国国民党支部评议部评议员。此状。

总　　理(印)

总务部部长彭素民副署

据《国父全集》第四册(转录《本部公报》一卷八号)

给锺秀珊廖心尧委任状

（一九二三年二月二十八日）

委任锺秀珊为巴达维亚中国国民党支部会计科正主任；廖心尧为巴达维亚中国国民党支部会计科副主任。此状。

总　　　　理（印）

总务部部长彭素民副署

财务部部长林业明副署

据《国父全集》第四册（转录《本部公报》一卷八号）

给陈任樑叶雨亭委任状

（一九二三年二月二十八日）

委任陈任樑为巴达维亚中国国民党支部党务科正主任；叶雨亭为巴达维亚中国国民党支部党务科副主任。此状。

总　　　　理（印）

总务部部长彭素民副署

党务部部长陈树人副署

据《国父全集》第四册（转录《本部公报》一卷八号）

给沈选青等委任状

（一九二三年二月二十八日）

委任沈选青为巴达维亚中国国民党支部正部长；吴香初为巴

达维亚中国国民党支部副部长；锺公任为巴达维亚中国国民党支部评议部正议长；李笃彬为巴达维亚中国国民党支部评议部副议长。此状。

总 理(印)
总务部部长彭素民副署
党务部部长陈树人副署
财务部部长林业明副署
宣传部部长叶楚伧副署
交际部部长张秋白副署

据《国父全集》第四册(转录《本部公报》一卷八号)

任命张振武职务令

(一九二三年二月二十八日)

大元帅令

任命张振武为大本营直辖陆军第四旅旅长。此令。

中华民国十二年二月廿八日

据《大本营公报》第一号

任命傅秉常职务令

(一九二三年二月二十八日)

大元帅令

任命傅秉常为粤海关监督兼特派广东交涉员。此令。

中华民国十二年二月廿八日

据《大本营公报》第一号

任命钱鍼职务令

（一九二三年二月二十八日）

委钱鍼为副官。

孙　文

民国十二年二月廿八日

据《国父全集》第四册（转录史委会藏原件影印）

发给秘书参军等公费令

（一九二三年二月二十八日）

着会计处发给秘书参军本月公费各壹佰、副官各六十元、卫士各叁十元。此令。

孙　文

中华民国十二年二月二十八日

据《国父全集》第四册（转录史委会藏原件）

在广东各界人士欢宴会的演说

（一九二三年二月）

今日我等在此叙会，有工、商、农、学、报、慈善、军、政各界于此齐集，为吾粤向来叙会所无，此次叙会，可称一时之盛。但此盛会何由而得？系由滇桂军之力，推倒叛逆而得之。故余今日要代表广东三千万人民，为滇桂诸将士晋一杯，并恭祝滇桂军万岁！今日在此叙会，我希望大众要做一件事，其事维何？即厉行裁兵及整顿广东政治是也。

今年为民国十二年，此十二年中，变乱侵寻，民生愁苦，有识者无不知改良政治为要务。然十余年来，变乱如故，人民之痛苦颠连，曾未稍减。此固由国内之新势力尚小，旧势力尚大，改良政治，不易为力。然以论吾粤则否，新势力日渐加大，旧势力日渐缩小，此次滇桂军之平乱讨贼，迅速敉平，可为凭证也。既有此好时机，当先将广东之政治社会，并力改良，使成一好模范省，然后推行全国，必非难事。

民国十二年来，革命均起于粤。自清廷推倒，民国招牌高悬，往后事业应事建设；然十二年来，曾未实现，只见继续破坏。现在贼乱戡平，全粤底定，亟当乘时建设，凡有国家思想之人，俱当担负此责任也。建设事业从何办起，余以为应从军界改良起。军界所应为之事，厥为练精兵。古人云："兵贵精，不贵多。"能养成三五千精兵，则巩固一省而有余。然练精兵必由裁兵始，今日广东军队太多，工、商各界，宜速发起一裁兵大会，共策进行。因裁兵既为今日之急务，则裁兵问题，非只限于军界得而提倡，即农、工、商各界，亦应同心协力，负责做去也。

夫裁兵非裁之而使其变为游民，乃化兵为工，实行兵工政策之谓。故举行此事之先，尚有一重要问题，即筹款是也。既欲化兵为工，即宜开办实业。兵既为工，则饷必加倍，既免战祸，又得厚利，谁不乐为之？此项政策，余视为今日救国唯一之良方，惜以前无能实行之者，故余拟以广东为天下倡。然实行之初，必须款项。款项何来？即借小内债是也。既借有小内债，从而再借外债，必无难事。从来借外债，手续至繁而至难。北京之政府，对外已失信用，故外债之借，殊非容易。然若内债既成，则进行当易得手。余愿从今日起，各界社会，俱宜悉心研究此问题。

又广东今日之纷乱，盖赌为之也。赌何由而开，因义军而开。此次滇桂军来粤，推倒逆贼，旧政府消灭，新政府成立。义军多客军，我粤人尽主人之责而招待之，一时权宜，开赌以谋供给，流毒遂至无穷。然余谓今日广东之赌祸，罪不在人之开，而罪在我等不能迅速消灭之。故余谓今日救粤，宜从整理内政始，而整理内政，又先从裁兵禁赌着手。此两大问题，各界诸君，宜急起开会研究之。

余此次回粤，抱有一极大志愿，即改良吏治是也。广东吏治之窳败极矣，由清迄今，因循不改，贪贿夙盛，仇结日生。然欲杜绝贪贿，则先从优给官俸始。港澳接近广东，其政治举措足资借镜。港澳官吏多为中国人，然港澳吏治不见腐败，实因官俸厚，陟黜明，又服官十余年，则给以养老费，有此保障，当然有良吏。惟我国则不然，官俸既薄，地位复危，故贪墨之习成为风气。为官一年，则尽一年之力以括削。为官一月，则尽一月之力以括削。故罢官以后，无不满载而归，此真可叹之事也！今吾人欲整顿吏治，何不取法港澳，人能我岂不能？故余极欲一师其法。外省人与港澳远，不知港澳情形，广东接近港澳，其政治良否，当甚明晰也。

此外任命官吏，尤不可不循资格。大局稍定，余决意考验官吏，无论本省外省，不分畛域。考验则真才出，真才出则政治良，政治良则国可得而治也。整顿吏治，吾既以港澳为法，行之有道，或能驾港澳而上之。今既取法于人，暂能如人，斯愿亦少慰矣。

广东富豪不少，遇乱多远避港澳，视港澳为桃源洞，以其吏治良，盗贼少，法律有保障也，余亦希望广东将来成为一桃源洞，政治改良，凡政治范围内诸大端，如教育、实业、交通等，亦从而振起之。然此非一日之事，一年之事，须群策群力，负此责任做去，自不难成为一繁华安乐之广东。能如此，则我等立志，庶为不虚矣！

更有外交问题，关系于全体。或者以为广东尚未统一中国，似无外交之可言。不知广东之外交，最密接者为港澳。前者港澳政府，对于民党虽多误会，然自陈炯明背叛后，英人已有觉悟，知中国将来必系民党势力。故近来港督方针亦为之一变。此为吾人最好之机会也。吾人可乘此良机，加倍努力，一致合作，实行兴利革弊，则厚望多矣！

据《国父全集》第二册（转录《中宣新编》）

致张绍曾电*

（一九二三年二月）

观乎已过之和平会议，皆无良好成绩，安能望其解决统一事件，欲求统一，非由裁兵不可，此外不敢盲从。

据重庆《国民公报》一九二三年四月一日
《孙中山致张揆电》

为邓荫南遗像题词

（一九二三年二月）

爱国以命，爱党以诚。家不遑顾，老而弥贞。载瞻遗像，犹怀友声。

孙文敬题

据《国父全集》第四册（转录《会本》）

---

* 原电未见，此应系电文大意。报载未标明日期。二月初，张绍曾几次致电孙中山，对孙中山裁兵及和平统一主张佯表赞成，并建议召集国事协商会商量解决。孙中山此电，当系为此而发，故酌定为二月。

追赠邓荫南令*

（一九二三年二月）

邓荫南为国尽瘁，老而弥坚；今忽溘逝，殊深震悼。邓荫南着授陆军上将，并给银一千元治丧。所有应行议恤事宜，大局底定，即由陆军部从优拟议。此令。

据郑东梦编《檀山华侨》（檀香山檀山华侨编印社一九二九年版）中《孙大总统令》

致田士捷等电

（一九二三年三月一日）

汕头海军田司令、盛指挥[①]及各舰长鉴：顷据海军各舰舰长吴志馨等及全体官佐感日电禀，并通告全国辟北归之谣，吁请本大总统命令汕头军舰归队，俾温司令树德即日回省等情。查此次军舰开赴汕头，本为避免北归，爰持正义，用意极堪嘉尚，今各舰舰长，既已通电表明爱戴本大总统，一切谣诼不辩自明，海军护法光荣之历史，因是尤为显著。从此同心同德，为国宣劳，本大总统亟用厚期。所有前赴汕各舰，着速行归队，切切勿违。此令。孙文。东。（印）

据《大本营公报》第一号

---

* 《檀山华侨》刊载本令时未注明时间。按邓荫南于一九二三年二月五日在澳门去世，令中说到"今忽溘逝，殊深震悼"，应在邓去世后不久，故定为一九二三年二月。

① 盛指挥：指盛延祺。

任命李禄超等职务令

（一九二三年三月一日）

大元帅令

任命李禄超、连声海、周仲良、萧萱为大本营秘书。此令。

中华民国十二年三月一日

据《大本营公报》第一号

任命姚观顺等职务令

（一九二三年三月一日）

大元帅令

任命姚观顺、路孝忱、张九维为大本营参军。此令。

中华民国十二年三月一日

据《大本营公报》第一号

任命朱培德职务令二件

（一九二三年三月一日）

一

大元帅令

特任朱培德为大本营参军长。此令。

中华民国十二年三月一日

二

大元帅令

特任朱培德为大本营巩卫军司令。此令。

中华民国十二年三月一日

据《大本营公报》第一号

委派黄隆生职务令

（一九二三年三月一日）

大元帅令

派黄隆生为广东财政厅纸币发行监督。此令。

中华民国十二年三月一日

据《大本营公报》第一号

给朱培德的训令

（一九二三年三月一日）

大元帅训令第二二号

令中央直辖滇军总司令朱培德

中央直辖滇军总司令朱培德着免本职，所部军队着改编为大本营巩卫军。此令。

中华民国十二年三月一日

据《大本营公报》第一号

附:关于和平统一主张的报道*

（一九二三年三月二日）

孙总统之重组护法政府与否,须观北京当局能否进行统一问题为断。总统愿以和平之方法,力谋中国之统一,现尚不欲有所举动,以冀北方军阀悔悟。

据总统自言:“北方军阀如以武力对待西南,则彼决以全力抵抗,绝不让步。”又谓:“目前国民一致要求和平,北方之政府与督军为破坏和平之蟊贼,反言中央政府实行裁兵废督,其谁信之!”

据上海《民国日报》一九二三年三月四日
《外报记孙总统最近态度》

任命杨庶堪职务令

（一九二三年三月二日）

大元帅令

特任杨庶堪为大本营秘书长。此令。

中华民国十二年三月二日

据《大本营公报》第一号

---

* 此件系转载《大晚报》三月二日报道。三月一日,孙中山在广州农林试验场正式建立大元帅大本营,统率各军。谈话时间据《大晚报》报道日期。

任命程潜等职务令

（一九二三年三月二日）

大元帅令

特任程潜为大本营军政部长；谭延闿为内政部长；廖仲恺为财政部长；邓泽如为建设部长。此令。

中华民国十二年三月二日

据《大本营公报》第一号

任命黄建勋职务令

（一九二三年三月二日）

大元帅令

任命黄建勋为琼海关监督兼海口、北海交涉员。此令。

中华民国十二年三月二日

据《大本营公报》第一号

任命古应芬等职务令

（一九二三年三月二日）

大元帅令

任命古应芬为大本营法制局长；林云陔为大本营金库长；刘纪文为大本营审计局长。此令。

中华民国十二年三月二日

据《大本营公报》第一号

任命邓泽如刘纪文兼职令

（一九二三年三月二日）

大元帅令

财政部长廖仲恺未到任以前，着建设部长邓泽如兼理；金库长林云陔未到任以前，着审计局长刘纪文兼理。此令。

中华民国十二年三月二日

据《大本营公报》第一号

任命杨熙绩职务令

（一九二三年三月三日）

大元帅令

任命杨熙绩为大本营秘书。此令。

中华民国十二年三月三日

据《大本营公报》第一号

任命谢良牧职务令

（一九二三年三月三日）

大元帅令

任令〔命〕谢良牧为广东政务厅厅长。此令。

中华民国十二年三月三日

据《大本营公报》第二号（一九二三年三月十六日出版）

给杨西岩的指令*

（一九二三年三月三日）

大元帅指令第三号

令广东财政厅长杨西岩

呈请明令划分军费，由大本营军需处发给，暨收回各征收机关，俾资整理由。

呈悉。财政固应统一，军饷亦宜同时兼顾，仰该厅长先行筹款一批，俾固军心。至划分军费及收回各征收机关，自应次第施行。各军长官均深明大义，该厅长勿庸鳃鳃过虑也。此令。

中华民国十二年三月三日

据《大本营公报》第一号

命李章达会同办理电报局令

（一九二三年三月四日）

着电政监督李章达会同交涉员办理沙面电报局事。此令。

孙　文

据谭编《总理遗墨》第一辑

---

* 三月一日，广东财政厅长杨西岩呈报：屡经变乱之后，生产严重破坏，税源枯竭，军人又占据税收机关，故无法筹措军饷，以应急需，要求收回各税收机关，由大本营军需处统一划拨军费。

发给周震鳞张九维旅费令

（一九二三年三月四日）

着会计司发给周道腴、张九维二人旅费共贰千元。此令。

孙 文

中华民国十二年三月四日

据《国父全集》第四册（转录史委会藏原件）

在欢宴各将领会上的演说*

（一九二三年三月五日）

今日与诸君欢聚一堂，何胜幸慰。诸君此次兴师讨贼，劳苦劝〔功〕高。尤以滇军将士，辛亥至今，备历艰苦，矢志不渝，深堪钦佩。余自倡言革命，建造民国，垂三十年，中经几许波折，旋起旋蹶，无非坚持主义，则〔谋〕最后之成功。但主义与武力二者，终须相辅而行，前以滇军实力集中云南，不与余以接近之机会。袁世凯挟持武力，日与余之主义宣战，卒遭癸亥之挫。丙辰之役，赖滇军首又讨袁，国统绝而复续。民六护法以还，政潮翻覆，武力辗转移于陈炯明之手。彼名为服从余之主张，实则阴险诈伪，无恶不作。直至去岁六月十六之变，彼之真正面目乃完全揭露于当世，而余以主义统一中国之大计，亦因此横生阻力。当广州发生政变时，陈家

---

* 滇桂军进入广州后，军纪败坏，骚扰民间，孙中山特宴请杨希闵、刘震寰、朱培德、程潜等驻省将佐百余人，在宴会上发表此演说。

军竟敢冒大不韪，肆行劫掠；较之滇军初进广州秋毫无犯，市民大有今昔之感。惟一般殷商自遭陈军蹂躏，早类惊弓之鸟，今虽时局粗定，仍多寄寓港中，故广州繁盛之区，不免顿呈凋残之象。如尽力维持秩序，恢复旧观，则富户殷商自须闻讯归来，各军饷项何难裕如筹划。须知市内一切需用资料，目下已逐渐缺乏，驯至求过于供，百物昂贵，或平时一元代价即可购得之物品，陡涨至二元，甚至二元以外；则实际一元仅值五角，乃至五角以下。如是虽拥多金，亦复何贵？吾人宜切实保护商民，回复交通，使商民共享福利，信仰吾辈，益与基此精神，进谋国家统一，自属易易。

近据公安局报称，市区连日发现士兵不法情事，料系匪徒假冒军籍骚扰民间。各长官对于此等，亟应从严查究，约束士兵力戒野蛮之恶习，共树军人之模范。余每苦无主义相同、百折不挠之军队足供运用，迄未贯彻三民主义、五权宪法之主张。

数十年革命前尘，恍然如梦。诸君果以坚强实力为余后盾，不难立致国家于政治修明、民生乐利之域。仍望大家奋勇前驱，同肩巨任。

据上海《民国日报》一九二三年三月五日
《孙总统欢宴各将领记》

任命陈融职务令

（一九二三年三月五日）

大元帅令

任命陈融为广东高等审判厅厅长。此令。

中华民国十二年三月五日

据《大本营公报》第一号

任命陆嗣曾职务令

（一九二三年三月五日）

大元帅令

任命陆嗣曾为广州地方审判厅厅长。此令。

中华民国十二年三月五日

据《大本营公报》第一号

给徐绍桢的训令

（一九二三年三月五日）

大元帅训令第二四号

令广东省长徐绍桢

照得司法独立，宜不受地方行政干涉。现在广东司法官吏，应一律由本大元帅委用，以昭慎重。此令。

中华民国十二年三月五日

据《大本营公报》第一号

委派程天斗职务令二件

（一九二三年三月六日）

一

大元帅令

派程天斗为中央银行筹办员。此令。

中华民国十二年三月六日

二

大元帅令

派程天斗为省立广东银行清理员。此令。

中华民国十二年三月六日

据《大本营公报》第一号

给胡汉民的指令*

（一九二三年三月六日）

大元帅指令第九号

令广东省长胡汉民

呈报移交清楚并卸事日期由。

呈悉。此令。

中华民国十二年三月六日

据《大本营公报》第一号

准魏邦平辞职令**

（一九二三年三月六日）

大元帅令

---

* 二月二十二日胡汉民呈报，已于当日将原刊印信及一切文卷移交新任广东省长徐绍桢。

** 原广东讨贼联军总司令魏邦平经江防事变之后，无法维持局面，呈请孙中山明令免去其所任总司令职务。

广东讨贼联军总司令魏邦平呈请辞职，情词恳切。魏邦平准免本职。此令。

中华民国十二年三月六日

据《大本营公报》第一号

与学生代表的谈话*

（一九二三年三月七日）

孙曰：此次教职员罢课，弄到教育界似有一种恐慌，殊为可惜。政府确不愿有此现象，不过现时广东省库的确罗掘俱穷，原因由于军队复杂，各属征收机关又未能解款前来，军饷尚无法筹措。因此，欲整顿教育，提倡实业，必须先从政治着手。政令不行，则万民失业，故欲卫国安民，必先要政府得人民之信仰。诸生当此罢课期间，很希望出来为广东服务，代政府做些宣传功夫。果尔，一月半月后，广东就完全平靖，教费不难即发。现时则学生帮助政府，将来则政府帮助学生。

孙问：贵校教员和学生对于国家的思想是怎样？

代表答：敝校教员和学生，多是主张和平统一的。

孙又问：贵校学生在陈炯明时代，反对政府借款，不过现时广东非借款不得，诸生对于我的借款反对否？

代表答：借款本身无可反对的，不过看其用途适当否耳。

孙曰：此次借款，纯是实业的借款，并非政治的借款。我的借款条件，亦断没有上当，请诸生放心，并希望诸君将此种意思向一

---

*　广东高等师范学校的教职员因政府未发给经费举行罢教。该校学生会评议部派代表求见孙中山，说明情况，请示维持办法。

般社会解释。

据上海《民国日报》一九二三年三月十八日
《孙总统对学生之谈话》

任命戴永萃廖湘芸职务令

（一九二三年三月七日）

大元帅令

任令〔命〕戴永萃、廖湘芸为大本营参军。此令。

中华民国十二年三月七日

据《大本营公报》第二号

给刘玉山的训令

（一九二三年三月七日）

大元帅训令第二五号

令中央直辖桂军第二师师长刘玉山

去岁大军攻赣，迭克名城，不图陈逆炯明终始参差，苍黄反复，竟有六月十六日之变，致民国中兴之局蹉跎至今。中央直辖桂军第二师师长刘玉山，远在柳州，屡思讨贼。当逆焰方张之际，有国仇必翦之心，故师次濛江，特伸大义，始与监〔盟〕于白马，旋奏捷于苍梧。提兵而东，转战千里，卒得驱除陈逆，克奏肤功。该师长刘玉山为国宣劳，深堪嘉尚，所部各将士，均着传语慰劳。尤望该师长当益念国难未已，民困未苏，以讨逆伐暴之初衷，成拨乱反正之伟业。本大元帅有厚望焉。此令。

中华民国十二年三月七日

据《大本营公报》第二号

给杨希闵的训令

（一九二三年三月七日）

大元帅训令第二六号

令滇军总司令兼广州卫戍总司令杨希闵

前兼广州卫戍总司令刘震寰因事辞职，继复特任该总司令在案。旋接来电请辞，具见谦衷。查卫戍一职，关系维持治安至为重要，仰该总司令迅即遵照前令克日就职，勿负本大元帅倚畀之至意。此令。

中华民国十二年三月七日

据《大本营公报》第二号

给伍学熀的指令

（一九二三年三月七日）

大元帅指令第一六号

令两广盐运使伍学熀

呈报整理盐务及筹借税款情形由。

呈悉。所请尚属可行，应准如所拟办理。此令。

中华民国十二年三月七日

据《大本营公报》第二号

发给赵植之公费令

（一九二三年三月七日）

着会计司发给赵植之公费六百元。此令。

孙　文

中华民国十二年三月七日

据《国父全集》第四册(转录史委会藏原件)

委派林警魂职务令

（一九二三年三月八日）

大元帅令

派林警魂为工兵局筹备委员。此令。

中华民国十二年三月八日

据《大本营公报》第二号

任命董鸿勋职务令

（一九二三年三月八日）

大元帅令

任命董鸿勋为大本营参军。此令。

中华民国十二年三月八日

据《大本营公报》第二号

给徐绍桢的训令

（一九二三年三月八日）

大元帅训令第二七号

令广东省长徐绍桢

照得司法官吏应由本大元帅任命，经训令该省长遵照在案。

兹任命陈融为广东高等审判厅厅长，该省长所委伍岳，着无庸到任。仰即转饬遵照。此令。

中华民国十二年三月八日

据《大本营公报》第二号

给莫鸿秋的训令

（一九二三年三月八日）

大元帅训令第二八号

令广东高等审判厅厅长莫鸿秋

照得广东高等审判厅厅长一职已任命陈融充任。仰该厅长克日交代勿违。此令。

中华民国十二年三月八日

据《大本营公报》第二号

给杨希闵的指令

（一九二三年三月八日）

大元帅指令第一八号

令滇军总司令杨希闵

呈请转饬地方长官维持纸币由。

呈悉。纸币低折，重苦吾民，皆由陈逆等滥发于先，复不能维持于后，致滋纷扰，言之殊堪痛恨。查恶币之害，由无固定基金，以致信用全失。应俟财政统一，别筹根本整理之方。枝节补救，殊未有良策以善其后也。此令。

中华民国十二年三月八日

附:杨希闵原呈

呈为呈请事:现据广州市全体商民函称:“吾粤不幸,变乱频仍,蒙总司令仗义赴援,陈逆逃遁,重蒙鼎力维持秩序,市廛不惊,商民实深感戴。窃维成大事者,必顺人心。此次陈逆失败,全在失人心,故讨贼军兴,人心解体,前途倒戈而粤局以定。其所以致此之由,则以陈逆滥发纸币而不能维持,以致纸币低跌,商民吃亏,无门告诉。查广东省立银行发出纸币,为政府发出,十足行使者十分之八九,陈逆叛变以后,低折时发〈出〉者十分之一二。今市面纸币价格不及二成,商民痛苦莫可言状,而政府未见维持,是何异以政府劫夺民财,天下不平事无过于此。幸值总司令削平粤难,孙大总统莅临粤垣,天日重光。伏恳总司令转商孙大总统、徐省长,迅予设法维持,以维人心而苏民困”等情前来。据此,查纸币低折,商民交困,应如何设法维持之处,理合备文转呈,仰祈鉴核,转饬地方长官妥予设法维持,以苏民困,实为公便。谨呈

大元帅孙

滇军总司令杨希闵

中华民国十二年三月六日

据《大本营公报》第二号

致上海执行部电

(一九二三年三月九日)

陈树人仍兼党务部部长,未返沪以前,由副部长孙镜代理。孙文。佳。

据《国父全集》第三册(转录史委会藏原稿)

任命黄镇磐职务令

（一九二三年三月九日）

大元帅令

任命黄镇磐为广东高等检察厅检察长。此令。

中华民国十二年三月九日

据《大本营公报》第二号

任命区玉书职务令

（一九二三年三月九日）

大元帅令

任命区玉书为广州地方检察厅检察长。此令。

中华民国十二年三月九日

据《大本营公报》第二号

给徐绍桢的训令

（一九二三年三月九日）

大元帅训令第二九号

令广东省长徐绍桢

据云南陆军第七旅兼三水城防司令朱世贵等代电称："微日申亥，河口街市棚厂失火，全埠商店民居焚烧殆尽。商民露宿山岗，哀鸿遍途。现经世贵等捐款及将所部士兵饷项暂为挪垫，办理急赈。谨代灾民呼号，乞迅赐拨款散赈，以惠灾黎”等情前来。本大元帅览悉，殊深悯恻。仰该省长遴派委员，迅赴灾区查勘实情，量予赈济，仍将查勘情形具报。此令。

中华民国十二年三月九日

据《大本营公报》第二号

给徐绍桢的指令

（一九二三年三月九日）

大元帅指令第一九号

令广东省长徐绍桢

呈报规复保商卫旅营办法，并请特颁明令，饬各军于驻防地段抽调劲旅，沿江要隘担负卫戍河道之责由。

呈悉。所请各节应准暂行试办，并候饬令各军一体保护可也。此令。

中华民国十二年三月九日

据《大本营公报》第二号

发给孙祥夫公费令

（一九二三年三月九日）

着会计司发给孙祥夫公费五百元。此令。

孙　文

中华民国十二年三月九日

据《国父全集》第四册（转录史委会藏原件）

任命金华林等职务令*

（一九二三年三月十日）

金华林、朱和中、金汉鼎、杨蓁委为大本营高级参谋。

民国十二年三月十日

据中国革命博物馆藏原件

任命冯祝万等职务令

（一九二三年三月十日）

大元帅令

任命冯祝万为大本营军政部军务局长；胡兆鹏为大本营军政部军衡局长；周贯虹为大本营军政部军需局长。此令。

中华民国十二年三月十日

据《大本营公报》第二号

委派黄伯淑职务令

（一九二三年三月十日）

大元帅令

委任黄伯淑代理广州电报局局长。此令。

中华民国十二年三月十日

据《大本营公报》第二号

---

* 这一任职令推至四月四日才明令公布。载《大本营公报》第六号“大元帅令”。

免李章达兼职令

（一九二三年三月十日）

大元帅令

代理广东电政监督李章达着毋庸兼任广州电报局局长。此令。

中华民国十二年三月十日

据《大本营公报》第二号

任命梅光培代职令

（一九二三年三月十日）

大元帅令

大本营金库长林云陔未到任以前，着梅光培暂行代理。此令。

中华民国十二年三月十日

据《大本营公报》第二号

准刘纪文辞兼职令

（一九二三年三月十日）

大元帅令

大本营审计局长刘纪文请辞金库长兼职。应予照准。此令。

中华民国十二年三月十日

据《大本营公报》第二号

给陈天太的训令

（一九二三年三月十日）

大元帅训令第三〇号

令代理直辖桂军第一军军长、中央直辖桂军第三师师长陈天太

去岁联军东下，所向有功，未及浃旬而粤局以定。该代军长陈天太，陈师鞠旅，勠力同心，方吊民伐罪之初，有见义勇为之举，卒共削平大难，以成讨贼之功，每念贤劳，实堪嘉尚。所部各将士，均著传语慰劳。该代军长等大猷聿著，务当益笃忠贞，作国家之干城，垂勋名于永久。本大元帅有厚望焉。此令。

中华民国十二年三月十日

据《大本营公报》第二号

发给欧阳格公费令

（一九二三年三月十日）

着会计司发给欧阳格公费五百元。此令。

孙　文

中华民国十二年三月十日

据《国父全集》第四册（转录史委会藏原件）

任命李烈钧职务令*

（一九二三年三月十一日）

特任李烈钧为江西总司令兼江西省长。此令。

孙　文

中华民国十二年三月十一日

据杜永镇编《海陆军大元帅大本营公报选编》（北京中国社会科学出版社一九八一年版）插页影印原件

给曾卫民等委任状

（一九二三年三月十二日）

委任曾卫民为实兆远中国国民党分部总务科主任，徐明注为实兆远中国国民党分部执行部书记，司徒璇、王维妹、王镇乾、黄作泮、李桑、周伟烈、冯自衡、杨作义为实兆远中国国民党分部干事，柯锦全为实兆远中国国民党分部评议部书记，陈水湛、周振国、王晏安、卢远嘉、周振奉、郑达礼、朱章仪、洪调发、曾兼金、刘贵长、王金水、凌竞安为实兆远中国国民党分部评议部评议员；叶昌荣为仙葛洛中国国民党分部总务科主任，刘麟书、叶萃英为仙葛洛中国国民党分部执行部书记，陈排铨、谢亚德、谢彩泉为仙葛洛中国国民党分部干事，廖章启、杨伍璇、黄和祥、杨清高、叶光明、孙歆羡、叶佳鱼、傅梓福、陈亚才、吕业鋈、陈由治、傅英隆为仙葛洛中国国民

* 本任命手令未见明令发表。

党分部评议部评议员；关卫民为舞士阻中国国民党分部总务科主任，余藉之、关光汉为舞士阻中国国民党分部执行部书记，黄兴汉、梁洽、关创槐、邦悦、贵以南、邝锡民、余振琼、关和、关武、周家瀚、瑞华为舞士阻中国国民党分部干事，周裕家为舞士阻中国国民党分部评议部书记，甄祥初、余珠章、陈秉民、余祝礼、周厚家、雷家华、黄煦和、邝渭三、黄炳传、马璇瑛为舞士阻中国国民党分部评议部评议员；王东桂为孖沙打冷中国国民党分部总务科主任，林德安为孖沙打冷中国国民党分部执行部书记，余日波、方耀光、蔡泗、关锡安为孖沙打冷中国国民党分部干事，黄石祐为孖沙打冷中国国民党分部评议部书记，余旭、余抗、蔡寿年、李煜禧、林权有、林寿池、郑金强、李锡三、李连发为孖沙打冷中国国民党分部评议部评议员；邢诒源为童颂中国国民党分部总务科主任，岑学安为童颂中国国民党分部执行部书记，吴坤登、吴坤丰、吴冠球、吴善初、黄德华、黄乾泽、谢自运、许瑯书为童颂中国国民党分部干事，吴乾达、凌家俊、吴多铣、符福兴、陈宏源、陈勋光、梁君祥、韩盛斯、郭始拔、黄善春为童颂中国国民党分部评议部评议员。此状。

总　　　　理(印)

总务部部长彭素民副署

据《国父全集》第四册(转录《本部公报》一卷九号)

给叶汉溪等委任状

(一九二三年三月十二日)

委任叶汉溪为实兆远中国国民党分部会计科主任；陈金謽为仙葛洛中国国民党分部会计科主任；蔡社光为舞士阻中国国民党分部会计科主任；陈兆英为孖沙打冷中国国民党分部会计科主任；

吴世富为童颂中国国民党分部会计科主任。此状。

总　　理(印)
总务部部长彭素民副署
财务部部长林业明副署

据《国父全集》第四册(转录《本部公报》一卷九号)

给戴翠簾等委任状

(一九二三年三月十二日)

委任戴翠簾为实兆远中国国民党分部宣传科主任;黄隆进为舞士阳中国国民党分部宣传科主任;赵群旺为孖沙打冷中国国民党分部宣传科主任;陈经堂为童颂中国国民党分部宣传科主任。此状。

总　　理(印)
总务部部长彭素民副署
宣传部部长叶楚伧副署

据《国父全集》第四册(转录《本部公报》一卷九号)

给王叔金等委任状

(一九二三年三月十二日)

委任王叔金为实兆远中国国民党分部党务科主任;黄瑞朝为仙葛洛中国国民党分部党务科主任;余毅生为舞士阳中国国民党分部党务科主任;阮丽川为孖沙打冷中国国民党分部党务科主任;陈卓民为童颂中国国民党分部党务科主任。此状。

总　　理(印)
总务部部长彭素民副署
代理党务部部长孙镜副署

据《国父全集》第四册(转录《本部公报》一卷九号)

给柯教诲等委任状

（一九二三年三月十二日）

委任柯教诲为实兆远中国国民党分部正部长，罗爱为实兆远中国国民党分部副部长，吴智识为实兆远中国国民党分部评议部正议长，陈美锡为实兆远中国国民党分部评议部副议长；李则以为仙葛洛中国国民党分部正部长，叶聪明为仙葛洛中国国民党分部副部长，杨回来为仙葛洛中国国民党分部评议部正议长，林崑山为仙葛洛中国国民党分部评议部副议长；周文中为舞士阻中国国民党分部正部长，周雨泉为舞士阻中国国民党分部副部长，余日升为舞士阻中国国民党分部评议部正议长，麦悦志为舞士阻中国国民党分部评议部副议长；黄恭让为孖沙打冷中国国民党分部正部长，黄自然为孖沙打冷中国国民党分部副部长，陈汉真为孖沙打冷中国国民党分部评议部正议长，蔡天培为孖沙打冷中国国民党分部评议部副议长；何汉洲为童颂中国国民党分部正部长，吴琼昭为童颂中国国民党分部副部长，符海东为童颂中国国民党分部评议部正议长，陈嘉简为童颂中国国民党分部评议部副议长。此状。

总　　　　理（印）

总务部部长彭素民副署

代理党务部部长孙镜副署

财务部部长林业明副署

宣传部部长叶楚伧副署

交际部部长张秋白副署

据《国父全集》第四册（转录《本部公报》一卷九号）

任命寸性奇职务令

（一九二三年三月十二日）

大元帅令

任命寸性奇为大本营参军。此令。

中华民国十二年三月十二日

据《大本营公报》第二号

任命谢良牧刘泳闿职务令

（一九二三年三月十二日）

大元帅令

任命谢良牧为大本营内政部第一局局长；刘泳闿为大本营内政部第二局局长。此令。

中华民国十二年三月十二日

据《大本营公报》第三号（一九二三年三月十二日出版）

任命陈树人职务令

（一九二三年三月十二日）

大元帅令

任命陈树人为广东政务厅厅长。此令。

中华民国十二年三月十二日

据《大本营公报》第二号

任命陈兴汉王棠职务令

（一九二三年三月十二日）

大元帅令

任命陈兴汉为大本营庶务司司长；王棠为大本营会计司司长。此令。

中华民国十二年三月十二日

据《大本营公报》第二号

任命盛延祺等职务令

（一九二三年三月十二日）

大元帅令

任命盛延祺为肇和军舰舰长；欧阳琳为永丰军舰舰长；潘文治为楚豫军舰舰长；宋复九为肇平军舰舰长。此令。

中华民国十二年三月十二日

据《大本营公报》第二号

任命周之武职务令

（一九二三年三月十二日）

大元帅令

任命周之武为海军总轮机长。此令。

中华民国十二年三月十二日

据《大本营公报》第二号

免谢良牧职务令

（一九二三年三月十二日）

大元帅令

广东政务厅厅长谢良牧另有任用，应免本职。此令。

中华民国十二年三月十二日

据《大本营公报》第二号

任命伍岳暂代职令

（一九二三年三月十二日）

大元帅令

广东高等审判厅厅长陈融未到任以前，着伍岳暂行代理。此令。

中华民国十二年三月十二日

据《大本营公报》第二号

任命徐树荣吴敌职务令*

（一九二三年三月十二日）

委任徐树荣为东江缉匪司令。此令。

委任吴敌为四川军事特派员。此令。

孙　文

---

* 此任职令到二十日正式发表，载《大本营公报》第三号。

中华民国十二年三月十二日

据中国革命博物馆藏原件

撤销东江商运局令

（一九二三年三月十二日）

东江商运局着即撤销。此令。

孙 文

中华民国十二年三月十二日

据谭编《总理遗墨》第三辑

给朱肇新等委任状

（一九二三年三月十三日）

委任朱肇新为域多利中国国民党支部正部长，赵安国为域多利中国国民党支部副部长，马汉哲为域多利中国国民党支部评议部正议长，黄夏声为域多利中国国民党支部评议部副议长；黄秀文为沙城中国国民党分部正部长，陆功甫为沙城中国国民党分部副部长，黎藉为沙城中国国民党分部评议部正议长，胡杕昌为沙城中国国民党分部评议部副议长；王健海为大溪地中国国民党分部正部长，余景星为大溪地中国国民党分部副部长，罗庆明为大溪地中国国民党分部评议部正议长，陈国安为大溪地中国国民党分部评议部副议长；刘杏津为诗诬中国国民党分部正部长，梁兆振为诗诬中国国民党分部副部长，沈弼为诗诬中国国民党分部评议部正议长，卢籁为诗诬中国国民党分部评议部副议长；丘湘兰为列必珠中国国民党分部正部长，黄纪尧为列必珠中国国民党分部副部长，曾雨佳为列必珠中国国民党分部评议部正议长，徐寿南为列必珠中国国民党分部评议部副议长；梅庚寅为吉礁中国国民党分部正部长，郑怀声为吉礁中国国民党分部副部长，蒲伯祥为吉礁中国国民党分部评议部正议长，覃国炳为吉礁中国国民党分部评议部副议长；李田扬为庇罅利中国国民党通讯处正主任，陈北海为庇罅利中国国民党通讯处副主任，马焯河为庇罅利中国国民党通讯处评议部正议长，余普基为庇罅利中国国民党通讯处评议部副议长；黄岳为斗华必力打中国国民党通讯处主任，刘臻为斗华必力打中国国民党通讯处评议部正议长；郑元欢为扶朗爹罅中国国民党通讯处正主任，黄喜为扶朗爹罅中国国民党通讯处副主任，吴佳荣为扶朗爹罅中国国民党通讯处评议部正议长，蔡华大为扶朗爹罅中国国民党通讯处评议部副议长；李观卓为姊忌利中国国民党通讯处正主任，岑嘉茂为姊忌利中国国民党通讯处评议部正议长；阮乐为亚李士庇中国国民党通讯处正主任，周天顺为亚李士庇中国国民党通讯处副主任，李永祥为亚李士庇中国国民党通讯处评议部正议长，黄照攀为亚李士庇中国国民党通讯处评议部副议长；谭启文为巴市杰中国国民党通讯处正主任，胡寿祥为巴市杰中国国民党通讯处副主任；马爱群为巴梳中国国民党通讯处正主任，伍美耀为巴梳中国国民党通讯处评议部正议长；黄唐瑞为化古中国国民党通讯处正主任，黄芹章为化古中国国民党通讯处副主任；伍超为那伏中国国民党通讯处正主任，锺广周为那伏中国国民党通讯处副主任；廖剑秋为苏城中国国民党通讯处正主任，黄仲豪为苏城中国国民党通讯处副主任，冯新民为苏城中国国民党通讯处评议部正议长，林玉台为苏城中国国民党通讯处评议部副议长；周道初为山担中国国民党通讯处正主任，伍策勋为山担中国国民党通讯处副主任，方亚民为山担中国国民党通讯处评议部正议长，胡开业为山担中国国民党通讯处评议部副议长；伍甘庆为南和可中国国民党通讯处正主任，黄子信为南和可中国国民党通讯处副主任，伍荣祺为南和可中国国民党通讯处评议部正议长，林瑶为南和可中国国民党通讯处评议部副议长；黄汉荣为喇咕中国国民党通讯处正主任，余福旋为喇咕中国国民党通讯处评议部正议长；冯秉銮为马架连仙丹中国国民党通讯处正主任，梁溢生为马架连仙丹中国国民党通讯处副主任，冯培根为马架连仙丹中国国民党通讯处评议部正议长，冯以照为马架连仙丹中国国民党通讯处评议部副议长；梁钦记为活打担步中国国民党通讯处正主任，余祐为活打担步中国国民党通讯处评议部正议长；骆辉为呵利市中国国民党通讯处正主任，张巨华为呵利市中国国民党通讯处评议部正议长，黄鏕运为呵利市中国国民党通讯处评议部副议长；邝进盛为山拿罗中国国民党通讯处正主任，邓荣桂为山拿罗中国国民党通讯处副主任；黄财为故厘亚根中国国民党通讯处正主任，岑相培为故厘亚根中国国民党通讯处评议部正议长；余蔼如为毛利企中国国民党通讯处正主任，余日长为毛利企中国国民党通讯处副主任，余荣仕为毛利企中国国民党通讯处评议部正议长，邝文炳为毛利企中国国民党通讯处评议部副议长。此状。

总　　　　理（印）
总务部部长彭素民副署
代理党务部部长孙镜副署
财务部部长林业明副署
宣传部部长叶楚伧副署
交际部部长张秋白副署

据《国父全集》第四册（转录《本部公报》一卷十号）

给聂光汉等委任状

（一九二三年三月十三日）

委任聂光汉为域多利中国国民党支部党务科主任；阮石湖为沙城中国国民党分部党务科主任；丘启明为大溪地中国国民党分部党务科主任；冯汉雄为诗诬中国国民党分部党务科主任；卢省民为列必珠中国国民党分部党务科主任；林裘墨为吉礁中国国民党分部党务科主任；欧章本为庇鲱利中国国民党通讯处党务科科长；甄国瑞为斗华必力打中国国民党通讯处党务科科长；邝光庭为扶朗爹罅中国国民党通讯处党务科科长；林霖义为姊忌利中国国民党通讯处党务科科长；李岳辉为亚李士庇中国国民党通讯处党务科科长；谭启文为巴市杰中国国民党通讯处党务科科长；伍觉魂为巴梳中国国民党通讯处党务科科长；黄聪为化古中国国民党通讯处党务科科长；刘坤为那伏中国国民党通讯处党务科科长；袁远胜为苏城中国国民党通讯处党务科科长；黄秀荣为山担中国国民党通讯处党务科科长；陈其寿为南和可中国国民党通讯处党务科科长；林华为活打担步中国国民党通讯处党务科科长；梁雪岩为呵利市中国国民党通讯处党务科科长；陈蛟腾为山拿罗中国国民党通讯处党务科科长；陈发为故厘亚根中国国民党通讯处党务科科长。此状。

总　　　　理（印）
总务部部长彭素民副署
代理党务部部长孙镜副署

据《国父全集》第四册（转录《本部公报》一卷十号）

给黄桂华等委任状

（一九二三年三月十三日）

委任黄桂华为域多利中国国民党支部会计科主任；谭在田为沙城中国国民党分部会计科主任；巫国顺为大溪地中国国民党分部会计科主任；刘伯隆为诗诬中国国民党分部会计科主任；关崇润为列必珠中国国民党分部会计科主任；李振黄为吉礁中国国民党分部会计科主任；邝锡森为庇罅利中国国民党通讯处会计科科长；甄兰满为斗华必力打中国国民党通讯处会计科科长；邝民光为扶朗爹罅中国国民党通讯处会计科科长，麦尧圣为姊忌利中国国民党通讯处会计科科长；黄新良为亚李士庇中国国民党通讯处会计科科长；余连为巴市杰中国国民党通讯处会计科科长；马斯良为巴梳中国国民党通讯处会计科科长；陈松寿为化古中国国民党通讯处会计科科长；谢炳为那伏中国国民党通讯处会计科科长；黄礼汉为苏城中国国民党通讯处会计科科长；黄淦源为山担中国国民党通讯处会计科科长；甄光淯为南和可中国国民党通讯处会计科科长；邝现修为唎咕中国国民党通讯处会计科科长；何炽益为活打担步中国国民党通讯处会计科科长；赵一煖为呵利市中国国民党通讯处会计科科长；谭朝佐为山拿罗中国国民党通讯处会计科科长；刘穑为故厘亚根中国国民党通讯处会计科科长。此状。

总　　　　理（印）

总务部部长彭素民副署

财政部部长林业明副署

据《国父全集》第四册（转录《本部公报》一卷十号）

给李周等委任状

（一九二三年三月十三日）

委任李周为域多利中国国民党支部宣传科主任；马炳林为沙城中国国民党分部宣传科主任；阮汉祥为大溪地中国国民党分部宣传科主任；江湖为诗诬中国国民党分部宣传科主任；余炳和为列必珠中国国民党分部宣传科主任；黄练达为吉礁中国国民党分部宣传科主任；邝锡森为庇罅利中国国民党通讯处宣传科科长；甄锦寿为斗华必力打中国国民党通讯处宣传科科长；黄喜为扶朗爹罅中国国民党通讯处宣传科科长；方舟楫为姊忌利中国国民党通讯处宣传科科长；黄金扶为亚李士庇中国国民党通讯处宣传科科长；甄昌为巴市杰中国国民党通讯处宣传科科长；黄执寰为巴梳中国国民党通讯处宣传科科长；黄心章为化古中国国民党通讯处宣传科科长；锺立为那伏中国国民党通讯处宣传科科长；黄仲豪为苏城中国国民党通讯处宣传科科长；朱汝才为山担中国国民党通讯处宣传科科长；伍帝焕为南和可中国国民党通讯处宣传科科长；陈齐爱为唎咕中国国民党通讯处宣传科科长；林敬满为活打担步中国国民党通讯处宣传科科长；余荣超为呵利市中国国民党通讯处宣传科科长；黄振铨为山拿罗中国国民党通讯处宣传科科长；梁杞新为故厘亚根中国国民党通讯处宣传科科长。此状。

总　　　　　　理（印）

总务部部长彭素民副署

宣传部部长叶楚伧副署

据《国父全集》第四册（转录《本部公报》一卷十号）

给赵璧如等委任状

（一九二三年三月十三日）

委任赵璧如为域多利中国国民党支部总务科主任，欧赞襄为域多利中国国民党支部执行部书记，林汝荣、李正明、伍时爱、李敬芳、林焕有、缪颂川、张锡亮、雷玉昆、李卓明、甘霖、陈衮尧、李子敬、李宪之、郭康民、刘帝柱、蔡然、梁励三、黄和谦、黄祖宪、李炜华为域多利中国国民党支部干事，李子平为域多利中国国民党支部评议部书记，崔景、锺南光、颜良伯、龚五之、刘莽汉、吴贯三、周神辅、方子伦、汤瑞南、聂星池、赵新民、甄明羡、汤隆恩、李毓干、陈耀生、雷结培、袁华伍、洪炯、陈悦宽、李耀麟、蒋立寰、黄者三、黄洪、李壬圣、李毓民、赵雨畴、李照心、黄汇均、刘华英、高云山为域多利中国国民党支部评议部评议员；黎保为沙城中国国民党分部总务科主任，李猷新为沙城中国国民党分部执行部书记，明启、黄月庭、黄昂波、李开化、利其、梁兆森、陈潜、马均、李寿、马本哲、马才晃、余基、盘树南、麦鼎南、林胜、梁在、黄贞民为沙城中国国民党分部干事，麦添松为沙城中国国民党分部评议部书记，麦泳舟、陆天中、廖石山、谭汉裔、李美益、叶华源、黄保、林琼为沙城中国国民党分部评议部评议员；邹春茂为大溪地中国国民党分部总务科主任，黄明修、彭禹三为大溪地中国国民党分部执行部书记，锺裕华、郑应鹏、黄晋滨、杨运、廖金英、黄立发、黄道彝、余汉强、巫奕鹏、陈茂荣、陈国云、邓运、黄观茂、萧时昌、黄怀瑞、曾祥瑞、李仁炳、阮耀祥、曹建伟、黄康伟、赖世琨、阮信楠、萧毓馨、邝杞为大溪地中国国民党分部干事，丘义斌为大溪地中国国民党分部评议部书记；黄怀传、连庆湘、张明魁、萧少雄、刘国森、黄安澜、余文桂、萧炳南、丘秀松、余文腾、袁国雄、曹建勋、彭春林、李章安为大溪地中国国民党分部评议部评议员；叶开为诗诬中国国民党分部总务科主任，黄恂为诗诬中国国民党分部评议部书记，赖国强、陈立焕、谭中汉、黄勋、江茂春为诗诬中国国民党分部评议部评议员；卢森为列必珠中国国民党分部总务科主任，敖汉坚为列必珠中国国民党分部执行部书记，陈春文、胡卄、叶享、李雅文、方渠、梁椒生、黄少汉、黄球、吴益、汪松、赵煜、李永义、梁朝绣、曾天福、梁铎、梁奇、梁进德、余和珠、余文耀、陈安为列必珠中国国民党分部干事，赵国扬为列必珠中国国民党分部评议部书记，卢万瑗、梁秋、黄光启、丘康、余祝平、黄玉清、敖荫棠、叶惠南、卢作楫、胡文立为列必珠中国国民党分部评议部评议员；王健臣为吉礁中国国民党分部总务科主任，许亦周为吉礁中国国民党分部执行部书记，梅杰墀、庞世传、黄惠南、郭清泉、陈灿文、张弼臣、吴克昌、汪仲如、欧阳碧南、朱绍南、何松顺、黎宏运、陈如星、伍波杰、余昆治、何达海为吉礁中国国民党分部干事，黄爱群为吉礁中国国民党分部评议部书记，伍鸿福、谢卓峰、林买立、庄启元、锺炳华、余锦源、庞道荣、胡耀源、余海筹、郭连坡、贺飘扬、叶荣聚、黄昭鳌、翁汉传为吉礁中国国民党分部评议部评议员；阮康为庇罅利中国国民党通讯处总务科科长，张百韶为庇罅利中国国民党通讯处执行部书记，马启润、蔡湘、陈赞良、邝品元为庇罅利中国国民党通讯处科员，阮尧为庇罅利中国国民党通讯处评议部书记，马瑞烔、林延、龙榕光、陈浩、李金顺、邝才为庇罅利中国国民党通讯处评议部评议员；甄明翕为斗华必力打中国国民党通讯处总务科科长，甄国瑞为斗华必力打中国国民党通讯处执行部书记，余近德、邝沾琪、杨官梅为斗华必力打中国国民党通讯处科员，陈张周为斗华必力打中国国民党通讯处评议部书记，李买维、罗社畴、李添好、彭添扬、李买祥、吴桂喜为斗华必力打中国国民党通讯处评议部评议员；黄章为扶朗爹鳙中国国民党通讯处总务科科长，黄喜为扶朗爹鳙中国国民党通讯处执行部书记，黄章、邝光廷、邝民光为扶朗爹鳙中国国民党通讯处科员，陈龙桂为扶朗爹鳙中国国民党通讯处评议部书记，陈北清、邝源洽、欧朝俊、梁社发、黄桂连、黄强为扶朗爹鳙中国国民党通讯处评议部评议员；余毓鳌为姊忌利中国国民党通讯处总务科科长，方文琫为姊忌利中国国民党通讯处执行部书记，余植勋、黄炳俊、唐嵩、叶金荣为姊忌利中国国民党通讯处科员，马柱荣为姊忌利中国国民党通讯处评议部书记，邝卓林、方文浣、叶锡棠、方守严为姊忌利中国国民党通讯处评议部评议员；李岳辉为亚李士庇中国国民党通讯处总务科科长，邝修华为亚李士庇中国国民党通讯处执行部书记，黄照攀为亚李士庇中国国民党通讯处评议部书记，陈亮、李东、萧金大为亚李士庇中国国民党通讯处评议部评议员；严观业为巴士杰中国国民党通讯处总务科科长，严绍林为巴士杰中国国民党通讯处执行部书记；黄圣兰为巴梳中国国民党通讯处总务科科长，黄鼎新为巴梳中国国民党通讯处执行部书记，黄茂林为巴梳中国国民党通讯处评议部书记，黄昂昌、黄百炼、黄福伦、黄炳潮、胡亮、赵公堂、雷风烈为巴梳中国国民党通讯处评议部评议员；黄芹章为化古中国国民党通讯处总务科科长，黄洁进为化古中国国民党通讯处执行部书记；余才为那伏中国国民党通讯处总务科科长，谢炳为那伏中国国民党通讯处执行部书记；廖汉裔为苏城中国国民党通讯处总务科科长，廖剑秋为苏城中国国民党通讯处执行部书记，甄登、廖汉裔为苏城中国国民党通讯处干事，林玉台为苏城中国国民党通讯处评议部书记，邹德荣、李仁治、黄来就、袁远胜为苏城中国国民党通讯处评议部评议员；吴江为山担中国国民党通讯处总务科科长，雷安为山担中国国民党通讯处执行部书记，雷维新、徐百长、方卓槐、伍策勋为山担中国国民党通讯处干事，马光炼为山担中国国民党通讯处评议部书记，叶容、罗宗迟、陈华明、邝百晓、余超瑞、胡槐、黄宗喜、周如柏、周道龄、周爵廷、邓荣、余毓携、胡爱和、胡金星、雷社享、马亮荣、伍葆初、谭弼、黄炳嗣为山担中国国民党通讯处评议部评议员；伍长福为南和可中国国民党通讯处总务科科长，麦兴华为南和可中国国民党通讯处执行部书记，甄国扬、甄光洧、熊炯棠、甄龙齐为南和可中国国民党通讯处干事，陈其寿为南和可中国国民党通讯处评议部书记，伍宋瑞卿、梅迺煦、伍福良、梅国进、林燕、邝炎、伍认不为南和可中国国民党通讯处评议部评议员；邝文慰为唰咕中国国民党通讯处执行部书记，陈德业为唰咕中国国民党通讯处评议部书记，余润光、邝兆才、邝厚勋、邝炯新、黄国彦、黄球琮为唰咕中国国民党通讯处评议部评议员；黄士诒为马架连汕丹中国国民党通讯处执行部书记，张锟伦、彭国忠、黄辉汉、冯以添为马架连汕丹中国国民党通讯处干事，冯以桃为马架连汕丹中国国民党通讯处评议部书记，陈景祐、陈振安、曾安韶、陈乐胜、李杏生、冯以桃为马架连汕丹中国国民党通讯处评议部评议员；曹富为活打胆步中国国民党通讯处总务科科长，缪觉非为活打胆步中国国民党通讯处执行部书记，黄善鸣为活打胆步中国国民党通讯处评议部书记，李林兆、郑文集、高略、林云生、何干、区广、黄日东、余有为活打胆步中国国民党通讯处评议部评议员；余民生为呵利市中国国民党通讯处总务科科长，余文仰为呵利市中国国民党通讯处执行部书记，黄稠晃为呵利市中国国民党通讯处评议部书记，余浓那、黄广安、余华添、黄金源、郑文保、余黄仙花为呵利市中国国民党通讯处评议部评议员；刘安为山拿罗中国国民党通讯处总务科科长，赵群胜为山拿罗中国国民党通讯处执行部书记；李有为故厘亚根中国国民党通讯处总务科科长，李炎为故厘亚根中国国民党通讯处执行部书记，陈桂清、萧昆、李华进、李降为故厘亚根中国国民党通讯处干事，李降为故厘亚根中国国民党通讯处评议部书记，刘是明、缪亮、刘飞鸿、黄炳为故厘亚根中国国民党通讯处评议部评议员；余敬全为毛利企中国国民党通讯处执行部书记，余柱铨、余林仕、余彭龄、余振福为毛利企中国国民党通讯处干事，余敬全为毛利企中国国民党通讯处评议部书记，余寿祺、余元享、余朱如芸、余翁如英为毛利企中国国民党通讯处评议部评议员。此状。

总　　　　理（印）

总务部部长彭素民副署

据《国父全集》第四册（转录《本部公报》一卷十号）

给彭星海委任状

（一九二三年三月十三日）

委任彭星海为文冬中国国民党通讯处筹备处主任。此状。

总　　　　理（印）

总务部部长彭素民副署

据《国父全集》第四册（转录《本部公报》一卷十号）

给王棠的指令

（一九二三年三月十三日）

大元帅指令第二四号

令大本营会计司司长王棠

呈报拟定官制，恳准予公布施行由。

呈悉。准各所拟办理。此令。

中华民国十二年三月十三日

据《大本营公报》第二号

发给杨熙绩公费令

（一九二三年三月十三日）

着会计司发给杨熙绩公费壹百元。此令。

中华民国十二年三月十三日

孙文（大元帅章）

据中国第二历史档案馆藏原件

给谭声根等委任状

（一九二三年三月十四日）

委任谭声根为嗌咪中国国民党分部正部长；余礼仲为泥古洒利中国国民党分部正部长，陈百庸为泥古洒利中国国民党分部副部长，郑安为泥古洒利中国国民党分部评议部正议长，林奕添为泥古洒利中国国民党分部评议部副议长。此状。

总　　　理（印）

总务部部长彭素民副署

代理党务部部长孙镜副署

财务部部长林业明副署

宣传部部长叶楚伧副署

交际部部长张秋白副署

据《国父全集》第四册（转录《本部公报》一卷十一号）

给谭炜南阮熀委任状

（一九二三年三月十四日）

委任谭炜南为嗌咪中国国民党分部党务科主任；阮熀为泥古洒利中国国民党分部党务科主任。此状。

总　　　　　　理（印）

总务部部长彭素民副署

代理党务部部长孙镜副署

据《国父全集》第四册（转录《本部公报》一卷十一号）

给谭裁之林照委任状

（一九二三年三月十四日）

委任谭裁之为嗌咪中国国民党分部会计科主任；林照为泥古洒利中国国民党分部会计科主任。此状。

总　　　　　　理（印）

总务部部长彭素民副署

财务部部长林业明副署

据《国父全集》第四册（转录《本部公报》一卷十一号）

给梁顾西张炳生委任状

（一九二三年三月十四日）

委任梁顾西为嗌咪中国国民党分部宣传科主任；张炳生为泥

古洒利中国国民党分部宣传科主任。此状。

总　　　　理(印)

总务部部长彭素民副署

宣传部部长叶楚伧副署

据《国父全集》第四册(转录《本部公报》一卷十一号)

给陈镜廷等委任状

(一九二三年三月十四日)

委任陈镜廷为嗌咪中国国民党分部总务科主任;林荣为泥古洒利中国国民党分部总务科主任,陈百庸为泥古洒利中国国民党分部执行部书记,李妙航、陈韶光、黄松喜为泥古洒利中国国民党分部干事,余百藻为泥古洒利中国国民党分部评议部书记,林蜜、邝宏、邝荣、汪汉、余万清、余民安、余百汉、黄华初、林连财、练水记为泥古洒利中国国民党分部评议部评议员。此状。

总　　　　理(印)

总务部部长彭素民副署

据《国父全集》第四册(转录《本部公报》一卷十一号)

任命陈策杨廷培职务令

(一九二三年三月十四日)

大元帅令

任命陈策为广东海防司令;杨廷培为广东江防司令。此令。

中华民国十二年三月十四日

据《大本营公报》第二号

任命苏从山谢铁良职务令

（一九二三年三月十四日）

大元帅令

任命苏从山为长洲要塞司令；谢铁良为鱼雷局局长。此令。

中华民国十二年三月十四日

据《大本营公报》第二号

任命陈天太职务令

（一九二三年三月十四日）

大元帅令

任命陈天太代理中央直辖桂军第一军军长。此令。

中华民国十二年三月十四日

据《大本营公报》第二号

给李易标的指令

（一九二三年三月十四日）

大元帅指令第三一号

令广东陆军第一军军长李易标

电请肃清东江逆党愿为前驱由。

侵电[①]阅悉。比者陈逆披猖，纪纲扫地，该军长随沈总司令及滇粤诸将领奉命讨贼，躬冒矢石，奋厉无前，至〔致〕使旬日之间，逆军溃败，大憝潜逃。该军长勇战之功，实为炳著。兹复以逆党稽诛，负隅抗命，未纾东顾之忧，因切请缨之愿，爱国爱乡，尤堪嘉许。惟用兵东江，事体重大，须方略之既定，斯乃武之维扬。务希整饬戎行，静听后命，平时能勤搜讨之实，将来定收肃清之效。本大元帅有厚望焉。此令。

中华民国十二年三月十四日

据《大本营公报》第三号

发给杜墨林旅费令

（一九二三年三月十四日）

着会计司发给杜墨林旅费贰百元。此令。

孙　文

中华民国十二年三月十四日

据《国父全集》第四册（转录史委会藏原件）

发给锺百毅紧急公费令

（一九二三年三月十四日）

着会计司发给锺百毅紧急公费贰千元。此令。

孙　文

① 三月十二日，沈鸿英部广东陆军第一军军长李易标致电孙中山，表示愿意率师进军东江肃清逆党。

中华民国十二年三月十四日

据《国父全集》第四册(转录史委会藏原件)

给黄祖芹等委任状

(一九二三年三月十五日)

委任黄祖芹为利马中国国民党分部正部长;卢禹庭为利马中国国民党分部副部长;陈夔石为利马中国国民党分部评议部正议长;苏启文为利马中国国民党分部评议部副议长;简振兴为乐居中国国民党分部正部长,欧阳寿康为乐居中国国民党分部副部长,陈天信为乐居中国国民党分部评议部正议长,郑炳中为乐居中国国民党分部评议部副议长;陈灼如为汕爹咕中国国民党分部正部长,陈景唐为汕爹咕中国国民党分部副部长,吴泽彬为汕爹咕中国国民党分部评议部正议长,何伦兆为汕爹咕中国国民党分部评议部副议长。此状。

总　　理(印)
总务部部长彭素民副署
代理党务部部长孙镜副署
财务部部长林业明副署
宣传部部长叶楚伧副署
交际部部长张秋白副署

据《国父全集》第四册(转录《本部公报》一卷十一号)

给杨桐桂等委任状

(一九二三年三月十五日)

委任杨桐桂为利马中国国民党分部党务科主任;李提为乐居

中国国民党分部党务科主任；吴衍枢为汕爹咕中国国民党分部党务科主任。此状。

总　　理（印）
总务部部长彭素民副署
代理党务部部长孙镜副署

据《国父全集》第四册（转录《本部公报》一卷十一号）

给黄敦和等委任状

（一九二三年三月十五日）

委任黄敦和为利马中国国民党分部会计科主任；周焕忠为乐居中国国民党分部会计科主任；陈乔生为汕爹咕中国国民党分部会计科主任。此状。

总　　理（印）
总务部部长彭素民副署
财务部部长林业明副署

据《国父全集》第四册（转录《本部公报》一卷十一号）

给李子铿等委任状

（一九二三年三月十五日）

委任李子铿为利马中国国民党分部宣传科主任；谭吉为乐居中国国民党分部宣传科主任；李家诒为汕爹咕中国国民党分部宣传科主任。此状。

总　　理（印）
总务部部长彭素民副署

宣传部部长叶楚伧副署

据《国父全集》第四册(转录《本部公报》一卷十一号)

给方擎汉等委任状

(一九二三年三月十五日)

委任方擎汉为利马中国国民党分部总务科主任,邓启睦为利马中国国民党分部执行部书记,朱桂芬、黄惠宗、徐绍驹、林汝轩、麦丽生、连官大、杨林耀、李福昌、黎文富、徐景贤、黄继垣、黄宗、周杰和、刘藻华、苏汉孙、梁礼光、何忠、黄基、黄德昌、梁香池、余令端、郑藻昌、叶成林为利马中国国民党分部干事,关亮荣、梁余永、陈韶玉、朱康泽、刘乾初、余庆标、张国涵、郑祖发、刘宗宝为利马中国国民党分部评议部评议员;陈利扶为乐居中国国民党分部总务科主任,周文彩为乐居中国国民党分部执行部书记,周宗汉、黎克谦、谭维、简世廷为乐居中国国民党分部干事,姚瓒琚为乐居中国国民党分部评议部书记,陈绣文、梁关勋、陈爵永、李沙文、李厚、张华玲、林祺、陈寿南、杨子生、陈麟为乐居中国国民党分部评议部评议员;刘植臣为汕爹咕中国国民党分部总务科主任,张坤炳为汕爹咕中国国民党分部执行部书记,朱侠生、锺凯强、余简旺、朱觉之为汕爹咕中国国民党分部干事,岑国桢为汕爹咕中国国民党分部评议部书记,张禧带、吴英玉、岑泗、张彦同、冯森荫、何炎梅、伍卓、朱作贞、吴卓峰、吴贤才为汕爹咕中国国民党分部评议部评议员。此状。

总　　　　理(印)

总务部部长彭素民副署

据《国父全集》第四册(转录《本部公报》一卷十一号)

任命李朗如职务令

（一九二三年三月十五日）

大元帅令

任命李朗如为大本营参军。此令。

中华民国十二年三月十五日

据《大本营公报》第三号

任命戴德抚职务令

（一九二三年三月十五日）

大元帅令

任命戴德抚为潮海关监督兼汕头交涉员。此令。

中华民国十二年三月十五日

据《大本营公报》第三号

准任姚观顺等职务令

（一九二三年三月十五日）

大元帅令

大本营参军长朱培德呈请任命参军姚观顺兼大本营卫士队队长，副官黄惠龙、马湘兼副队长。应照准。此令。

中华民国十二年三月十五日

据《大本营公报》第三号

给张郁梅等委任状

（一九二三年三月十六日）

委任张郁梅为坭益爹中国国民党分部正部长；丘华增为坭益爹中国国民党分部副部长；何绍通为坭益爹中国国民党分部评议部正议长；巫子成为坭益爹中国国民党分部评议部副议长。此状。

总　　理（印）

总务部部长彭素民副署

代理党务部部长孙镜副署

财务部部长林业明副署

宣传部部长叶楚伧副署

交际部部长张秋白副署

据《国父全集》第四册（转录《本部公报》一卷十二号）

给丘右传委任状

（一九二三年三月十六日）

委任丘右传为坭益爹中国国民党分部党务科主任。此状。

总　　理（印）

总务部部长彭素民副署

代理党务部部长孙镜副署

据《国父全集》第四册（转录《本部公报》一卷十二号）

给巫廷福委任状

（一九二三年三月十六日）

委任巫廷福为坭益爹中国国民党分部会计科主任。此状。

总　　　　理（印）

总务部部长彭素民副署

财务部部长林业明副署

据《国父全集》第四册（转录《本部公报》一卷十二号）

给余伯良委任状

（一九二三年三月十六日）

委任余伯良为坭益爹中国国民党分部宣传科主任。此状。

总　　　　理（印）

总务部部长彭素民副署

宣传部部长叶楚伧副署

据《国父全集》第四册（转录《本部公报》一卷十二号）

给赖弼华等委任状

（一九二三年三月十六日）

委任赖弼华为坭益爹中国国民党分部总务科主任；余百良为坭益爹中国国民党分部执行部书记；张福民、黄德焕、庄来、萧廷才、赖大鸿、巫荣聪、赖启元、巫士波、邓登发、张发、宋茂胜、刘耀环为坭益爹中国国民党分部干事；张郁霖为坭益爹中国国民党分部评议部书记；张建勋、张茂祥、巫荣业、张桂林、巫秋文、杨喜生、赖奕文、刘廷敏、巫新喜为坭益爹中国国民党分部评议部评议员。此状。

总　　理（印）

总务部部长彭素民副署

据《国父全集》第四册（转录《本部公报》一卷十二号）

发给成国屏旅费令

（一九二三年三月十六日）

着会计司送成国屏旅费五百元。此令。

孙　文

中华民国十二年三月十六日

据《国父全集》第四册（转录史委会藏原件）

发给路孝忱办礼物费令

（一九二三年三月十六日）

着会计司发给路参军办礼物费五百元。此令。

孙　文

中华民国十二年三月十六日

据《国父全集》第四册（转录史委会藏原件）

在欢宴广州军政各界时的演说*

（一九二三年三月十七日）

今日各界宴集一堂，为空前未有盛会。惟今日复得与各界叙首于此，实藉滇桂军仗义东下，削平粤难。请与各界代表粤人，共敬滇桂军将领一杯，以表谢忱。

中国推翻数千年之专制，造成共和，是破坏事业已告成功。惟此十二年来日日均从事于建设，但尚未有成效可得而见。此盖新旧势力冲突所致。因现在旧势力尚极膨胀，新势力仍然薄弱，故民国十年之光阴，日在新旧奋斗之中。今者陈炯明已去，此又为新势力战胜之证，且已有骎骎压迫旧势力之势。故从事建设事业，当以广东比较为容易，应先从广东入手。只以广东目前最先决之问题，即裁兵是也。语云："兵贵精，不贵多。"在粤省能练三数师精兵，便可御外侮，随即实施化兵为工政策。惟施行此策，首在筹款，筹款惟举借内债及外债两途。在今言举借外债，颇有困难之处。因北京政府迭次借债，均不能如期偿还，信用早失，故宜先酌举内债，从事裁兵，迨成效昭著，外人相信，届时则可再举外债，竟其全功。至以军士本身而论，变工之后，所入将倍于月饷，谅必乐从。且工业发达，生利不已。十年之后，当可清还息本。更有余则以资发达其他事业。

又吾国吏治之坏，由来已久，实应行整刷。查败坏之原因，在官俸微薄，地位不稳，又无养老金。故幸而得志，则藉此机会拚命

---

* 参加宴会者有广州军政商学工各界代表三百余人。

铲地皮，冀铲得一宗养老金。如此吏治，焉得不败坏。与我接近之港澳政治，如此良善，亦有中国人服官于此，其能获此善果者，即官俸厚，地位有保障，养老有年金，是以人人不能不做好官。此为吾粤所当效法者。但既师其良法，则用人当以资格论，实行考试制度。非经考试合格，不能做官，则吏治自然澄清。从前殷商富户，视港澳为桃源洞者，将视广东为桃源洞，联袂归来，则广东一跃而为繁华安乐之广东矣！

现在广东尚有一纷乱之事，厥为赌博。惟此事各界应自知陈炯明谋叛，滇桂军仗义代我平乱。粤人不能团结一致，箪食壶浆以迎，稍尽地主之责任。在各义军，伙食无着，万不获已，为一时权宜计，藉赌饷以挹注目前。着军饷有着，则禁赌易于反掌。此为内政上所应注意之事。

其次为外交问题，亦有应注意研究之点。从前香港政府态度，对于吾人有多少误解，致令吾人政策迄未能自由实现。目下香港政府之态度已变更，表示赞助之忱。回忆广九、粤汉铁路接轨一事，港政府曾迭向我粤政府请求，当时因所持态度如此，故未肯容纳。但现下彼之态度已变，若再以此为请，似未便拒绝，或因此伤及感情，致彼恢复其旧日态度，宁不可惜！在反对者，以两路接轨之后，广州商务将被香港搀夺，此亦一有力之理由。惟须知交通之利便与商务之发达成正比例，将来各省货物咸集于广州，而后输出香港放洋，则广州定必顿成最大之贸易场。此事果有利无害，可以容纳；否则，当然不能容纳。且香港从前反对黄埔开港，今则允以经济援助，故接轨一事，似更不能完全拒绝，应请各界将此种外交问题详细研究。在言论界，尤当负指导之责。其次为澳门外交。此问题之解决，比香港方面繁难。因界务未清，时起冲突，划界交涉，虽经许久时间，未得解决，俱因彼此各持极端之故。惟吾人与澳门相处已久，应求相安无事。此事似应交第三者之海牙国际联会公断，较易解决，想以第三者地位加以裁判，或不致偏阿。此事亦请各界及言论界研究研究。此关于外交问题者也。

若上述各项次第解决，则进而着手交通、实业、教育等事业之发展。在广东，应敷设广东——四川铁路、广东——云南铁路。矿产：广东最富煤田。从前莫荣新曾与英商某公司订约借款开采。吾人以该约包括全省煤矿在内，有垄断性质，是以将其取销。且从前借款，外人均要求须得北京外交部批准，是以吾人不与他接洽。现在香港已允取销前约，故不妨借。更有南美洲某新共和国，现在亦欲借给我们此种交通、实业之生利借款。年内当使其成立。该新共和国从前亦输入外资，而目下则变为输出外资之国矣！将来吾粤交通实业发达之后，可信更有余资以供给外人也。果按此一一见诸实行，广东不难蔚为全国模范。各省自然闻风向附，和平统一之功可成。文王以百里而兴，亦以有良政治感化人耳。恃武力者，莫如秦皇、汉武，而终归失败，足为佐证。请各界负起今日所谈之责任，合群力以赴之，未有不达目的。

据上海《民国日报》一九二三年三月二十五日
《孙中山先生宴各界演辞》

免林云陔职务令

（一九二三年三月十七日）

大元帅令

大本营金库业经明令裁撤，金库长林云陔另有任用，应免本职。此令。

中华民国十二年三月十七日

据《大本营公报》第三号

给黄军庶委任状

（一九二三年三月十七日）

委任黄军庶为中国国民党驻三宝垄宣传员。此状。

总　　　　理（印）

总务部部长彭素民副署

宣传部部长叶楚伧副署

据《国父全集》第四册（转录《本部公报》一卷十二号）

裁撤大本营金库令

（一九二三年三月十七日）

大元帅令

大本营金库着即裁撤，所有事务并归大本营财政部办理。此令。

中华民国十二年三月十七日

据《大本营公报》第三号

任命蒋中正职务令

（一九二三年三月十七日）

大元帅令

特任蒋中正为大本营参谋长。此令。

中华民国十二年三月十七日

据《大本营公报》第三号

任命李烈钧职务令

（一九二三年三月十七日）

大元帅令

特任李烈钧为闽赣边防督办。此令。

中华民国十二年三月十七日

据《大本营公报》第三号

任命朱一民职务令

（一九二三年三月十七日）

大元帅令

任命朱一民为大本营参谋。此令。

中华民国十二年三月十七日

据《大本营公报》第三号

任命杨子毅等职务令

（一九二三年三月十七日）

大元帅令

任命杨子毅为大本营财政部第一局局长；林达存为大本营财政部第二局局长；林云陔为大本营财政部第三局局长。此令。

中华民国十二年三月十七日

据《大本营公报》第三号

准任宾镇远等职务令

（一九二三年三月十七日）

大元帅令

大本营参军长呈请任命宾镇远、丁象益、黄惠龙、马湘、陈煊、黄梦熊、黎工佽、曾鲁为大本营参军处副官。应照准。此令。

中华民国十二年三月十七日

据《大本营公报》第三号

给刘震寰的训令

（一九二三年三月十七日）

大元帅训令第一七号

令粤桂联军西路讨贼军总司令刘震寰

据两广盐运使伍学熀面呈"据盐商报告，现有大号盐船三十余艘，在香港满载盐斤，因惧虎门炮台扣留，不敢运省。查此批盐船，如能通过到省，运署可得盐税约一百二十余万元。当此军饷奇绌，请予令行刘总司令转饬虎门所驻军队，不得扣留，以便盐船早日通运，而裕饷源。又据港探呈报：有米船六十余艘亦虑留难，留港不敢运省"各等情。着由该总司令速饬所部，一律保护放行。切切。此令。

中华民国十二年三月十七日

据《大本营公报》第三号

给伍学熀的指令*

（一九二三年三月十七日）

大元帅指令第三六号

令两广盐运使伍学熀

呈具订定各商认定承领军盐办法六条，请准予备案，并恳请稽核分所前给未用税单指令取销由。

呈及清折均悉。准予备案，未用税单应即取销。此令。

中华民国十二年三月十七日

据《大本营公报》第三号

给杨西岩的指令**

（一九二三年三月十七日）

大元帅指令第三七号

令广东财政厅长杨西岩

呈报支过大本营各项经费数目由。

---

* 三月十四日，两广盐运使伍学熀呈称：孙中山曾面谕大本营参军处："查前军盐处存有大本营军盐六万余包。去年六月间，陈逆炯明叛乱时，逆党假名启泰公司将军盐私买，现尚存三万八千九百余包，均贮存大涌口怡昌仓、洲头咀安荣仓，仰转两广盐运使将该军盐查封变卖具报。"参军处奉此函请伍学熀查照办理。伍遵令于三月九日邀集济安公堂研究公会全体运商集资承领，商定盐税及盐价，并订定办法六条，报呈孙中山审批。

** 三月十八日，广东财政厅长杨西岩奉令呈报二月二十六日至三月九日该厅向大本营共支经费一万六千二百元及其具体项目。

呈悉。此令。

中华民国十二年三月十七日

据《大本营公报》第三号

给蒋光亮的指令*

（一九二三年三月十七日）

大元帅指令第三九号

令讨贼军滇军中路总指挥蒋光亮

呈据广三铁路局管理李志伟呈称拟将附义失业工人一律恢复原职，可否补发薪工，乞核定办法，指令遵行由。

呈悉。准予酌量补发，以资奖励。此令。

中华民国十二年三月十七日

据《大本营公报》第三号

给黄隆生的指令**

（一九二三年三月十七日）

大元帅指令第四十号

令广东财政厅纸币发行监督黄隆生

---

* 陈炯明叛变时，孙中山曾密令马超俊召集各铁路暨电灯局工人，阻止叛军运输，接应义军回师。事败后，附义工人遭到陈炯明的通缉，被迫逃亡海外。陈炯明被驱出广州后，附义工人陆续返省。孙中山对他们十分关切。当时担任广东省长的胡汉民为此函请广三铁路局，迅即恢复附义工人原职，并补发工资。三月十二日，蒋光亮根据该局管理李志伟所呈情节，向孙中山呈报。

** 三月十二日，黄隆生将拟具的金库券发行监督条例草案五条向孙中山呈报。

呈拟金库券发行条例草案请核示施行由。

呈及折呈均悉。所拟尚属可行,除令行广东财政厅长查照外,着即遵照切实办理。此令。

中华民国十二年三月十七日

据《大本营公报》第三号

给伍学熀的指令*

(一九二三年三月十七日)

大元帅指令第四一号

令两广盐运使伍学熀

呈请令饬各军协缉私盐,并准加给花红,以资鼓励由。

呈悉。所呈各节,事属可行,应即准如所请办理。除令饬各军一体遵照外,仰即知照。此令。

中华民国十二年三月十七日

据《大本营公报》第三号

与广州各报记者的谈话**

(一九二三年三月十八日)

广东现在最〈重〉要最重大之问题为裁兵。然裁兵无款不

---

* 一九一七年广东宣布独立后,即截留广东盐税,备供政府及各军经费,盐务行政管理和缉私诸费亦取给于此项收入。为杜绝贩盐走私,保证政府收入,伍学熀于三月十四日呈请孙中山令饬各军协缉私盐,并批准协缉私盐的各军及地方团警,每缉获私盐一包,加增花红三角五分,以资鼓励。

** 参加此次招待会者有广东名流及各报记者共四百余人。

能行，所要之经费，除募集内债或外债外并无他法。余深信当可由二者中筹得。现正考虑募集内债。至次于裁兵之重要问题则为禁赌。故余将先依〔行〕裁兵，谋节减军费，然后及于禁赌。

自主之广东，不受北方之干涉，故广东将止办广东之外交。广东外交中占最重要之部分者，为香港、澳门之外国官宪事不待言。自驱逐陈炯明告成以来，香港、澳门政厅之对民党态度已改，甚为可幸。吾人不可不与广东门户之香港及澳门政厅〈增强〉了解及共助，而谋广东之开发。至因与英国方面感情疏隔而不成之黄埔筑港及广九、粤汉铁路之连络问题，此障害已渐渐除去。香港政厅若更能推广范围，表示应〈允〉矿山、铁路等小借款之好意，则余将计画建筑滇粤及川粤铁路，且将开放广东全省之矿山，俾列国自由竞争与自由抵〔投〕资。又与香港政厅间进行中之此等借款，为广东对香港间之交涉，其间并无中国对英国之国家关系，故北京政府并无可以阻止之理由。至关于与澳门政厅间悬案不决之境界问题，葡国方面似欲以之少待万国平和会议之审判而解决之。余信是颇得策。惟广东政府之态度，全然将依舆论决定之。

请将速谋恢复广东之秩序，以广东政府为中心，谋中国之统一，以开导各省。除此之外，余信更无统一中国之良策也。

据上海《民国日报》一九二三年三月二十一日

《孙总统对各界宣布政见》

致蒋中正电*

（一九二三年三月十八日）

介石兄鉴：顷阅兄与沧白、湘芹兄函，甚慰。展、季二兄现时均有重要职务，须暂留沪及赴浙、奉，此间须兄助至切，万请速来，勿延。并已发表兄参谋长，军事枢机，不可一日无人也。文。巧。

据毛思诚编《民国十五年前之蒋介石先生》第六编（四）

发给吴煦泉公费令

（一九二三年三月十八日）

着会计司发给吴煦泉公费五百元。此令。

孙　文

中华民国十二年三月十八日

据《国父全集》第四册（转录史委会藏原件）

委派周公谋职务令

（一九二三年三月十九日）

大元帅令

派周公谋为工兵局筹备委员。此令。

---

* 原书把此电放在一九二三年二月十八日，但发表蒋介石为大本营参谋长为三月十七日，原电称"已发表兄参谋长"；且胡汉民、汪精卫、邹鲁等奉孙中山命，由沪至甬，邀请蒋赴粤策划军事是三月十五日，蒋于十九日随胡等返上海，四月十五日赴广州。胡汉民、汪精卫、徐谦等继续留沪，进行联络皖、奉军阀和直系军人冯玉祥的工作。故此电应系一九二三年三月十八日。

中华民国十二年三月十九日

据《大本营公报》第三号

任命李易标职务令

（一九二三年三月十九日）

任命李易标为中央直辖第五军军长。此令。

孙　文

中华民国十二年三月十九日

据谭编《总理遗墨》第一辑

任命沈荣光职务令

（一九二三年三月十九日）

任命沈荣光为中央直辖第六军军长。此令。

孙　文

十二年三月十九日

据谭编《总理遗墨》第一辑

任命熊秉坤职务令

（一九二三年三月十九日）

大元帅令

任命熊秉坤为大本营参军。此令。

中华民国十二年三月十九日

据《大本营公报》第三号

任命黄垣职务令

（一九二三年三月十九日）

大元帅令

任命黄垣为大本营技师。此令。

中华民国十二年三月十九日

据《大本营公报》第三号

免张九维职务令

（一九二三年三月十九日）

大元帅令

大本营参军张九维另有任用，应免本职。此令。

中华民国十二年三月十九日

据《大本营公报》第三号

委派古应芬职务令

（一九二三年三月十九日）

大元帅令

特派古应芬为八邑筹饷督办。此令。

中华民国十二年三月十九日

据《大本营公报》第三号

给萧锦波等委任状

（一九二三年三月十九日）

委任萧锦波为波地坚中国国民党分部正部长，梁卓文为波地坚中国国民党分部副部长，何官伟为波地坚中国国民党分部评议部正议长，吴海机为波地坚中国国民党分部评议部副议长；赵溢光为洛锦顿中国国民党分部正部长，容少康为洛锦顿中国国民党分部副部长，雷宜意为洛锦顿中国国民党分部评议部正议长，梁士洲为洛锦顿中国国民党分部评议部副议长；刘仰廷为乌卡素中国国民党分部正部长，缪沛尧为乌卡素中国国民党分部副部长，缪朝佐为乌卡素中国国民党分部评议部正议长，杨锡遐为乌卡素中国国民党分部评议部副议长；李谭德为亚包中国国民党分部正部长，万金培为亚包中国国民党分部副部长，梁年为亚包中国国民党分部评议部正议长，林兴为亚包中国国民党分部评议部副议长；林飞云为般埠中国国民党分部正部长，李寿南为般埠中国国民党分部副部长，郑钦为般埠中国国民党分部评议部正议长，刘杰为般埠中国国民党分部评议部副议长。此状。

总　　　　　　理（印）
总务部部长彭素民副署
代理党务部部长孙镜副署
财务部部长林业明副署
宣传部部长叶楚伧副署
交际部部长张秋白副署

据《国父全集》第四册（转录《本部公报》一卷十二号）

给刘惠良等委任状

（一九二三年三月十九日）

委任刘惠良为波地坚中国国民党分部党务科主任；黄雁辉为洛锦顿中国国民党分部党务科主任；杨晓为鸟卡素中国国民党分部党务科主任；叶美为亚包中国国民党分部党务科主任；郑森为般埠中国国民党分部党务科主任。此状。

总　　理（印）

总务部部长彭素民副署

代理党务部部长孙镜副署

据《国父全集》第四册（转录《本部公报》一卷十二号）

给梁捷炜等委任状

（一九二三年三月十九日）

委任梁捷炜为波地坚中国国民党分部会计科主任；周华伦为洛锦顿中国国民党分部会计科主任；阮品琛为鸟卡素中国国民党分部会计科主任；司徒发位为亚包中国国民党分部会计科主任；郑惠添为般埠中国国民党分部会计科主任。此状。

总　　理（印）

总务部部长彭素民副署

财务部部长林业明副署

据《国父全集》第四册（转录《本部公报》一卷十二号）

给卢华岳等委任状

（一九二三年三月十九日）

委任卢华岳为波地坚中国国民党分部宣传科主任；李德南为洛锦顿中国国民党分部宣传科主任；缪近为鸟卡素中国国民党分部宣传科主任；罗昆为亚包中国国民党分部宣传科主任；陈卓烜为般埠中国国民党分部宣传科主任。此状。

总　　　理（印）

总务部部长彭素民副署

宣传部部长叶楚伧副署

据《国父全集》第四册（转录《本部公报》一卷十二号）

给梁捷炜等委任状

（一九二三年三月十九日）

委任梁捷炜为波地坚中国国民党分部总务科主任，李月芳为波地坚中国国民党分部执行部书记，卢华岳、刘天尧、杨勤、刘才枝、梁卓文、吴信宽、刘瑞业、李敏周、何德、梁胜林、林杰新为波地坚中国国民党分部干事，何德为波地坚中国国民党分部评议部书记，何天胜、梁人、黄显贵、刘德志、刘霭、林炳、林容胜、陈福长、冯德、黄泗、高连结、梁梦成、关正华、林天喜、黄昌锦为波地坚中国国民党分部评议部评议员；伍爱为洛锦顿中国国民党分部总务科主任，高妙胜、萧植芳、雷宜攀、雷维让、萧章解、萧元合、雷维盛、杜福、雷学溢、雷学钜、黄赐、萧荫、雷宜允、方求得为洛锦顿中国国民党分部干事，容五云为洛锦顿中国国民党分部评议部书记，黄镜光、萧宽、萧启和、刘西就、雷道月、伍物、黄社扬、伍松、周甜、萧北垣、容炽、萧泗、高亮炜、伍时具、林灿礼、高裕东、曹德然、萧国昌、方榕基为洛锦顿中国国民党分部评议部评议员；刘耀墀为鸟卡素中国国民党分部总务科主任，蔡妙提为鸟卡素中国国民党分部执行部书记，林敬忠、蔡洪意、何兴茂、刘杳、缪秋、余四、谭辉为鸟卡素中国国民党分部干事，缪甘瀛为鸟卡素中国国民党分部评议部书记，缪国珍、杨裕勤、伍子良、刘傍、杨贺、钟义帝、刘伟衡、杨开、林宽在、缪庆堂、缪社松、林华焯为鸟卡素中国国民党分部评议部评议员；陈财为亚包中国国民党分部总务科主任，司徒慈、司徒尚珍为亚包中国国民党分部执行部书记，陈清辉、司徒俊士、梁海、吕钧、钟庆楠、司徒文锐、黄顺、邓庆炜、李来发、陈福林、司徒纯、司徒发海、蔡旺、司徒枚、谭辉屏、司徒雅文、司徒作、黄四为亚包中国国民党分部干事，司徒泮衎为亚包中国国民党分部评议部书记，司徒俊廉、谭富、司徒士伦、张文、司徒安谋、司徒良、余瑞芝、林干、卢泰基、林章、梁杰、司徒广永、谭明、谭楫、谢富、司徒群、黄聪为亚包中国国民党分部评议部评议员；梁全焕为般埠中国国民党分部总务科主任，陈卓烜为般埠中国国民党分部执行部书记，梁捷喜、林信径、吴信宽、陆敬辉、谭庚、梁占、陈发、徐赞泉、周冬、李肇南、梁希冉、陆宏、卢光、黎祥辉、陈连长、邓林权、雷学振为般埠中国国民党分部干事，周荫初为般埠中国国民党分部评议部书记，何汝、李穑、幸焕基、梁羡、刘生、冯川为般埠中国国民党分部评议部评议员。此状。

总　　　　　　理（印）

总务部部长彭素民副署

据《国父全集》第四册（转录《本部公报》一卷十二号）

任命周之贞职务令

（一九二三年三月二十日）

大元帅令

任命周之贞为四邑两阳香顺八属绥靖处处长。此令。

中华民国十二年三月二十日

据《大本营公报》第三号

委派马超俊李纪堂职务令

（一九二三年三月二十日）

大元帅令

派马超俊、李纪堂为兵工局筹备委员。此令。

中华民国十二年三月二十日

据《大本营公报》第三号

委任谢良牧职务令

（一九二三年三月二十日）

委任谢良牧为大本营特派专员。此令。

孙 文

十二年三月二十日

据谭编《总理遗墨》第一辑

给吴伯群等委任状

（一九二三年三月二十日）

委任吴伯群为末士卡利中国国民党分部正部长，黄佳为末士卡利中国国民党分部副部长，陈式和为末士卡利中国国民党分部评议部正议长，曾绩之为末士卡利中国国民党分部评议部副议长；陈宝记为加兰姐中国国民党分部正部长，黄贤洽为加兰姐中国国民党分部副部长，李引大为加兰姐中国国民党分部评议部正议长，邝启清为加兰姐中国国民党分部评议部副议长；吴瑞泉为佛地中国国民党分部正部长，阮湖为佛地中国国民党分部副部长，陈社安为佛地中国国民党分部评议部正议长，黄彰金为佛地中国国民党分部评议部副议长；黄如宽为参迫咕中国国民党分部正部长，邝即起为参迫咕中国国民党分部副部长，关崇稚为参迫咕中国国民党分部评议部正议长，赵俊才为参迫咕中国国民党分部评议部副议长；萧祖桂为米麻中国国民党分部正部长，彭纲为米麻中国国民党分部副部长，张国振为米麻中国国民党分部评议部正议长，余锦和为米麻中国国民党分部评议部副议长；周锦辉为达打中国国民党分部正部长，马文聪为达打中国国民党分部评议部正议长，郑科为达打中国国民党分部评议部副议长；李月天为华冷架中国国民党分部正部长，陈鉴贤为华冷架中国国民党分部副部长，邬日初为华冷架中国国民党分部评议部正议长，吴赞坚为华冷架中国国民党分部评议部副议长；吴德如为泮大连中国国民党分部正部长，李学钧为泮大连中国国民党分部副部长，卢松坡为泮大连中国国民党分部评议部正议长，陈孟裕为泮大连中国国民党分部评议部副议长；卓祥为希炉中国国民党分部正部长，陈成为希炉中国国民党分部副部长，阮利为希炉中国国民党分部评议部正议长，古贺为希炉中国国民党分部评议部副议长；高廷槐为屈慎委利中国国民党分部正部长，陈典槐为屈慎委利中国国民党分部副部长，陈友年为屈慎委利中国国民党分部评议部正议长，徐耀南为屈慎委利中国国民党分部评议部副议长；雷民志为山地巴把中国国民党分部正部长，孔宪成为山地巴把中国国民党分部副部长，余润生为山地巴把中国国民党分部评议部正议长，甄秀山为山地巴把中国国民党分部评议部副议长；余寿屏为梳叻中国国民党分部正部长，盘朋为梳叻中国国民党分部副部长，郭子钊为梳叻中国国民党分部评议部正议长，李光为梳叻中国国民党分部评议部副议长；周练梓为圣藟中国国民党分部正部长，李伟权为圣藟中国国民党分部副部长，薛钦远为圣藟中国国民党分部评议部正议长，吴泽尧为圣藟中国国民党分部评议部副议长；吴伯鳌为必珠卜中国国民党分部正部长，余敬礼为必珠卜中国国民党分部副部长，李伟基为必珠卜中国国民党分部评议部正议长，余和淦为必珠卜中国国民党分部评议部副议长；赵兹为粒卜碌中国国民党分部正部长，司徒涞福为粒卜碌中国国民党分部副部长，赵慈为粒卜碌中国国民党分部评议部正议长，陈龙光为粒卜碌中国国民党分部评议部副议长；甄伦准为祖笋中国国民党分部正部长，余颂和为祖笋中国国民党分部副部长，林乐吾为祖笋中国国民党分部评议部正议长，周九为祖笋中国国民党分部评议部副议长；吴述仁为柠檬中国国民党分部正部长，吴作道为柠檬中国国民党分部副部长，甄树昂为柠檬中国国民党分部评议部正议长，余积中为柠檬中国国民党分部评议部副议长；阮汉年为葛仑中国国民党分部正部长，郑源为葛仑中国国民党分部副部长，欧阳洪卿为葛仑中国国民党分部评议部正议长，蔡炳桥为葛仑中国国民党分部评议部副议长；吴朝晋为纽约中国国民党分部正部长，赵义为纽约中国国民党分部副部长，赵鼎荣为纽约中国国民党分部评议部正议长，黄芹生为纽约中国国民党分部评议部副议长；雷子陶为柯连中国国民党分部正部长，朱弼臣为柯连中国国民党分部副部长，周合安为柯连中国国民党分部评议部正议长，朱进锐为柯连中国国民党分部评议部副议长；黄基为德郡中国国民党分部正部长，余镜和为德郡中国国民党分部副部长，陈扬锡为德郡中国国民党分部评议部正议长，余达章为德郡中国国民党分部评议部副议长；李焯常为钵仑中国国民党分部正部长，朱伯平为钵仑中国国民党分部副部长，赵培为钵仑中国国民党分部评议部正议长，黄霭生为钵仑中国国民党分部评议部副议长；陈汉子为舍路中国国民党分部正部长，叶崇濂为舍路中国国民党分部副部长，伍毓宽为舍路中国国民党分部评议部正议长，陈想为舍路中国国民党分部评议部副议长；梅笑春为乌市打中国国民党分部正部长，陈大锐为乌市打中国国民党分部副部长，江长为乌市打中国国民党分部评议部正议长，黄广舜为乌市打中国国民党分部评议部副议长；曹洽三为榄面顿中国国民党分部正部长，陈光耀为榄面顿中国国民党分部副部长，朱毓为榄面顿中国国民党分部评议部正议长，阮本旺为榄面顿中国国民党分部评议部副议长；黄世栋为亚顿中国国民党分部正部长，黄煜进为亚顿中国国民党分部副部长，黄世惠为亚顿中国国民党分部评议部正议长，黄德钦为亚顿中国国民党分部评议部副议长；陈培庵为保士顿中国国民党分部正部长，余凤棠为保士顿中国国民党分部副部长，余凤棠为保士顿中国国民党分部评议部正议长，余君侠为保士顿中国国民党分部评议部副议长；李锡三为斐市那中国国民党分部正部长，周光魂为斐市那中国国民党分部副部长，周光魂为斐市那中国国民党分部评议部正议长,张洛川为斐市那中国国民党分部评议部副议长;林蓬洲为位夜基中国国民党分部正部长,梁仲昆为位夜基中国国民党分部副部长,黄日生为位夜基中国国民党分部评议部正议长,程善庚为位夜基中国国民党分部评议部副议长;黄启堂为士作顿中国国民党分部正部长,陈树棠为士作顿中国国民党分部副部长,叶殖兰为士作顿中国国民党分部评议部正议长,叶玉堂为士作顿中国国民党分部评议部副议长;谭赞为芝加高中国国民党分部正部长,余仁舟为芝加高中国国民党分部副部长,吴汉为芝加高中国国民党分部评议部正议长,谢祝三为芝加高中国国民党分部评议部副议长;伍仲华为费城中国国民党分部正部长,曾培为费城中国国民党分部副部长,伍游学为费城中国国民党分部评议部正议长,麦衍扳为费城中国国民党分部评议部副议长;吴德操为笃城中国国民党分部正部长,李荫堂为笃城中国国民党分部副部长,马才杰为笃城中国国民党分部评议部正议长,汤元为笃城中国国民党分部评议部副议长;赵简文为罗省中国国民党分部正部长,朱炳麟为罗省中国国民党分部副部长,谭述唐为罗省中国国民党分部评议部正议长,刘世隆为罗省中国国民党分部评议部副议长;刘荣初为加士华利中国国民党分部正部长,吕焕棠为加士华利中国国民党分部副部长,陈光汉为加士华利中国国民党分部评议部正议长,邝守慎为加士华利中国国民党分部评议部副议长;赵子蕃为杞连湖中国国民党分部正部长,江世衡为杞连湖中国国民党分部副部长,李伟昌为杞连湖中国国民党分部评议部正议长,薛新远为杞连湖中国国民党分部评议部副议长;黄振魂为乞佛中国国民党分部正部长,李惠连为乞佛中国国民党分部副部长,黄扬威为乞佛中国国民党分部评议部正议长,方富彦为乞佛中国国民党分部评议部副议长;何泽隆为掘地孖罅中国国民党分部正部长,黄铉远为掘地孖罅中国国民党分部副部长，梁善为掘地孖鏬中国国民党分部评议部正议长，梁福榆为掘地孖鏬中国国民党分部评议部副议长；周梦年为美孖写中国国民党分部正部长，周瑞钿为美孖写中国国民党分部副部长，何钦燕为美孖写中国国民党分部评议部正议长，周礼现为美孖写中国国民党分部评议部副议长；黄文运为博芙芦中国国民党分部正部长，李圣林为博芙芦中国国民党分部副部长，邓京为博芙芦中国国民党分部评议部正议长，李翼棠为博芙芦中国国民党分部评议部副议长；方淇为纽特中国国民党分部正部长，吴良信为纽特中国国民党分部副部长，赵锡之为纽特中国国民党分部评议部正议长，伍秋学为纽特中国国民党分部评议部副议长；林光汉为积彩中国国民党分部正部长，司徒树敏为积彩中国国民党分部副部长，梅金波为积彩中国国民党分部评议部正议长，梅鹤父为积彩中国国民党分部评议部副议长；余康中为斐匿中国国民党分部正部长，黄振汉为斐匿中国国民党分部副部长，甄英常为斐匿中国国民党分部评议部正议长，黄乔礼为斐匿中国国民党分部评议部副议长；翟熙为晏埠中国国民党分部正部长，黄观洲为晏埠中国国民党分部副部长，刘有群为晏埠中国国民党分部评议部正议长，邝钦灵为晏埠中国国民党分部评议部副议长；李荣芳为个郎中国国民党分部正部长，张金源为个郎中国国民党分部副部长，甘汝雄为个郎中国国民党分部评议部正议长，冯嵩为个郎中国国民党分部评议部副议长；吴盛墀为意基忌中国国民党分部正部长，郑侠民为意基忌中国国民党分部副部长，聂卓为意基忌中国国民党分部评议部正议长，陈生为意基忌中国国民党分部评议部副议长；吴善标为埃仑顿中国国民党分部正部长，李天影为埃仑顿中国国民党分部副部长，邝修沛为埃仑顿中国国民党分部评议部正议长，唐申为埃仑顿中国国民党分部评议部副议长；张旭昌为莫架中国国民党分部正部长，张荫芳为莫架中国国民党分部副部长，毛玉书为莫架中国国民党分部评议部正议长，李文记为莫架中国国民党分部评议部副议长；刘显聪为波利磨中国国民党分部正部长，李毓秀为波利磨中国国民党分部副部长，林寿为波利磨中国国民党分部评议部正议长，朱兆良为波利磨中国国民党分部评议部副议长；陈子桢为三藩市中国国民党分部正部长，谭贞林为三藩市中国国民党分部副部长，梁树南为三藩市中国国民党分部评议部正议长，周敬为三藩市中国国民党分部评议部副议长；余优想为粗李杜中国国民党分部正部长，罗松乐为粗李杜中国国民党分部副部长，罗福寿为粗李杜中国国民党分部评议部正议长，罗松贵为粗李杜中国国民党分部评议部副议长；黄乐泮为贝市中国国民党分部正部长，伍于镛为贝市中国国民党分部副部长，伍于镜为贝市中国国民党分部评议部正议长；陈祝鋆为二埠中国国民党分部正部长，邝棋标为二埠中国国民党分部副部长；黄秀德为那鏬中国国民党通讯处正主任，郑洪安为那鏬中国国民党通讯处副主任，李有为那鏬中国国民党通讯处评议部正议长，伍锦留为那鏬中国国民党通讯处评议部副议长。此状。

总　　　　理（印）
总务部部长彭素民副署
代理党务部部长孙镜副署
财务部部长林业明副署
宣传部部长叶楚伧副署
交际部部长张秋白副署

据《国父全集》第四册（转录《本部公报》一卷十三号）

给邝维新等委任状

（一九二三年三月二十日）

委任邝维新为末士卡利中国国民党分部党务科主任；黄荣耀为加兰姐中国国民党分部党务科主任；阮焜为佛地中国国民党分部党务科主任；关焜植为参迫咕中国国民党分部党务科主任；高钧康为米麻中国国民党分部党务科主任；朱葵为华冷架中国国民党分部党务科主任；陈海为泮大连中国国民党分部党务科主任；古枢为希炉中国国民党分部党务科主任；梁梦熊为屈慎委利中国国民党分部党务科主任；李佐为梳叻中国国民党分部党务科主任；吴襄佑为圣藟中国国民党分部党务科主任；李师赤为必珠卜中国国民党分部党务科主任；刘群安为粒卜碌中国国民党分部党务科主任；甄锦为祖笋中国国民党分部党务科主任；吴能杯为柠檬中国国民党分部党务科主任；欧棣为葛仑中国国民党分部党务科主任；黄英俊为纽约中国国民党分部党务科主任；陈芹初为柯连中国国民党分部党务科主任；佘毓衡为德郡中国国民党分部党务科主任；何胜为钵仑中国国民党分部党务科主任；伍是民为舍路中国国民党分部党务科主任；陈明艳为乌市打中国国民党分部党务科主任；曹风作为榄面顿中国国民党分部党务科主任；邝文彬为亚顿中国国民党分部党务科主任；关崇贤为保士顿中国国民党分部党务科主任；方生财为斐市那中国国民党分部党务科主任；杨燊为位夜基中国国民党分部党务科主任；陈洁泉为士作顿中国国民党分部党务科主任；简侠魂为芝加高中国国民党分部党务科主任；伍民甫为费城中国国民党分部党务科主任；李健男为笃城中国国民党分部党务

科主任；冯锡垣为罗省中国国民党分部党务科主任；阮棣春为加士华利中国国民党分部党务科主任；赵德辉为杞连湖中国国民党分部党务科主任；李箫访为乞佛中国国民党分部党务科主任；梁日初为掘地孖罅中国国民党分部党务科主任；周锦云为美孖写中国国民党分部党务科主任；司徒职为博芙芦中国国民党分部党务科主任；胡占士为积彩中国国民党分部党务科主任；邓兆享为斐匿中国国民党分部党务科主任；林新贵为个郎中国国民党分部党务科主任；黄熙成为意基忌中国国民党分部党务科主任；刘章显为埃仑顿中国国民党分部党务科主任；叶丽香为莫架中国国民党分部党务科主任；李福如为波利磨中国国民党分部党务科主任；黄滋为三藩市中国国民党分部党务科主任；罗乐事为粗李杜中国国民党分部党务科主任；黄国俊为贝市中国国民党分部党务科主任；李祖武为二埠中国国民党分部党务科主任；胡焯为那罅中国国民党通讯处党务科科长。此状。

总　　理（印）
总务部部长彭素民副署
代理党务部部长孙镜副署

据《国父全集》第四册（转录《本部公报》一卷十三号）

给邝修彦等委任状

（一九二三年三月二十日）

委任邝修彦为末士卡利中国国民党分部会计科主任；甄明芹为加兰姐中国国民党分部会计科主任；陈俊为佛地中国国民党分部会计科主任；宋逢春为参迫咕中国国民党分部会计科主任；刘官九为米麻中国国民党分部会计科主任；邬达生为华冷架中国国民

党分部会计科主任；郑杏嘉为泮大连中国国民党分部会计科主任；卢球为希炉中国国民党分部会计科主任；孙璋琪为屈慎委利中国国民党分部会计科主任；陈松烟为梳叻中国国民党分部会计科主任；吴鸿光为圣藟中国国民党分部会计科主任；余焯夫为必珠卜中国国民党分部会计科主任；司徒涞福为粒卜碌中国国民党分部会计科主任；颜强为祖笋中国国民党分部会计科主任；吴衍道为柠檬中国国民党分部会计科主任；林文忠为葛仑中国国民党分部会计科主任；赵仲勋为纽约中国国民党分部会计科主任；谭裔锦为柯连中国国民党分部会计科主任；黄基为德郡中国国民党分部会计科主任；黄礼康为钵仑中国国民党分部会计科主任；雷瑞山为舍路中国国民党分部会计科主任；杜官为乌市打中国国民党分部会计科主任；陆享为榄面顿中国国民党分部会计科主任；黄樑家为亚顿中国国民党分部会计科主任；邝卓生为保士顿中国国民党分部会计科主任；马鳌为斐市那中国国民党分部会计科主任；阮达初为位夜基中国国民党分部会计科主任；蔡棣清为士作顿中国国民党分部会计科主任；李竖铨为芝加高中国国民党分部会计科主任；雷浓为费城中国国民党分部会计科主任；吴泮为笃城中国国民党分部会计科主任；胡俊为罗省中国国民党分部会计科主任；谭发湖为加士华利中国国民党分部会计科主任；吴业守为杞连湖中国国民党分部会计科主任；伍伯陶为乞佛中国国民党分部会计科主任；何金华为掘地孖罅中国国民党分部会计科主任；何焯贻为美孖写中国国民党分部会计科主任；黄文田为博芙芦中国国民党分部会计科主任；余梓南为积彩中国国民党分部会计科主任；周兆河为斐匿中国国民党分部会计科主任；余雨培为个郎中国国民党分部会计科主任；梁杰鸿为意基忌中国国民党分部会计科主任；胡利为埃仑顿中国国民党分部会计科主任；刘焕香为莫架中国国民党分部会计科

主任；薛嘉祺为波利磨中国国民党分部会计科主任；崔豪为三藩市中国国民党分部会计科主任；罗洛翔为粗李杜中国国民党分部会计科主任；黄文就为贝市中国国民党分部会计科主任；邝廉普为二埠中国国民党分部会计科主任；陈官胜为那罅中国国民党通讯处会计科科长。此状。

总　　　　理（印）
总务部部长彭素民副署
财务部部长林业明副署

据《国父全集》第四册（转录《本部公报》一卷十三号）

给马达三等委任状

（一九二三年三月二十日）

委任马达三为未士卡利中国国民党分部宣传科主任；雷荣照为加兰姐中国国民党分部宣传科主任；李棣谈为佛地中国国民党分部宣传科主任；赵宗稳为参迫咕中国国民党分部宣传科主任；李金铨为米麻中国国民党分部宣传科主任；邬普衡为华冷架中国国民党分部宣传科主任；黄富英为泮大连中国国民党分部宣传科主任；杨福荣为希炉中国国民党分部宣传科主任；曾璞丘为屈慎委利中国国民党分部宣传科主任；李泗勤为梳叻中国国民党分部宣传科主任；李耀为圣藟中国国民党分部宣传科主任；余佳舟为必珠卜中国国民党分部宣传科主任；黄麟为粒卜碌中国国民党分部宣传科主任；曾春和为祖笋中国国民党分部宣传科主任；郑国辉为柠檬中国国民党分部宣传科主任；陈觐宸为葛仑中国国民党分部宣传科主任；彭辛酉为纽约中国国民党分部宣传科主任；冯林炯为柯连中国国民党分部宣传科主任；吕奕球为德郡中国国民党分部宣传

科主任；黎神护为钵仑中国国民党分部宣传科主任；曾诗传为舍路中国国民党分部宣传科主任；黄兼生为乌市打中国国民党分部宣传科主任；王积源为榄面顿中国国民党分部宣传科主任；黄庚堂为亚顿中国国民党分部宣传科主任；余森郎为保士顿中国国民党分部宣传科主任；黄汉伟为斐市那中国国民党分部宣传科主任；程瑞卿为位夜基中国国民党分部宣传科主任；熊锦湘为士作顿中国国民党分部宣传科主任；陈禩锐为芝加高中国国民党分部宣传科主任；李焕桐为费城中国国民党分部宣传科主任；李荣福为笃城中国国民党分部宣传科主任；张老深为罗省中国国民党分部宣传科主任；周瑞厚为美孖写中国国民党分部宣传科主任；李逢均为博芙芦中国国民党分部宣传科主任；谭伟林为积彩中国国民党分部宣传科主任；余中钺为斐匿中国国民党分部宣传科主任；甘汝庸为个郎中国国民党分部宣传科主任；邓学廉为意基忌中国国民党分部宣传科主任；高贵超为埃仑顿中国国民党分部宣传科主任；张观显为莫架中国国民党分部宣传科主任；李德予为波利磨中国国民党分部宣传科主任；董荫卿为三藩市中国国民党分部宣传科主任；罗启鸿为粗李杜中国国民党分部宣传科主任；黄远彰为贝市中国国民党分部宣传科主任；黄锦添为二埠中国国民党分部宣传科主任；伍汉才为那罅中国国民党通讯处宣传科科长。此状。

总　　　　理（印）
总务部部长彭素民副署
宣传部部长叶楚伧副署

据《国父全集》第四册（转录《本部公报》一卷十三号）

给张锦等委任状

（一九二三年三月二十日）

委任张锦为末士卡利中国国民党分部总务科主任，萧一苇、黎子棠为末士卡利中国国民党分部执行部书记，黄一强、袁曹汝、黄义、陈噪、谭勉农、陈松添、谭鳌、赖寿祥、赵元立、朱寿康、黄立基、徐富为末士卡利中国国民党分部干事，余其中为末士卡利中国国民党分部评议部书记，许治平、岑达天、胡金华、曾联森、赖寿祥、陈端顺、余錤中、张福双、余和翰、余华熙为末士卡利中国国民党分部评议部评议员；余焯礼为加兰姐中国国民党分部总务科主任，梁炳芳、周莲为加兰姐中国国民党分部执行部书记，伍广进、余乐纯、余占魁、黄耀琪、周礼祥、余怀添、邝乃元、李三勤、余业和、余廷俊、陈炳和、周栋潮为加兰姐中国国民党分部干事，邝振敬、张达一为加兰姐中国国民党分部评议部书记，朱始森、张福荣、黄扬杰、黄日永、林长盛、朱长盛、谭广大、甄来苟、邝锡玉、周启为加兰姐中国国民党分部评议部评议员；陈俊为佛地中国国民党分部总务科主任，刘寿焜为佛地中国国民党分部执行部书记，黄容照、吴鉴溪、张添赏、刘将杰为佛地中国国民党分部干事，阮碧湛为佛地中国国民党分部评议部书记，陈清、林天齐、黄万奕、阮棣培、张赏权、朱有、萧祖禄、林安定、阮来亚为佛地中国国民党分部评议部评议员；伍如碧为参迫咕中国国民党分部总务科主任，赵从达为参迫咕中国国民党分部执行部书记，郑顺恒、赵光焯、关开贤、黄洪益为参迫咕中国国民党分部干事，黄扶亚为参迫咕中国国民党分部评议部书记，陈华乐、黄少翔、马兆庆、赵成伟、赵锡华、黄闰瑜、赵崇光为参迫咕中国国民党分部评议部评议员；侯才耀为米麻中国国民党分部总务科主任，余逸滨、甄泮芹为米麻中国国民党分部执行部书记，李霍、刘永年、伍英文、侯祐才为米麻中国国民党分部干事，伍维珍、侯才荣为米麻中国国民党分部评议部书记，李汉庭、司徒恩泽、梅悦卿、陈妙提、梁煜林、关添彬、梁炽林、陈妙桂为米麻中国国民党分部评议部评议员；马文聪为达打中国国民党分部执行部书记，潘连斌、周锦辉、黄遐龄为达打中国国民党分部干事，马文浩、孙汝斌、孙惠良、程贤奋、周祥安为达打中国国民党分部评议部评议员；李乐平为华冷架中国国民党分部总务科主任，邬爱平为华冷架中国国民党分部执行部书记，陈荫荣、陈裕和、江兆湖、曾均明为华冷架中国国民党分部干事，朱梅溪为华冷架中国国民党分部评议部书记，杜鹏、邬礼光、李容、彭添尧、邬佑、徐汉、甄同京、邬顺坤、李宪章、邬启濂、廖富荣为华冷架中国国民党分部评议部评议员；黄渭滨为泮大连中国国民党分部总务科主任，郑次豪为泮大连中国国民党分部执行部书记，容华辉为泮大连中国国民党分部评议部书记，李宗炳、容华辉、陈培兴、郑飏安、陈以光、李宗荣、周焕华、郑匡华、杨振声、黄焕章为泮大连中国国民党分部评议部评议员；杨廪为希炉中国国民党分部总务科主任，杨廪为希炉中国国民党分部执行部书记，郑盘、张文、李豪、刘泗、孙建宗、邝康、卓锦为希炉中国国民党分部干事，郑以均为希炉中国国民党分部评议部书记，周严、周强、古鹏云、郑以均、刘如松、杨益、刘景辉、邝彩为希炉中国国民党分部评议部评议员；李焕墀为屈慎委利中国国民党分部总务科主任，黄子春为屈慎委利中国国民党分部执行部书记，陈滋大、刘濯显、陈良仕、李蘊、梁鲁生、萧真民、伍慧泉、陈均优为屈慎委利中国国民党分部干事，卫厚稰为屈慎委利中国国民党分部评议部书记，陈友年、徐耀南、卫厚稰、陈宜隆、梁达民、许宗创、黄子春、司徒安、李达为屈慎委利中国国民党分部评议部评议员；余震华为山地巴把中国国民党分部执行部书记，马民生、潘启光、甄恩活、余澄坡、甄立国、潘启民、甄兆瑚、余毓文为山地巴把中国国民党分部干事，马翊屏为山地巴把中国国民党分部评议部书记，余矩方、余易初、余卓华、余军侠、余质生、余杰臣、余卓民、甄吉锦、甄耀汉、甄恩活为山地巴把中国国民党分部评议部评议员；李云彰为梳叻中国国民党分部总务科主任；张敌清为梳叻中国国民党分部执行部书记，陈洽文、张楚白、邓福盈、赵景山为梳叻中国国民党分部干事，张策秦为梳叻中国国民党分部评议部书记，余塔中、陈雅平、陈日三、张福怡、张莲盟、邓国昭、邓恭休、余朝振、余利得、张荣郡、陈健炽、雷炳为梳叻中国国民党分部评议部评议员；李宇南为圣藟中国国民党分部总务科主任，林贤友为圣藟中国国民党分部执行部书记，林启任、余悦和、李礽春、余郁良、赵保林、李茂莲、梁贤栋、梁象齐、钟和、梁永、梁传启、李悦为圣藟中国国民党分部干事，何贻礼为圣藟中国国民党分部评议部书记，余悦和、吴襄佑、梁象齐、林贤豪、赵保、林钟和、李茂莲为圣藟中国国民党分部评议部评议员；余林甫为必珠卜中国国民党分部总务科主任，余蕙洲为必珠卜中国国民党分部执行部书记，余官章、朱沛霖、余和淦、何振鹏为必珠卜中国国民党分部干事，李汝湘为必珠卜中国国民党分部评议部书记，吴孟运、余文媛、余灿和、余叶和、李汝湘、余辉中、何振鹏、余煦中、吴文彬为必珠卜中国国民党分部评议部评议员；余赞和为粒卜碌中国国民党分部总务科主任，余杏为粒卜碌中国国民党分部执行部书记，黄元、黄宽参、黄培、黄国鼎为粒卜碌中国国民党分部干事，余杏为粒卜碌中国国民党分部评议部书记，梁子元、黄泮、黄天池、黄文厚、周荣炜、梁柱海、黄琼娣、黄美清、月好、余振贵为粒卜碌中国国民党分部评议部评议员；甄棵为祖笋中国国民党分部总务科主任，曾炳为祖笋中国国民党分部执行部书记，甄常兆、甄锡、林长、甄泮为祖笋中国国民党分部干事，林贤炳为祖笋中国国民党分部评议部书记，余治中、罗信英、曾耀毓、黄瀚世、朱羡、邓炳、朱瑞、甄缵、甄壮、甄永铭为祖笋中国国民党分部评议部评议员；卢祝三为檬〔柠〕柠〔檬〕中国国民党分部总务科主任，吴克蕴为柠檬中国国民党分部执行部书记，吴秋寿、甄奕炤、吴作植、黄少卿为柠檬中国国民党分部干事，莫国猷为柠檬中国国民党分部评议部书记，吴能雁、余家和、吴士配、吴作助、甄奕爙、吴作奕、吴作震、吴作合、甄国炽为柠檬中国国民党分部评议部评议员；林灿时为葛仑中国国民党分部总务科主任，王素朴为葛仑中国国民党分部执行部书记，杨玉如、欧阳官然、梁泽夫、郑汉雄、伍时扮、欧阳宝珍、郑计申、郑沛华为葛仑中国国民党分部干事，欧阳濂祥为葛仑中国国民党分部评议部书记，阮灼宸、黄启芬、伍良、周国荣、邝沃初、周开基、陈初开、周庆藻、陈焕发、阮有添、欧阳沽祥为葛仑中国国民党分部评议部评议员；李民生为纽约中国国民党分部总务科主任，赵惠为纽约中国国民党分部执行部书记，黄颂民、李力、锺国聪、陈镜泉为纽约中国国民党分部干事，刘兆明为纽约中国国民党分部评议部书记，黄湛、梁荣光、刘鼎云、梅景森、李雨亭、刘孔珍、黄文、庄明清为纽约中国国民党分部评议部评议员；谭宗尧为柯连中国国民党分部总务科主任，谭宗尧、朱弼臣为柯连中国国民党分部执行部书记，朱开鼎、雷家添、朱秩章、冯广敏、陈德炜、陈柱稳、朱荣基、黄社德为柯连中国国民党分部干事，曹朵云为柯连中国国民党分部评议部书记，朱衮炳、黄金祥、余彬章、朱汉光、陈棣海、谭宗荣、陈渭祥、张炳光、梁文富、雷合、雷利、叶福为柯连中国国民党分部评议部评议员；陈扬深为德郡中国国民党分部总务科主任，余耀正为德郡中国国民党分部执行部书记，李鸿仪、马炎、杨扬锡为德郡中国国民党分部干事，吕洪生、吕日光、余桃稳、陈桢显、余锦龙、锺寅、陈缵舜、黄锦、吕奕球、马炎、陈扬深为德郡中国国民党分部评议部评议员；李炯为钵仑中国国民党分部总务科主任，黄玉灿为钵仑中国国民党分部执行部书记，李世泮、萧受子、黄炳章、李奕椒、梅卓荣、余华章、李松林、梅志新、雷维安、雷根、梅缫、李奕民、李佩芳、黄培钦、廖致和、许廷聪、李銮波、李乾云、黄德瑶、冯增元、李子明、李谋奕、雷详、伍耀遴、梅启明、陈瀚炽、黄锡牛、李少辅为钵仑中国国民党分部干事，赵瑞芝为钵仑中国国民党分部评议部书记，黄崇锡、李煜、陈福柱、黄麟、刘希派、梁朗天、李尹衡、雷祐、李笃奕、陈文波、伍耀逵、刘社合、李泽、邓九为钵仑中国国民党分部评议部评议员；麦均为舍路中国国民党分部总务科主任，雷庆、叶冠杰为舍路中国国民党分部执行部书记，伍元裔、胡芳有、蔡灿琼、伍廷壮、雷缉甫、许金旺、陈汉民、伍学铨、刘瑞庆、黄崇炘、黄顾章、胡冠炳、林强、许金柏、陈广猷、伍元泮、雷富、骆重润、陈泽民、黄吉人、陈应强、陈玉钿、赵来、陆利为舍路中国国民党分部干事，锺肯为舍路中国国民党分部评议部书记，许金柏、罗月桂、雷瑞山、陈邦、刘荣、陆文石、伍瑞龙、黄炎法、马福庆、阮岐山、胡拔南、胡乔松、邓光楚、陈汉石为舍路中国国民党分部评议部评议员；陈孔参为乌市打中国国民党分部总务科主任；梅参天为乌市打中国国民党分部执行部书记，陈旺、梅参天、陈明新、陈国照为乌市打中国国民党分部干事，阮天培为乌市打中国国民党分部评议部书记，陈明燮、陈兆祥、张培焜、陈催德、杜喜、陈和、叶永达、翁联略、阮天培为乌市打中国国民党分部评议部评议员；黄有淇为榄面顿中国国民党分部总务科主任，曹绣波为榄面顿中国国民党分部执行部书记，陈象联、陈子简、黎晋邦、曹廷昌、黄泮铎、黄忠槐为榄面顿中国国民党分部干事，陈典荣为榄面顿中国国民党分部评议部书记，黄福戴、黄盛基、丘世琼、陈觐文、曹旭初、梅华佑、伍宏达、余焯章、曹凤朴、伍来不为榄面顿中国国民党分部评议部评议员；黄警悟为亚顿中国国民党分部执行部书记，雷九龄、伍于护、邝修霞、黄福为亚顿中国国民党分部干事，黄广进为亚顿中国国民党分部评议部书记，李世周、黄宣湛、廖光享、邓浩振、黄侠夫、廖显佐、黄恩世、梁德贞为亚顿中国国民党分部评议部评议员；阮汉卿为保士顿中国国民党分部总务科主任，余君侠为保士顿中国国民党分部执行部书记，李金明、敖文珍、陈荣汉为保士顿中国国民党分部干事，司徒瑞南为保士顿中国国民党分部评议部书记，赵宝珊、伍于信、余达光、关崇贤、陈荣汉、黄兰益、余芳、邝荣春、阮汉卿为保士顿中国国民党分部评议部评议员；马日为斐市那中国国民党分部总务科主任，余海为斐市那中国国民党分部执行部书记，黄冠、关聪、刘汉明、朱平安、杨念、杨国旗、黄信南、萧章计、李关雄、林金进为斐市那中国国民党分部干事，张少龄为斐市那中国国民党分部评议部书记，关聪、马日、黄汉伟、方生财、黄冠、朱益、杨念、杨国旗为斐市那中国国民党分部评议部评议员；梁文通为位夜基中国国民党分部总务科主任，严岳炽为位夜基中国国民党分部执行部书记，程国荣、黄锐桢、林关义、严怀新、陈炳葵、严锡榴、程永康、程贤成、程贤衮、梁有燊、程国桐、梁杯为位夜基中国国民党分部干事，阮懋初为位夜基中国国民党分部评议部书记，严桂喜、关天彩、严华昆、程贤池、梁俭德、阮宏如、黎文樵、阮京宽、梁权、阮善初为位夜基中国国民党分部评议部评议员；林瑞忠为士作顿中国国民党分部总务科主任，蔡认为士作顿中国国民党分部执行部书记，黄炳坤、彭禄权、叶友华、李作舟为士作顿中国国民党分部干事，蔡积为士作顿中国国民党分部评议部书记，伍子瑜、陈锦涛、黄汝瑚、雷聘余、陈彬、余叔藩、张植卿、邝莪敬、雷仲屏、邝光银为士作顿中国国民党分部评议部评议员；吴公义为芝加高中国国民党分部总务科主任，汤悦、李呣鸾为芝加高中国国民党分部执行部书记，吴剑鸣、阮臻德、梅宗潮、黄杰、邝球敬、欧阳棋、谭周、蔡森、吴合、甄英武、简炳夫人、黄乐夫人、吴梓、胡松、陈锦添、周文彬为芝加高中国国民党分部干事，郑君泽为芝加高中国国民党分部评议部书记，方瑞雄、伍勋产、伍恩、蔡康、邓炳、高梅荣、陈卓然、高轩理为芝加高中国国民党分部评议部评议员；黄连登为费城中国国民党分部总务科主任，邝乃彰为费城中国国民党分部执行部书记，锺夏卿、雷浓、邝乃彰、曾培、麦绪益、曾秋、何金秋、李伟棠为费城中国国民党分部干事，李智一为费城中国国民党分部评议部书记，黄子兴、李谦苏、麦顺业、周朝栋、李连、岑逢、吕锁、伍槐为费城中国国民党分部评议部评议员；汤寿田为笃城中国国民党分部总务科主任，李健男为笃城中国国民党分部执行部书记，余添旺、郑麟、李兆云、李友三为笃城中国国民党分部干事，李少年为笃城中国国民党分部评议部书记，周道绪、李兆云、李亮臣、方轮镜、吴洽显、吴在深为笃城中国国民党分部评议部评议员；赵一峰为罗省中国国民党分部总务科主任，赵毓灵为罗省中国国民党分部执行部书记，周恢三、赵务义、周初慎、朱培德为罗省中国国民党分部干事，徐国楠为罗省中国国民党分部评议部书记，陈星南、谭楷运、关慎初、冯均、赵司炳、汤华崇、刘尊才、黄传绪为罗省中国国民党分部评议部评议员；黄邦铭为加士华利中国国民党分部总务科主任，邝佐治为加士华利中国国民党分部执行部书记，刘逸持为加士华利中国国民党分部评议部书记，简玉廷、陈尊润、简永新、陈结庆、严连胜、梁名和、孙兆良、阮信材、阮庆金、张棣廉为加士华利中国国民党分部评议部评议员；薛春和为杞连湖中国国民党分部总务科主任，黄自文为杞连湖中国国民党分部执行部书记，余富为杞连湖中国国民党分部评议部书记，薛新远、彭禹铸、周宪实、余富、卢今洪、赵鎏波、朱炎、李伟昌、赵华美为杞连湖中国国民党分部评议部评议员；伍伯陶为乞佛中国国民党分部总务科主任，李箫访为乞佛中国国民党分部执行部书记，方富彦、黄扬威、邝玉敬、李惠连为乞佛中国国民党分部干事，黄秉权、梁炳垣、锺英寿、黄良、李元三、禤登临、伍伯庄为乞佛中国国民党分部评议部评议员；黄奠安为掘地孖罅中国国民党分部总务科主任，梁佑勋为掘地孖罅中国国民党分部执行部书记，李珍、朱章惠、陈昌贤、陈仲谦为掘地孖罅中国国民党分部干事，关胜骚为掘地孖罅中国国民党分部评议部书记，梁章允、曾墨园、梁礼垣、梁礼乾、曾赞基、陈锡添、何金源、关瑞绪、霍祖绍、梁景为掘地孖罅中国国民党分部评议部评议员；谢能高为美孖写中国国民党分部总务科主任，周光魄为美孖写中国国民党分部执行部书记，周英、周家闲、谢济镳、何钦燕为美孖写中国国民党分部干事，周无我为美孖写中国国民党分部评议部书记，周光魄、谢济镳、周无我、司徒涤怀、周家修、关怡业、周家闲、周连添为美孖写中国国民党分部评议部评议员；司徒芬为博芙芦中国国民党分部总务科主任，黄植槐为博芙芦中国国民党分部执行部书记，司徒培芳、伍崇生、司徒尧、余星和为博芙芦中国国民党分部干事，司徒鸣绪为博芙芦中国国民党分部评议部书记，陈泮、黄起宗、黄远辉、邓辉为博芙芦中国国民党分部评议部评议员；邝治为纽特中国国民党分部执行部书记，伍立勋、伍焕、陈崇台、伍时铣、雷维创、黎光祥、伍英、伍同进为纽特中国国民党分部干事，伍礼廷为纽特中国国民党分部评议部书记，江昌贵、伍凑学、伍文协、伍广鸿、雷家捷、陈文捷、伍于炉、伍辉南、黎流霭、邝维修为纽特中国国民党分部评议部评议员；周成为积彩中国国民党分部总务科主任；梅祖翼、司徒竞强为积彩中国国民党分部执行部书记，司徒竞强、萧亮乾、谭卓廷、司徒泽民、汤介眉、司徒献、梅鹤父、谭锡麟、林元邦、司徒献奶为积彩中国国民党分部干事，司徒献为积彩中国国民党分部评议部书记，巫天宋、梅光辅、司徒泽民、萧亮乾、方神长、汤介眉、梅文杰、赵荫父、林杰生、陈荣德、林天贺、谭卓廷为积彩中国国民党分部评议部评议员；邓贻栋为斐匿中国国民党分部总务科主任，黄乔礼为斐匿中国国民党分部执行部书记，余金练、邓节隆、叶泽垣、邓士培、邓浩积、金玉辉、邓奏隆、邓树灼为斐匿中国国民党分部干事，余中钺为斐匿中国国民党分部评议部书记，周兆河、陈宇、邓节隆、邓兆亭、邓浩积、邓树锦为斐匿中国国民党分部评议部评议员；邓锡为晏埠中国国民党分部执行部书记，翟吉、邝有裕、邓锡、邬什为晏埠中国国民党分部干事，邝钦灵为晏埠中国国民党分部评议部书记，翟桂、雷丙寅、伍福常、翟波、李斯灿、李斯焜、李成安、郑全寿、邝庚为晏埠中国国民党分部评议部评议员；黄玉侪为个郎中国国民党分部总务科主任，黄毅臣、廖天送、李吉、甘金水为个郎中国国民党分部干事，曾集卿为个郎中国国民党分部评议部书记，甘鸿钧、廖维、陈宽发、黄建彰、梁伟、郑文在、吴维汝、黄奕荣、刘其珍、洪肇清、陈颂贤为个郎中国国民党分部评议部评议员；梁四为意基忌中国国民党分部总务科主任，程少溪为意基忌中国国民党分部执行部书记，吴液波、陈连生、何轩、谢禧、招醴泉、郑阜南、曹杞南、叶知、何钋臣、黄星藩、刘德、陈发、甘汉生、陈善秀、吴寅、邝煜、何荣籍、马信、林早为意基忌中国国民党分部干事，罗乃阎为意基忌中国国民党分部评议部书记，严乾、蔡宁、吴翼德、彭国洪、陈淦、邓达杨、蒙杰生、邓炽杨、严勋昭为意基忌中国国民党分部评议部评议员；王寿为埃仑顿中国国民党分部总务科主任，雷昌为埃仑顿中国国民党分部执行部书记，林泽民、李耀、陈锡、高太为埃仑顿中国国民党分部干事，林金养为埃仑顿中国国民党分部评议部书记，林杜、黄昆、黄畅、林金阁、林裕安、黄信武、周贻逵、刘炳全、高有连、刘藻成为埃仑顿中国国民党分部评议部评议员；刘发祥为莫架中国国民党分部总务科主任，张荫芳为莫架中国国民党分部执行部书记，刘桂亭、谭带胜、古茂昌、卢钜芬为莫架中国国民党分部干事，张凤墀为莫架中国国民党分部评议部书记，蔡天球、叶金发、廖继舜、甘壬喜、谭景宸、郑融康为莫架中国国民党分部评议部评议员；伍新晃为波利磨中国国民党分部总务科主任，李毓秀为波利磨中国国民党分部执行部书记，余康和、陈金富、伍新晃、李侠汉为波利磨中国国民党分部干事，薛嘉祺为波利磨中国国民党分部评议部书记，梅子青、谢汝湘、伍权达、李竹川、余康和为波利磨中国国民党分部评议部评议员；张泳廉为三藩市中国国民党分部总务科主任，林屈伸为三藩市中国国民党分部执行部书记，谢益、邵钊、陈笃周、邓杰三、陈渭贤、崔芳、赵康年、黄焕唐、余天民、冯根、邓仙石、黄开基、李诛青、林尚平、唐贻拔、吴孔恒、谭汉波、谭裔煓、谢栋彦、陈泗发为三藩市中国国民党分部干事，黄鲁岩为三藩市中国国民党分部评议部书记，陈继成、龚显裔、李财、李旺、廖达生、李钧衡、关烈臣、余日朝、余伯筹、胡亦桐、蔡妙琛、黄益经为三藩市中国国民党分部评议部评议员；李荣萱为粗李杜中国国民党分部总务科主任，胡持炜、张明春、罗仪盈、谭亮谋为粗李杜中国国民党分部干事，张炳槐、罗迺翔、罗友信、罗永乐、张开智、敖克明、陈楫、李金锡、罗金荣、罗钜明、罗丙申、罗翔杏、张炳善、张汝勤为粗李杜中国国民党分部评议部评议员；黄焕文为贝市中国国民党分部总务科主任，邝辑卿为贝市中国国民党分部执行部书记，邝伯擎为贝市中国国民党分部评议部书记，梅渠远、张椿泽、黄蕴珊、石锦波为贝市中国国民党分部评议部评议员；邝荣为二埠中国国民党分部总务科主任，黄笃初为二埠中国国民党分部执行部书记，邝灼良、邓棠业、邝尧、邝佐志为二埠中国国民党分部干事，李子林为二埠中国国民党分部评议部书记，邝廉普、邝海公、邝佐志、陈祝南、邝振河、李子全、邝尧、李子耀为二埠中国国民党分部评议部评议员；林秀棣为那罅中国国民党通讯处总务科科长，程藻芳为那罅中国国民党通讯处执行部书记，黄和、张社均、郑谦、缪宽、黄月、李连合为那罅中国国民党通讯处干事，阮祖阎、李万足、李保河、周惠、陈霖磅、黄寿开、曾呀、李权为那罅中国国民党通讯处评议部评议员。此状。

总　　　　理（印）

总务部部长彭素民副署

据《国父全集》第四册（转录《本部公报》一卷十三号）

给程潜等的训令

（一九二三年三月二十日）

大元帅训令第四〇号

令大本营军政部长程潜、大本营驻江门办事处、第一师师长梁鸿楷、第二师师长周之贞、第三师师长郑润琦、广东海防司令陈策

据大本营驻江办事处古应芬、梁鸿楷、周之贞、郑润琦、张国桢、陈策等巧电呈称：各军于本日遵令将陈逆德春所部悉数缴械，陈逆受伤潜匿等情。查陈德春于去年六月之变，出兵助逆，叛迹已著。旋据其悔罪投诚，本大元帅予以自新，恕其既往，先后授以粤军第四军军长及八属总司令等职。讵陈德春居心险诈，反复性成，近复勾通逆党，希图扰乱大局，定期三月二十三日起事。本大元帅经密令驻江办事处及各将领，将陈德春严行查办，所部全数缴械去后。兹据电呈前因，陈德春着即免去本兼各职，由驻江办事处及各将领转令所属，一体严拿，务获究办。该主任等调度有方，忠诚卫

国,深堪嘉慰。此役出力人员,着由大本营军政部详细调查,分别优予奖励,以示本大元帅彰善瘅恶之至意。此令。

中华民国十二年三月二十日

据《大本营公报》第三号

发给陈煊旅费令

(一九二三年三月二十日)

着会计司发给陈煊旅费壹百元,往港接春阳丸宋子文及布隆逊·李[1]二人来省。此令。

孙　文

中华民国十二年三月二十日

据《国父全集》第四册(转录史委会藏原件)

发给吴敌旅费令

(一九二三年三月二十日)

着会计司发给吴敌旅费四百元。此令。

孙　文

中华民国十二年三月二十日

据《国父全集》第四册(转录史委会藏原件)

发给谢良牧公费令

(一九二三年三月二十日)

着会计司发给谢良牧公费壹千元。此令。

孙　文

① 原文为 Bronsen Rea。

中华民国十二年三月二十日

据《国父全集》第四册(转录史委会藏原件)

任命罗翼群职务令

(一九二三年三月二十日)

大元帅令

任命罗翼群为大本营军法处长。此令。

中华民国十二年三月廿一日

据《大本营公报》第四号(一九二三年三月三十日出版)

命傅秉常与英领事交涉令

(一九二三年三月二十一日)

着广东交涉员傅秉常即与驻广州英总领事交涉,请香港政府放逐陈炯明、叶举、翁式亮、金章、黄强、锺景棠、锺秀南、陈永善、黄福之等逆首迅出香港,免至扰我治安。此令。

孙 文

十二、三、二十一日

据中国革命博物馆藏原件

给陈兴汉的指令

(一九二三年三月二十一日)

大元帅指令第四六号

令大本营庶务司司长陈兴汉

拟具大本营庶务司官制及办事细则，呈请核示由。

呈悉。准如所拟办理。此令。

中华民国十二年三月廿一日

据《大本营公报》第四号

在广州军事会议的演说*

（一九二三年三月二十二日）

文去岁率师北伐，原为救国救民起见。幸赖将士用命，战无不胜、攻无不克，乃将江西完全克服。正长驱直进，会师武昌，推倒军阀，以期共享真正共和之幸福，达我数十年来之素愿，不期陈炯明背党叛国，逞其狼子野心，嗾使逆军围击护法政府，更欲置文于死地。护法之健儿均远戍前方，此时远水不能救近火。倘使我滇军将士在，陈逆亦不敢谋乱，文亦不致蒙难也。兹幸天佑民国，逆凶歼除，均赖座上将士杀敌致果，忠心护国。民国不致灭亡，全在诸将领之劳苦功高、力挽狂澜也。但文奔走救国，护法事业，屡仆屡继。此次重返五羊，仍期贯彻初衷，对于北庭，仍主张以和平促进统一，希望达到国家统一为主旨。惟西南各省首要团结，计现在已有多数倾向我护法政府者；独某某两省首鼠两端，当为我护法政府所不容。国贼不除，护法事业一日不安。文之主张，先平南然后始可以对北。

至将来护法事业告成，即释兵于工。西南各省之交通殊形不便，拟先由西南各省着手兴筑铁路。云南为护法首义之区，滇中子

---

* 出席这次军事会议者有杨希闵、刘震寰、刘玉山、杨廷培等滇、桂军团长以上军官。

弟历年多为护法护国，故必先由云南兴筑铁路，此为文之所刻刻在心者也。如我国之兵工厂，尤须大加整顿。计我国之兵工厂有四：一在山东，一在湖北，一在广州，一在四川。四厂之中，我护法政府已占其一，先由我广州刷新整顿，以期不假手于人。去年政府与英商订购新机器数架已送到香港，嗣因陈逆作乱，事遂中止。现手续经已清楚，不日运回安置。此项新机比旧有之机，制造极为迅速；如将来安置妥当，我广州之厂较他省为最，则枪械一门，人不如我也。

据重庆《国民公报》一九二三年四月十六日

特任赵士北职务令

（一九二三年三月二十二日）

大元帅令

特任赵士北为大理院长。此令。

中华民国十二年三月廿二日

据《大本营公报》第四号

给林植庭等委任状

（一九二三年三月二十二日）

委任林植庭为云丹拿中国国民党分部正部长；梅荫平为云丹拿中国国民党分部副部长；罗齐柱为云丹拿中国国民党分部评议部正议长；陈洛猷为云丹拿中国国民党分部评议部副议长。此状。

总　　理（印）

总务部部长彭素民副署

代理党务部部长孙镜副署

财务部部长林业明副署

宣传部部长叶楚伧副署

交际部部长张秋白副署

据《国父全集》第四册(转录《本部公报》一卷十四号)

给梁振琴委任状

(一九二三年三月二十二日)

委任梁振琴为云丹拿中国国民党分部党务科主任。此状。

总　　理(印)

总务部部长彭素民副署

代理党务部部长孙镜副署

据《国父全集》第四册(转录《本部公报》一卷十四号)

给梁贤清委任状

(一九二三年三月二十二日)

委任梁贤清为云丹拿中国国民党分部会计科主任。此状。

总　　理(印)

总务部部长彭素民副署

财务部部长林业明副署

据《国父全集》第四册(转录《本部公报》一卷十四号)

给许武权委任状

（一九二三年三月二十二日）

委任许武权为云丹拿中国国民党分部宣传科主任。此状。

总　理（印）

总务部部长彭素民副署

宣传部部长叶楚伧副署

据《国父全集》第四册（转录《本部公报》一卷十四号）

给彭荣燊等委任状

（一九二三年三月二十二日）

委任彭荣燊为云丹拿中国国民党分部总务科主任；秦斌华、梁雨池为云丹拿中国国民党分部执行部书记；郑兴玉、黄达民、谢汝和、冼锡鸿、郑洪荣、卢泗初、蒋喜光、卢志棉为云丹拿中国国民党分部干事；许若山为云丹拿中国国民党分部评议部书记；许若山、许大煜、罗玉衡、曾勤康、林其蕤、谢祝初、彭砺石、何能柔、马辉堂、梅云岩、苏桃舫、谢一平为云丹拿中国国民党分部评议部评议员。此状。

总　理（印）

总务部部长彭素民副署

据《国父全集》第四册（转录《本部公报》一卷十四号）

复焦易堂函

（一九二三年三月二十三日）

易堂兄执事：

三月九日来函诵悉。执事仍驻北方，为党宣传，并决心非必不得已，即专注意宣传事业，不欲他往，兼已印刷三民主义、五权宪法等演说词数万份，分送各界，阅之致〔至〕为欣慰。吾党主张，以大多数人民未能了解，故于推行时，每多阻碍，此在北方，更觉较甚。得执事在彼宣传，必见伟大之效。尚祈宏此远谟，以竟将来水到渠成之全功，为至望也。耑复。即颂

时祉

孙文　十二年三月二十三日

据《国父全集》第四册（转录史委会藏原件影印）

任命王均职务令

（一九二三年三月二十三日）

大元帅令

任命王均为大本营巩卫军第一混成旅旅长。此令。

中华民国十二年三月廿三日

据《大本营公报》第四号

任命赵德恒职务令

（一九二三年三月二十三日）

大元帅令

任命赵德恒为大本营巩卫军参谋长。此令。

中华民国十二年三月廿三日

据《大本营公报》第四号

任命姚禔昌职务令

（一九二三年三月二十三日）

大元帅令

任命姚禔昌为大本营秘书。此令。

中华民国十二年三月廿三日

据《大本营公报》第四号

任命李伯恺职务令

（一九二三年三月二十三日）

大元帅令

任命李伯恺为大本营秘书。此令。

中华民国十二年三月廿三日

据《大本营公报》第四号

准任陈漳等职务令

（一九二三年三月二十三日）

大元帅令

大本营秘书长杨庶堪呈请任命陈漳、彭晟、吴醒亚、张四维、汪啸涯为大本营秘书处科员。均照准。此令。

中华民国十二年三月廿三日

据《大本营公报》第四号

准任霍恒职务令

（一九二三年三月二十三日）

大元帅令

大本营参军长朱培德呈请任命霍恒为大本营卫士队教官。应照准。此令。

中华民国十二年三月廿三日

据《大本营公报》第四号

给李易标的训令

（一九二三年三月二十三日）

大元帅训令第四一号

令中央直辖第五军军长李易标

据广东省长徐绍桢呈称："现准两广盐运使函开：'现据黄沙兼

连江口查缉厂总办吴镇呈称：窃镇二月十三日奉委任令第五号内开：照得黄沙兼连江口查缉厂总办令委该员暂行代理，除分令外，合行令委，仰该员即便遵照到差，并将接管钤记、文卷及一切军装、器具，逐一核明列册报核等因。奉此，遵即驰赴黄沙查缉厂与张前总办星辉接洽交替事宜。据张前总办云，该差前系奉陆军第一军军长李委任权理，现须请命李军长核示等语。兹由张前总办交来函内开：径复者：顷展大函，敬悉一是。当将来函面呈李军长核示。奉李军长命令开：查黄沙查缉厂系属本军范围，为本军饷源之一，嗣后无论何人来接，非担认本军饷项有着，本军长概不承认。倘有率队来扰，敢于尝试，本军长即作土匪惩办。除派兵一连前往该厂保护外，仰该总办遵照办理等因。奉此，合亟函复台端，请烦查照为荷等语。为此，谨将奉委未能到差情形，详为呈复，即乞察核示遵等情。据此，查省城各机关，现在均已一致回覆原状，由各该主管衙门委员办理，不至如日前之紊乱无章。该黄沙查缉厂系专管车上运盐，为敝署直辖机关，与军事绝对无涉，在理应由本署遴员接办，以昭慎重而明统系。即谓军饷一层，自有主管衙门负担，似不必牵入盐务范围，致生枝节。且该厂收入无多，资藉军饷有限。李军长明达事理，运使一缺，业经商令李前运使耀廷退让，是则区区查缉厂差，何致顾惜不交，甘与迭次宣言抵触。据呈前情，诚恐不无误会，除由敝署函请李军长转饬照案移交外，理合具函恭请钧署察照，俯赐转函李军长易标转饬张星辉，将黄沙查缉厂务移交吴总办，以重盐政，实为公便'等由。伏查黄沙兼连江口查缉厂，向系运使直接管辖机关，准函前由，理合据情呈请大元帅鉴核，俯赐饬令该军遵照，迅速交代，实为公便"等情前来。查现在大局渐定，所有各财政机关，自应归主管机关委员办理，以专责成。除指令外，合行令仰该军长查照办理具覆。此令。

中华民国十二年三月廿三日

据《大本营公报》第四号

给杨仙逸的指令

（一九二三年三月二十四日）

大元帅指令第五一号

令航空局局长杨仙逸

呈报将水机修理完竣暨演放安置情形由。

呈悉。此令。

中华民国十二年三月廿四日

据《大本营公报》第四号

发给孙祥夫公费令

（一九二三年三月二十四日）

着会计司发给孙祥夫公费五百元。此令。

孙　文

中华民国十二年三月廿四日

据《国父全集》第四册（转录史委会藏原件）

发给海军伙食费令

（一九二三年三月二十四日）

着财政厅长发给海军伙食费壹万元。此令。

据《研究中山先生的史料与史学》中许师慎《〈国父全集〉未刊载的重要史料》

发给于应祥公费令

（一九二三年三月二十四日）

着会计司发给于应祥公费壹千元。此令。

孙　文

中华民国十二年三月廿四日

据《国父全集》第四册（转录史委会藏原件）

委任谢持职务令

（一九二三年三月二十六日）

委任谢慧生为全权代表，执行中国国民党党务事宜。总理孙文。寝。

据《国父全集》第四册（转录史委会藏原稿）

给李易标的训令

（一九二三年三月二十六日）

大元帅训令第四四号

令中央直辖第五军军长李易标

仰该军长将该部所驻观音山军队克日另择市外适当地点移往驻扎。此令。

中华民国十二年三月廿六日

据《大本营公报》第五号（一九二三年四月六日出版）

给程潜的训令*

（一九二三年三月二十六日）

大元帅训令第四五号

令大本营军政部长程潜

查广州观音山一带地处市内，驻扎军队诸多不便。业经明令李军长易标，将所部现驻观音山队伍克日另择市外适当地点移往驻扎，并令行广东省长，俟李部移驻后，即行出示通告居民人等，将观音山开放为公园，嗣后不得再行驻扎军队。经复令知杨总司令查照办理各在案。除分令外，仰即查照。此令。

中华民国十二年三月廿六日

据《大本营公报》第五号

给徐绍桢的指令**

（一九二三年三月二十六日）

大元帅指令第五三号

令广东省长徐绍桢

转呈广东政务厅长陈树人呈报就职日期由。

---

* 同日，孙中山将同内容的训令分发给广东省长徐绍桢及广州卫戍总司令、讨贼滇军总司令杨希闵。

** 据广东省长徐绍桢转呈：陈树人于十二日接到广东政务厅厅长任命后，十五日就职。他在接事呈报中，对于广东政局复杂深怀惧虑，但表示愿意殚竭心力，尽义务于万一。

呈悉。此令。

中华民国十二年三月廿六日

据《大本营公报》第五号

致焦易堂等函*

（一九二三年三月二十七日）

护法议员同志诸兄鉴：

杨度君近助文尽力于和平统一事业，其态度愈明，而受彼方忌刻亦愈甚。能为之助力者，非诸兄莫属。特为专函绍介，幸推诚与之商洽一切为荷。此颂

公安

孙文　十二年三月二十七日

据《国父全集》第三册（转录史委会藏原件影印）

致雷鸣夏函

（一九二三年三月二十七日）

鸣夏志兄鉴：

来书备悉。云埠①晨报既由兄主持，公意佥同，自能胜任愉快，幸勉厥职，无事推辞，党义辉光，实所深赖也。至筹款一节，已

* 杨度时任直系军阀首领曹锟高等顾问，但倾向革命。陈炯明叛变后，孙中山为了阻止吴佩孚全师入赣帮助陈炯明消灭孙中山领导的革命实力，曾派刘成禺北上与杨商量办法，杨慨然允助，从中斡旋，吴师卒未入赣。随后，杨又到上海，赞助孙中山的和平统一事业。孙中山此函即据此而发。

① 云埠：加拿大温哥华。

另函加总支部，通告加属各部协助矣。特复，并颂
公祺

孙文　民国十二年三月二十七日

据《国父全集》第三册（转录党委会藏抄件）

致上海国民党本部电

（一九二三年三月二十七日）

兹由广东银行汇一万元，支代表[①]三月份薪水及公费，每人二千，共八千元。又北京支部月费弍千元。以后当每月照汇，收到复。孙文。感。（三月廿七日）（用 SK）

据谭编《总理遗墨》第一辑

委派杨华馨职务令

（一九二三年三月二十七日）

大元帅令

派杨华馨为工兵局筹备委员。此令。

中华民国十二年三月廿七日

据《大本营公报》第五号

给周之贞的训令

（一九二三年三月二十七日）

大元帅训令第四八号

令四邑、两阳、香顺八属绥靖处长周之贞

① 指当时在上海办理和平统一事宜的全权代表胡汉民、汪精卫、徐谦、孙洪伊。

据中央直辖第五军军长李易标呈称："窃职部前由梧州会师入粤，雇到天和洋行电轮一艘名'电生'，随同出发，声明到省遣还。抵粤后，复俘获敌人电船一艘，改名'粤秀'，以备差遣。省局粗定，旋派两船运载战利品返肇，便将'电生'一轮归还梧州洋商。讵该轮开至甘竹滩，被周司令之贞所部扣留，至今迄未归还。伏查'电生'轮系属洋商物业，万难据为已有，致贻外人口实。其'粤秀'一轮，为职部运输所必需，现方筹议移防，该轮实不可缺。又该两轮除载军实外，并有鄂、湘、赣省军用地图多份，均被截去。现当国家多事之秋，军长渥受恩知，尤必熟察地形，方克枕戈待命。况今同隶帡幪，周司令苟顾全大局，当必乐为赞助。事关交涉军用，不得已惟有仰恳大元帅俯念职部困难情形，迅赐饬令周司令之贞，立将'电生'轮放还洋商，并将'粤秀'轮及外省军用地图，一并交还职部点收，以便分别存发，实为公便"等情。据此，除指令呈悉，候令行周绥靖处长之贞发还外，合行令仰该处长即便遵照，克日发还。此令。

中华民国十二年三月廿七日

据《大本营公报》第五号

给李易标的指令*

（一九二三年三月二十七日）

大元帅指令第五四号

令中央直辖第五军军长李易标

呈复遵令移防并将军司令部移扎石井由。

* 李易标于是日呈报已遵令将原驻观音山和广雅书院之部队撤至小坪、石井。

呈悉。此令。

中华民国十二年三月廿七日

据《大本营公报》第五号

批叶楚伧呈

（一九二三年三月二十七日）

黄上骀、凌印清、郭聘帛、祝润湘四人暂缓委任外，端木恺等廿五人均如所拟，委任为宣传部名誉干事。此批。

孙文、（谢持） 三月二十七日

据《国父全集》第四册（转录史委会藏原件）

给胡维济等委任状

（一九二三年三月二十八日）

委任胡维济为甲必地中国国民党分部正部长；黄振为甲必地中国国民党分部副部长；李其为甲必地中国国民党分部评议部正议长。此状。

总　　　　　理（印）

总务部部长彭素民副署

代理党务部部长孙镜副署

财务部部长林业明副署

宣传部部长叶楚伧副署

交际部部长张秋白副署

据《国父全集》第四册（转录《本部公报》一卷十四号）

给余云初委任状

(一九二三年三月二十八日)

委任余云初为甲必地中国国民党分部党务科主任。此状。

总　　　　　　理(印)

总务部部长彭素民副署

代理党务部部长孙镜副署

据《国父全集》第四册(转录《本部公报》一卷十四号)

给余京委任状

(一九二三年三月二十八日)

委任余京为甲必地中国国民党分部会计科主任。此状。

总　　　　　　理(印)

总务部部长彭素民副署

财务部部长林业明副署

据《国父全集》第四册(转录《本部公报》一卷十四号)

给梁泽生委任状

(一九二三年三月二十八日)

委任梁泽生为甲必地中国国民党分部宣传科主任。此状。

总　　　　　　理(印)

总务部部长彭素民副署

宣传部部长叶楚伧副署

据《国父全集》第四册(转录《本部公报》一卷十四号)

给谢维悄等委任状

(一九二三年三月二十八日)

委任谢维悄为甲必地中国国民党分部总务科主任;黄国为甲必地中国国民党分部执行部书记;张友、梁锡为甲必地中国国民党分部干事;甄添、甄植、邝迎、黄积、区买、张双为甲必地中国国民党分部评议部评议员。此状。

总　　　　理(印)

总务部部长彭素民副署

据《国父全集》第四册(转录《本部公报》一卷十四号)

准免罗翼群职务令

(一九二三年三月二十八日)

大元帅令

大本营军法处长罗翼群呈请辞职。罗翼群准免本职。此令。

中华民国十二年三月廿八日

据《大本营公报》第五号

准免莫擎宇职务令

(一九二三年三月二十八日)

大元帅令

大本营驻江办事处主任莫擎宇因病呈请辞职。莫擎宇准免本职。此令。

中华民国十二年三月廿八日

据《大本营公报》第五号

给徐绍桢的训令

（一九二三年三月二十八日）

大元帅训令第五〇号

令广东省长徐绍桢

据中央直辖第五军军长李易标呈复称："民国十弍年三月二十四日，奉大元帅第四一号训令内开：'据广东省长徐绍桢呈称：准两广盐运使函开：据黄沙兼连江口查缉厂总办吴镇呈称：窃镇二月十三日奉委任令第五号内开：照得黄沙兼连江口查缉厂总办令委该员暂行代理。除原文有案邀免重录外，后开：查现在大局渐定，所有各财政机关，自应归主管机关委员办理，以专责成。除指令外，合行令仰该军长查照办理具复。此令'等因。奉此，遵查原办黄沙兼连江口查缉总厂总办张星辉，前经饬令将所管钤记、文卷及一切军装、器具，逐一点交吴镇接管"等情。据此，除指令呈悉外，合行令仰该省长查照。此令。

中华民国十二年三月廿八日

据《大本营公报》第五号

发给赵珊林旅费令

（一九二三年三月二十八日）

着会计司发给赵珊林旅费壹百元。

孙　文

中华民国十二年三月廿八日

据《国父全集》第四册（转录史委会藏原件）

发给报界公会津贴令

（一九二三年三月二十八日）

着会计司发给报界公会津贴每月壹百元（由三月起）。此令。

孙　文

中华民国十二年三月廿八日

据中山大学孙中山纪念馆藏原件

任命杨希闵职务令

（一九二三年三月二十九日）

大元帅令

特任杨希闵为中央直辖滇军总司令。此令。

中华民国十二年三月廿九日

据《大本营公报》第五号

准任黄民生职务令

（一九二三年三月二十九日）

大元帅令

大本营参军长朱培德呈请任命黄民生为大本营参军处少校副官，应照准。此令。

中华民国十二年三月廿九日

据《大本营公报》第五号

任命陈友仁职务令

（一九二三年三月二十九日）

大元帅令

任命陈友仁为大本营秘书。此令。

中华民国十二年三月廿九日

据《大本营公报》第五号

任命韦玉职务令

（一九二三年三月二十九日）

大元帅令

任命韦玉为大本营秘书。此令。

中华民国十二年三月廿九日

据《大本营公报》第五号

给程潜的训令

（一九二三年三月二十九日）

大元帅训令第五一号

令大本营军政部长程潜

大本营军法处应即裁撤，所有军法事宜，著由大本营军政部兼理。此令。

中华民国十二年三月廿九日

据《大本营公报》第五号

发给梅光培公费令

（一九二三年三月二十九日）

着会计司发给梅光培公费壹百元。此令。

孙　文

中华民国十二年三月廿九日

据《国父全集》第四册（转录史委会藏原件）

任命杨池生等职务令

（一九二三年三月三十日）

大元帅令

任命杨池生为中央直辖滇军第一师师长；杨如轩为中央直辖滇军第二师师长；范石生为中央直辖滇军第三师师长；蒋光亮为中

央直辖滇军第四师师长。此令。
中华民国十二年三月三十日

据《大本营公报》第五号

命大理院长暂兼管司法行政事务令

（一九二三年三月三十日）

大元帅令

司法行政事务着归大理院长暂行兼管。此令。
中华民国十二年三月三十日

据《大本营公报》第五号

给林云陔的指令*

（一九二三年三月三十日）

大元帅指令第六六号

令大本营财政部第三局局长林云陔

呈请辞职由。

呈悉。该局长历莞度支，钩稽悉当。此次复加简任，倚畀尤殷，尚望力膺艰巨，藉资赞襄。所请辞职之处，应毋庸议。此令。
中华民国十二年三月三十日

据《大本营公报》第五号

---

* 林云陔以不善理财为理由两次向孙中山函请辞职，未获批准，三月二十五日再次呈请辞职。

给杨廷培的指令*

（一九二三年三月三十日）

大元帅指令第六八号

令广东江防司令杨廷培

呈拟将候修旧舰择其损坏过甚者变价补充修葺经费，请鉴核遵行由。

呈悉。准如所请办理。此令。

中华民国十二年三月三十日

据《大本营公报》第五号

发给黄节公费令

（一九二三年三月三十日）

着会计司发给黄节每月公费八百元。此令。

孙 文

中华民国十二年三月卅日

据中山大学孙中山纪念馆藏原件

* 杨廷培于三月廿七日呈报孙中山：江防司令部所辖船舰、雷艇，停驶候修者已过总额之半，饷、煤消耗甚大，很不合算，而又无足够修理经费，故提出变卖损坏过甚的部分旧舰，补充修葺经费。

在欢宴港商会上的演说*

（一九二三年三月三十一日）

欲图中国之和平，必首先裁兵及行工兵政策入手。然此事重大，非筹有大款不克举办。现外人已允愿借款，但兹事体大，非二三月便可成事。故目前二三月内，原有财政未能复元，外债又未能到手，故此时期内，须筹有数百万，将各军队编遣。俟财政整理，然后兴办各种实业。此时财政不虞困急，或有盈余，亦未可知。长〔诸〕君旅港多年，深知英人政治文明，故特请诸君到来，商议财政公开，并望诸君出而监督。因广东为三千万人之广东，非我一人之私有，如此办法，方得公平。有英人名汉尼者，曾在马来半岛掌理财政，成绩昭著，兼通粤语，吾将来欲聘请此人助理一切。以广东如此富庶之地，加以诸君具此热诚，又得〈有〉经验之外人为之帮助，则广东何难兴盛。

军队变乱，一原因于政治，一原因于饷项。政治变乱，吾有法处理，可保无事。至因饷项变乱，则甚难处理，还望诸君同负责任。故目下财政如何维持，请诸君互商研究。

据上海《民国日报》一九二三年四月八日《孙总统欢宴港商记》

任命刘震寰职务令

（一九二三年三月三十一日）

大元帅令

---

* 参加宴会者有港商马应彪、蔡昌、李煜堂、林晖庭等数十人。

特任刘震寰为中央直辖西路讨贼军总司令。此令。

中华民国十二年三月卅一日

据《大本营公报》第六号(一九二三年四月十三日出版)

任命冯伟职务令

(一九二三年三月三十一日)

大元帅令

任命冯伟为广东无线电报总局局长。此令。

中华民国十二年三月卅一日

据《大本营公报》第六号

任命韦冠英等职务令

(一九二三年三月三十一日)

大元帅令

任命韦冠英为中央直辖西路讨贼军第一师师长;严兆丰为中央直辖西路讨贼军第二师师长;黎鼎鉴为中央直辖西路讨贼军第三师师长;伍毓瑞为中央直辖西路讨贼军第四师师长。此令。

中华民国十二年三月卅一日

据《大本营公报》第六号

命电催廖仲恺等速来令

(一九二三年三月)

廖仲恺、朱和中电皆不到,当再电催速来。并切催介石,不可再延。文。

据《国父全集》第三册(转录史委会藏《总理遗墨》)

致三藩市总支部电

(一九二三年四月二日)

同志公鉴:请将存放金山之飞机速付香港,以应急需。港政府近来对吾人态度颇好,机到港后,可另行设法接收,当可无虞,务望火速照办。寄何船?何日开行?电复。孙文。冬。(四月二日译发)

据谭编《总理遗墨》第一辑

致林焕廷电*

(一九二三年四月二日)

电汇五千元,由焕廷交。冬。

据谭编《总理遗墨》第一辑

派宋子文调查财政厅档案令

(一九二三年四月二日)

派宋子文赴财政厅调查各宗档案。此令。

孙 文

据中国革命博物馆藏原件

* 四月一日,孙中山收到林焕廷请求电汇蒋介石安家费的来电,此为孙复电。原件未标明年份,根据所用的大本营公用笺当为一九二三年。

给蒋道日等委任状

（一九二三年四月二日）

委任蒋道日为古巴中国国民党支部名誉部长，雷溢潮为古巴中国国民党支部正部长，周启刚为古巴中国国民党支部副部长，赵式睦为古巴中国国民党支部评议部正议长，锺翰生为古巴中国国民党支部评议部副议长；蒋北斗为夏湾拿中国国民党分部正部长，高发明为夏湾拿中国国民党分部副部长，高奎吾为夏湾拿中国国民党分部评议部正议长，何麟溪为夏湾拿中国国民党分部评议部副议长；李生为大沙华中国国民党分部正部长，甄永治为大沙华中国国民党分部副部长，锺伯磷为大沙华中国国民党分部评议部正议长，古惠行为大沙华中国国民党分部评议部副议长；陈明庆为万山李祐中国国民党分部正部长，徐觉为万山李祐中国国民党分部副部长，黄炤文为万山李祐中国国民党分部评议部正议长，郭洪为万山李祐中国国民党分部评议部副议长；加路麻女氏为边拿李耀中国国民党分部名誉部长，容逸卿为边拿李耀中国国民党分部正部长，陈朔竞为边拿李耀中国国民党分部副部长，何伯葵为边拿李耀中国国民党分部评议部正议长，郑信为边拿李耀中国国民党分部评议部副议长；何教为舍咕中国国民党分部正部长，林世爵为舍咕中国国民党分部副部长，陈伯仁为舍咕中国国民党分部评议部正议长，关锡祺为舍咕中国国民党分部评议部副议长；冼荣祥为个窿中国国民党分部正部长，吴裕安为个窿中国国民党分部副部长，何根恺为个窿中国国民党分部评议部正议长，关钪铨为个窿中国国民党分部评议部副议长；郑公禄为介华连中国国民党分部名誉部长，潘惠居为介华连中国国民党分部正部长，潘朝生为介华连中国国民党分部副部长，岑孔时为介华连中国国民党分部评议部正议长，曾汉川为介华连中国国民党分部评议部副议长；刘宝珊为加马威中国国民党分部正部长，刘汉清为加马威中国国民党分部副部长，关意诚为加马威中国国民党分部评议部正议长，陈祥光为加马威中国国民党分部评议部副议长；关弼初为柯景中国国民党分部正部长，雷家楚为柯景中国国民党分部副部长，赵树艺为柯景中国国民党分部评议部正议长，李学缉为柯景中国国民党分部评议部副议长；梅荣为美京中国国民党分部正部长，陈保祥为美京中国国民党分部副部长，陈保祥为美京中国国民党分部评议部正议长，梅濂逌为美京中国国民党分部评议部副议长；黄荣渠为菜苑中国国民党分部正部长，赵华麟为菜苑中国国民党分部副部长，黄茂为菜苑中国国民党分部评议部正议长；周文培为北架斐中国国民党分部正部长，郑泽概为北架斐中国国民党分部副部长，黄龙光为北架斐中国国民党分部评议部正议长，朱熊为北架斐中国国民党分部评议部副议长；余卓凡为企城中国国民党分部正部长，蒋道护为企城中国国民党分部副部长，黄华为企城中国国民党分部评议部正议长，黄琼衍为企城中国国民党分部评议部副议长；杨菊坡为乾雪地中国国民党分部正部长，余禧中为乾雪地中国国民党分部副部长，周祝三为乾雪地中国国民党分部评议部正议长，邓配之为乾雪地中国国民党分部评议部副议长；陈东有为跛打中国国民党分部正部长，蔡文业为跛打中国国民党分部副部长，李发为跛打中国国民党分部评议部正议长，陈庆桂为跛打中国国民党分部评议部副议长；文锐成为道禧中国国民党分部正部长，方长宁为道禧中国国民党分部副部长，曹祐明为道禧中国国民党分部评议部正议长，冯贤为道禧中国国民党分部评议部副议长；刘聘为茂宜中国国民党分部正部长，谭池为茂宜中国国民党分部副部长，程康简为茂宜中国国民党分部评议部正议长，谭长为茂宜中国国民党分部评议部副议长；程耀初为古鲁市中国国民党通讯处正主任，程致刚为古鲁市中国国民党通讯处副主任；邓朝勋为庇叻咕中国国民党通讯处正主任，戚秩嗪为庇叻咕中国国民党通讯处评议部正议长；黄馥为亚华吉地中国国民党通讯处正主任，关国河为亚华吉地中国国民党通讯处副主任，孔汉璋为亚华吉地中国国民党通讯处评议部正议长，孔昭荣为亚华吉地中国国民党通讯处评议部副议长；甄煦球为高路罅中国国民党通讯处正主任；余百逢为山寅打兆中国国民党通讯处正主任；黄福桢为山路自路中国国民党通讯处正主任，梁广然为山路自路中国国民党通讯处副主任，黄达廷为山路自路中国国民党通讯处评议部正议长；胡尔勤为墨京中国国民党通讯处正主任，谭恭发为墨京中国国民党通讯处评议部正议长；梁观瑞为罗士舞珠中国国民党通讯处正主任；唐英沛为磨诗耀中国国民党通讯处正主任，区昭汉为磨诗耀中国国民党通讯处副主任，朱自治为磨诗耀中国国民党通讯处评议部正议长；容嵩光为山多些中国国民党通讯处正主任。此状。

总　　　　理（印）
总务部部长彭素民副署
代理党务部部长孙镜副署
财务部部长林业明副署
宣传部部长叶楚伧副署
交际部部长张秋白副署

据《国父全集》第四册（转录《本部公报》一卷十五号）

给黄吉庵等委任状

（一九二三年四月二日）

委任黄吉庵为古巴中国国民党支部党务科正主任，潘君谷为古巴中国国民党支部党务科副主任；潘君谷为夏湾拿中国国民党分部党务科主任；甄永楠为大沙华中国国民党分部党务科主任；莫康益为万山李祐中国国民党分部党务科主任；劳亮平为边拿李耀中国国民党分部党务科主任；陈满为舍咕中国国民党分部党务科主任；侯中庸为个窿中国国民党分部党务科主任；李鸿藻为介华连中国国民党分部党务科主任；马玉廷为加马威中国国民党分部党务科主任；李孔仕为柯景中国国民党分部党务科主任；余祖荫为美京中国国民党分部党务科主任；黄子桢为莱苑中国国民党分部党务科主任；严东胜为北架斐中国国民党分部党务科主任；余炎为企城中国国民党分部党务科主任；萧竞三为乾雪地中国国民党分部党务科主任；吕藻奇为跛打中国国民党分部党务科主任；何鉴为道禧中国国民党分部党务科主任；陆进为茂宜中国国民党分部党务科主任；沈秋舫为古鲁市中国国民党通讯处党务科科长；蔡蓁兆为庇叻咕中国国民党通讯处党务科科长；关国河为亚华吉地中国国民党通讯处党务科科长；余立和为山寅打兆中国国民党通讯处党务科科长；黄福桢为山路自路中国国民党通讯处党务科科长；伍其悦为墨京中国国民党通讯处党务科科长；伍植鸿为磨诗耀中国国民党通讯处党务科科长；关蔚为山多些中国国民党通讯处党务科科长。此状。

总　　　　　　　理（印）

总务部部长彭素民副署

代理党务部部长孙镜副署

据《国父全集》第四册(转录《本部公报》一卷十五号)

给蒋修身等委任状

(一九二三年四月二日)

委任蒋修身为古巴中国国民党支部会计科正主任,李月华为古巴中国国民党支部会计科副主任;蔡浦泉为夏湾拿中国国民党分部会计科主任;李迪枢为大沙华中国国民党分部会计科主任;陈彩彦为万山李祐中国国民党分部会计科主任;梁蕴兴为边拿李耀中国国民党分部会计科主任;蔡秩南为舍咕中国国民党分部会计科主任;朱应銮为个窿中国国民党分部会计科主任;潘酉元为介华连中国国民党分部会计科主任;关周泉为加马威中国国民党分部会计科主任;关弼初为柯景中国国民党分部会计科主任;李孔广为美京中国国民党分部会计科主任;余锡为莱苑中国国民党分部会计科主任;张耀为北架斐中国国民党分部会计科主任;李任山为企城中国国民党分部会计科主任;陈文广为乾雪地中国国民党分部会计科主任;古元章为跛打中国国民党分部会计科主任;许兆基为道禧中国国民党分部会计科主任;龚旺为茂宜中国国民党分部会计科主任;冯广华为古鲁市中国国民党通讯处会计科科长;何兆伦为庇叻咕中国国民党通讯处会计科科长;关鉴享为亚华吉地中国国民党通讯处会计科科长;余柱庆为山寅打兆中国国民党通讯处会计科科长;黄池安为山路自路中国国民党通讯处会计科科长;容梅初为墨京中国国民党通讯处会计科科长;黄玉堂为磨诗耀中国国民党通讯处会计科科长;关棣为山多些中国国民党通讯处会计科科长。此状。

总　　　　理(印)

总务部部长彭素民副署

财务部部长林业明副署

据《国父全集》第四册(转录《本部公报》一卷十五号)

给高发明等委任状

(一九二三年四月二日)

委任高发明为古巴中国国民党支部宣传科正主任，伍梓林为古巴中国国民党支部宣传科副主任；关国祥为夏湾拿中国国民党分部宣传科主任；黄锭德为大沙华中国国民党分部宣传科主任；关仪三为万山李祐中国国民党分部宣传科主任；梁瑞生为边拿李耀中国国民党分部宣传科主任；陈礼廷为舍咕中国国民党分部宣传科主任；何连富为个窿中国国民党分部宣传科主任；刘丽泉为介华连中国国民党分部宣传科主任；蒋纪臣为加马威中国国民党分部宣传科主任；蒋汉光为柯景中国国民党分部宣传科主任；梅灼为美京中国国民党分部宣传科主任；关源为莱苑中国国民党分部宣传科主任；黄龙光为北架斐中国国民党分部宣传科主任；李国扬为企城中国国民党分部宣传科主任；陈竞适为乾雪地中国国民党分部宣传科主任；陈国樑为踱打中国国民党分部宣传科主任；陈克武为道禧中国国民党分部宣传科主任；邓明三为茂宜中国国民党分部宣传科主任；程玉波为古鲁市中国国民党通讯处宣传科科长；蔡祐民为庇叻咕中国国民党通讯处宣传科科长；关朝阳为亚华吉地中国国民党通讯处宣传科科长；陈富朝为高路鳟中国国民党通讯处宣传科科长；刘明德为山寅打兆中国国民党通讯处宣传科科长；彭銮清为山路自路中国国民党通讯处宣传科科长；伍福尧为墨京中国国民党通讯处宣传科科长；关允全为磨诗耀中国国民党通讯处宣传科科长；李炎源为山多些中国国民党通讯处宣传科科长。此状。

总　　　　理(印)

总务部部长彭素民副署

宣传部部长叶楚伧副署

据《国父全集》第四册(转录《本部公报》一卷十五号)

给方以情等委任状

(一九二三年四月二日)

委任方以情为古巴中国国民党支部总务科正主任，蔡容先为古巴中国国民党支部总务科副主任，黄绍蕃为古巴中国国民党支部执行部书记，罗乐三为古巴中国国民党支部评议部书记，蒋修身、高发明、罗乐三、容秩卿、赵继猷、蒋道日、胡贯瑜、蔡浦泉、刘民三、何麟溪、黄鼎之、潘君谷、卢伟廉、蒋北斗、陈述、周宪达、彭伯勋、赵师贡、陈孟瑜、李生、高奎吾、黄绍蕃、吴城一、赵翘初、苏惇惇为古巴中国国民党支部评议部评议员；陈孟瑜为夏湾拿中国国民党分部总务科主任，黄绍蕃为夏湾拿中国国民党分部执行部书记，周梦如、黄玉书、容秩卿、陈德谦为夏湾拿中国国民党分部干事，赵继猷为夏湾拿中国国民党分部评议部书记，锺翰生、蔡容仙、伍梓林、周天达、赵师贡、方以情、赵继猷、张崇智、苏芸芸、李运球、黄吉庵、胡贯瑜为夏湾拿中国国民党分部评议部评议员；雷栋材为大沙华中国国民党分部总务科主任，蔡樑伯、伍乃章为大沙华中国国民党分部执行部书记，李丽川、黄肇炳、程树荣为大沙华中国国民党分部干事，陈嘉辉为大沙华中国国民党分部评议部书记，陈嘉辉、陈超八、邓达泉、潘擎石、吴瑞、潘维安、黄名康、姚植朋、伍楠、潘干谦、刘蔼余、陈钜为大沙华中国国民党分部评议部评议员；黄颂平为万山李祐中国国民党分部总务科主任，黄雨亭为万山李祐中国国民党分部执行部书记，潘颂球、陈荣、陈炽明、黄雨亭、黄秋博、仇卓文、潘丽山、李赞宗、梁公拔、潘颂三、蒋玉阶、黄衍沛为万山李祐中国国民党分部干事；黄耀南为边拿李耀中国国民党分部总务科主任，郑煜、陈礼起为边拿李耀中国国民党分部执行部书记，容扬、林观胜、傅柳朋、锺业为边拿李耀中国国民党分部干事，劳汉生为边拿李耀中国国民党分部评议部书记，郑和利、阮惠、李湛、陈伯生、容炳南、梁兆荣、林昶、张松为边拿李耀中国国民党分部评议部评议员；黄栋云为舍咕中国国民党分部总务科主任，黎凤朝、黄苇一为舍咕中国国民党分部执行部书记，赵卓湛、何盈富、黎仕启、容树尧为舍咕中国国民党分部干事，何煜胜为舍咕中国国民党分部评议部书记，林斗南、张松源、杜锦荣、劳廷波、蔡觐泉、江庆云、蒋道想、何鹏、黄德本、何煜胜为舍咕中国国民党分部评议部评议员；李德贵为个窿中国国民党分部总务科主任，李钧冲、关公羽为个窿中国国民党分部执行部书记，谭子光、何根恺、张韬来为个窿中国国民党分部干事，李伯湖为个窿中国国民党分部评议部书记，李伯湖、侯奕行、冯俭时、陈纯照、冯顺体、卢其芬、冯才奴为个窿中国国民党分部评议部评议员；吴汝登为介华连中国国民党分部总务科主任，潘容端、李现圣为介华连中国国民党分部执行部书记，曾桂芳、吴汝标、潘德廉、李孔荣为介华连中国国民党分部干事，李鸿藻为介华连中国国民党分部评议部书记，潘子贵、陈乐培、吴汝登、潘容端、吴汝标、潘德廉、刘丽泉、刘焯生、李鸿藻、黄联昌为介华连中国国民党分部评议部评议员；张荣茂为加马威中国国民党分部总务科主任，岑连在为加马威中国国民党分部执行部书记，李杏、岑连在、麦爕、陈智耀为加马威中国国民党分部干事，余坚良为加马威中国国民党分部评议部书记，郑泉、张棉祥、叶祝照、陈昌耀、朱华冲、关崧来、丁浩、李冠廷、冯庄毅、李赞年为加马威中国国民党分部评议部评议员；关其康为柯景中国国民党分部总务科主任，刘尊垣为柯景中国国民党分部执行部书记，蒋伟生、雷家楚、刘尊垣、李瑞龙为柯景中国国民党分部干事，蒋伟生为柯景中国国民党分部评议部书记，刘瑞年、甄平番、何尚敏、关盈安、黄恭释、聂受、梁子荣、蒋社欢为柯景中国国民党分部评议部评议员；李扶汉为美京中国国民党分部总务科主任，陈炎兴为美京中国国民党分部执行部书记，许军儒、陈保祥、曹惠卿、李孔广、李润生、李孔道、李宗兑为美京中国国民党分部干事，曹惠卿为美京中国国民党分部评议部书记，谢信彦、谢行三、李扶汉、梅荣、邝琪琛为美京中国国民党分部评议部评议员；黄福桢为菜苑中国国民党分部总务科主任，黄实为菜苑中国国民党分部执行部书记，关辰、黄作尧、余暮登、周洪为菜苑中国国民党分部干事，李梓莺为菜苑中国国民党分部评议部书记，彭清、胡添、黄灿、黄朝俊、黄汉南、伍于焯、关勋廷、黄进行为菜苑中国国民党分部评议部评议员；郑广池为北架斐中国国民党分部总务科主任，黄立淋为北架斐中国国民党分部执行部书记，周述尧、周文驹、蔡超群、曹月蟾、潘莲生、黄绍卓、周麟杏、缪金发为北架斐中国国民党分部干事，周麟开为北架斐中国国民党分部评议部书记，郑新皖、伍鸿谱、郑寿康、黄羡麟、郑胜、萧观灵、伍龙驹、周逢寿为北架斐中国国民党分部评议部评议员；邓芗泉为企城中国国民党分部总务科主任，黄力功、余莲舫为企城中国国民党分部执行部书记，李培、余寅礼、余焜和、余齐、黄月屏、余中永、李沾为企城中国国民党分部干事，余齐为企城中国国民党分部评议部书记，余焜和、李培、黄月屏、余炎、李国扬、蒋天照、蒋安爵、林伯成为企城中国国民党分部评议部评议员；杨宝成为乾雪地中国国民党分部总务科主任，黄益彰为乾雪地中国国民党分部执行部书记，廖管廷、谭宋、张沾桐、陈树程为乾雪地中国国民党分部干事；吕卓文为跛打中国国民党分部总务科主任，吕宗望为跛打中国国民党分部执行部书记，廖金吾、谢光廷、吕凤奇、古焕为跛打中国国民党分部干事，刘森为跛打中国国民党分部评议部书记，林建昌、吕伯陶、黄亮邦、龙旭池、刘和合、张汉森、吕善超、陈子壬、廖华炳、黄佑章为跛打中国国民党分部评议部评议员；梁励男为道禧中国国民党分部总务科主任，梁翰如、叶霖普为道禧中国国民党分部执行部书记，李世腾、张新志、李擎天、甘雪葵、黄南、包珍、谭寿、梁棠、蒙炮、陈德、陈科、江灌西、关西如、黄广、文振威为道禧中国国民党分部干事，何成芬为道禧中国国民党分部评议部书记，郑爽、李剑坡、伍桂、谭邦、许棠、方盛、李春、甄晋、李全、方耀、李任为道禧中国国民党分部评议部评议员；陈祥为茂宜中国国民党分部总务科主任，邓想为茂宜中国国民党分部执行部书记，邓秀山、谭三安、陈焯、杨炎、郑福、谭旺、黄池德、谭和发、黄养、朱缵、刘华、黄煊、曾有胜、叶观生、谭贵福、谭泗、邓富、李灿、杨潮、杨训畅、谭天祥、黄官兆、谭海、卓全为茂宜中国国民党分部干事，谭举云为茂宜中国国民党分部评议部书记，陆桐、黄照、邓瑞、李齐秀、詹义生、廖琚、唐纳、张来就、邓洽、詹大为茂宜中国国民党分部评议部评议员；林平波为古鲁市中国国民党通讯处总务科科长，朱达泉、聂绍南、林济泉、王鸿盛为古鲁市中国国民党通讯处科员；孔启升为庇叻咕中国国民党通讯处总务科科长，凌云谱、陈德仁、杨秀衿为庇叻咕中国国民党通讯处评议部评议员；关鉴享为亚华吉地中国国民党通讯处总务科科长，黄思浓、孔汉璋为亚华吉地中国国民党通讯处执行部书记，张礼炯、关朝阳、孔汉璋、司徒亨为亚华吉地中国国民党通讯处科员，蔡国安、吴福、区作樑、卢朝亨、梁铭楷为亚华吉地中国国民党通讯处评议部评议员；张泽荣为高路罅中国国民党通讯处总务科科长；余齐活为山寅打兆中国国民党通讯处总务科科长，余如登为山寅打兆中国国民党通讯处执行部书记；赵北京为山路自路中国国民党通讯处总务科科长，梁广然为山路自路中国国民党通讯处执行部书记，黄池广、梁广然为山路自路中国国民党通讯处科员，余铭元为山路自路中国国民党通讯处评议部书记、黄显慈、黄锦顺、黄炳赞、黄兆窗、雷昌顺、黄秋添、周荣庆、黄俊远为山路自路中国国民党通讯处评议部评议员；赵炜廷为墨京中国国民党通讯处总务科科长，赵拓平为墨京中国国民党通讯处执行部书记，阮振渠、朱煜森、赵瑞兰、关春培、赵烈庭为墨京中国国民党通讯处评议部评议员；陈富为磨诗耀中国国民党通讯处总务科科长，伍奇勋、胡植棉为磨诗耀中国国民党通讯处执行部书记，萧连开、邝阔光、曾瑜瑚、张百思为磨诗耀中国国民党通讯处科员，张百雄为磨诗耀中国国民党通讯处评议部书记，黄文就、张甫坚、关廉广、伍灿瑞、凌新益、梁占安、龙灶容、卢权旺为磨诗耀中国国民党通讯处评议部评议员；黄茂广为山多些中国国民党通讯处总务科科长，关棣为山多些中国国民党通讯处执行部书记。此状。

总　　　　理（印）

总务部部长彭素民副署

据《国父全集》第四册（转录《本部公报》一卷十五号）

任命宋辑先职务令

（一九二三年四月二日）

大元帅令

任命宋辑先为大本营秘书。此令。

中华民国十二年四月二日

据《大本营公报》第六号

任命李卓峰职务令

（一九二三年四月二日）

大元帅令

任命李卓峰为大本营建设部工商局局长。此令。

中华民国十二年四月二日

据《大本营公报》第六号

委派赵志戎职务令

（一九二三年四月二日）

大元帅令

派赵志戎为工兵局筹备委员。此令。

中华民国十二年四月二日

据《大本营公报》第六号

委派古应芬职务令

（一九二三年四月二日）

大元帅令

查大本营驻江办事处各主任等近或因事去任，或另授他职，组织不完，遂致责无专属。兹特派古应芬为大本营驻江办事处全权主任，所有留驻江门水陆各军队，概归节制、调遣。此令。

中华民国十二年四月二日

据《大本营公报》第六号

给古应芬等的训令

（一九二三年四月二日）

大元帅训令第五五号

令大本营驻江办事处主任古应芬等

据广东财政厅长杨西岩呈称："现奉大本营驻江办事处第一一二号训令开：'查江门东口会河厘厂，经已批准恒源公司商人郭民发承充，咨请省长令行该厅照准在案。该厂监办委员，现经遴委刘秉刚充任，饬即到差，合行令仰该厅知照，并加发委状，呈处转给，俾专责成，此令'等因。奉此，查江门东口会河厘厂，原归汉荣公司商人谭德尉承办，年认饷银一十三万六千元，扣至十二年四月二十日止，即届期满。钟前厅长任内，曾将该商饷额减为大元一十二万元，准予续办，惟未给谕遵守。嗣据义利公司商人冯耀南呈称：该商对于江门一带情形熟悉，于厘务一途，尤为深知利弊，际此军糈紧急，库款待支，情愿照旧商汉荣公司减定年饷一十二万元缴纳，请准承办前来。当经批准，并饬缴按、预饷去后，随据该商将按饷一个月、预饷一个月共银大元二万元缴厅核收，即经呈明，核给文告，准予承办在案。现若改由别商搀承，似与原案不符。厅长奉令综管全省财政，职权所关，未便示商民以不信，且财权不专，措置尤多窒碍，奉令前因，理合呈请钧座察核，俯赐令行大本营驻江办事处，即将批准恒源公司郭民发承办江门东口会河厘厂一案注销，饬令交回义利公司商人冯耀南，依期于十二年四月二十一日接办，以一事权，而维信用。是否有当，伏乞迅赐核办饬遵"等情前来。查现在粤局渐定，所有全省财政，自宜由广东财政厅综管，以一事权，而免纷歧。除指令该厅长所请应照准，候令大本营驻江办事处遵照办理外，仰即知照。此令。

中华民国十二年四月二日

据《大本营公报》第六号

给邓泽如的训令

（一九二三年四月二日）

大元帅训令第五六号

令大本营兼理财政部长邓泽如

广东全省印花税应一律归大本营财政部办理。此令。

中华民国十二年四月二日

据《大本营公报》第六号

给李安邦的训令

（一九二三年四月二日）

大元帅训令第五七号

令大本营游击司令李安邦

查前山[①]一带防务，该司令接管以来，办事尚属得力，着仍照常驻扎防范，非有本大元帅命令调遣，不得将所部擅自移动。切切。此令。

中华民国十二年四月二日

据《大本营公报》第六号

给朱培德的训令

（一九二三年四月二日）

大元帅训令第五八号

令大本营参军长朱培德

大本营军法处应即裁撤，所有军法事宜，着由大本营军政部兼管。除训令军政部遵照外，合行令仰该参军长即便遵照。此令。

中华民国十二年四月二日

据《大本营公报》第六号

---

① 前山：在今中山市。

给杨希闵徐绍桢的训令

（一九二三年四月二日）

大元帅训令第五九号

令广州卫戍总司令杨希闵、广东省长徐绍桢

查广州市内竟有白昼抢劫情事，甚至日有数起，惊扰闾阎，妨害治安，殊堪痛恨。着由该卫戍总司令、省长督饬所属，一体严防密查，遇有抢劫案犯，一经拿获讯明，即依军法从事，以儆效尤而清匪患。除训令卫戍总司令、广东省长遵照外，合行令仰该卫戍总司令、省长即便遵照办理。切切。此令。

中华民国十二年四月二日

据《大本营公报》第六号

给林焕廷汇款令

（一九二三年四月二日）

着会计司即汇沪洋五千元往上海环龙路四十四号林焕廷收。此令。

孙　文

中华民国十二年四月二日

据《国父全集》第四册（转录史委会藏原件）

发给安健公费令

（一九二三年四月二日）

着会计司发给安健公费叁百元。此令。

孙 文

中华民国十二年四月二日

据《国父全集》第四册（转录史委会藏原件）

致安庆各界电

（一九二三年四月三日）

安庆省教育会转烈士墓筹备处暨各界公鉴：兹派张秋白君前往致祭，准歌日抵皖，祈赐接洽。孙文。江。

据《国父全集》第三册（转录《本部公报》第十一号）

给杨仙逸的指令二件

（一九二三年四月三日）

一

大元帅指令第七五号

令航空局局长杨仙逸

呈请建设工场以利航空事业，于工场未设之时，先制一船聊作工场之用;并以许军[1]现无飞机,殊不足以制敌,拟向安南择购飞机两架以作军前之助,乞分别令遵由。

呈悉。所请各节,均属可行,应予照准。此令。

中华民国十二年四月三日

据《大本营公报》第六号

二

大元帅指令第七六号

令航空局局长杨仙逸

呈请设一飞航站于江门以便与省会飞航站互相策应,并称如邀核准请即训令驻江办事处筹饷局按照该站所需经费源源接济由。

呈悉。飞航站暂缓设置,经费应筹专款。所请各节,着毋庸议。此令。

中华民国十二年四月三日

据《大本营公报》第六号

发给霍汗公费令

(一九二三年四月三日)

着会计司发给霍汗公费,每月四百元,由三月份起。此令。

孙 文

民国十二年四月三日

据《国父全集》第四册(转录史委会藏原件)

---

① 许军:指许崇智部。

发给夏百子恩俸令

（一九二三年四月三日）

着会计司每月发给夏百子恩俸五拾元。此令。

孙　文

民国十二年四月三日

（大元帅面谕由三月份起。四月十日棠[①]批。）

据《国父全集》第四册（转录史委会藏原件）

发给那文月俸令

（一九二三年四月三日）

着会计司发给那文顾问月俸壹千元。由三月起。此令。

孙　文

民国十二年四月三日

据中山大学孙中山纪念馆藏原件

发给刘玉山部伙食费令

（一九二三年四月三日）

着市政厅垫刘玉山军队伙食叁千元。此令。

① 棠：王棠，时任大本营会计司司长。

民国十二年四月三日

据《研究中山先生的史料与史学》中许师慎《〈国父全集〉未刊载之重要史料》

致许崇智电*

（一九二三年四月四日）

此间拟出师东江，为夹击之计，需介石来助，望兄加电促之来粤。前敌之事，介石所能者，陈翰誉当能之，望重用之，必有补也。孙文。豪。

据《国父全集》第三册（转录史委会藏《总理遗墨》）

任命马伯麟职务令

（一九二三年四月四日）

任命马伯麟为虎门要塞司令。此令。

孙　文

十二年四月四日

据谭编《总理遗墨》第一辑

任命林云陔职务令

（一九二三年四月四日）

大元帅令

任命林云陔为大本营秘书。此令。

---

* 据《国父全集》题注，原件无日期。按：蒋介石于四月十五日由沪赴粤，二十日抵广州。"豪"为四日代电，故定为四月四日。

中华民国十二年四月四日

据《大本营公报》第六号

任命梁鸿楷职务令

（一九二三年四月四日）

大元帅令

任命梁鸿楷为中央直辖广东讨贼军第四军军长。此令。

中华民国十二年四月四日

据《大本营公报》第六号

任命杨蓁等职务令

（一九二三年四月四日）

大元帅令

任命杨蓁、金汉鼎、邓泰中、朱和中、金华林为大本营高级参谋。此令。

中华民国十二年四月四日

据《大本营公报》第六号

任命李济深郑润琦职务令

（一九二三年四月四日）

大元帅令

任命李济深为中央直辖广东讨贼军第一师师长；郑润琦为中央直辖广东讨贼军第三师师长。此令。

中华民国十二年四月四日

据《大本营公报》第六号

委派古日光职务令

（一九二三年四月四日）

大元帅令

派古日光为工兵局筹备委员。此令。

中华民国十二年四月四日

据《大本营公报》第六号

委派杨鹤龄职务令

（一九二三年四月四日）

派杨鹤龄为港澳特务调查员。此令。

孙 文

民国十二年四月四日

据谭编《总理遗墨》第一辑

给程潜等的训令*

（一九二三年四月四日）

大元帅训令第六〇号

令大本营军政部长程潜、令桂军总司令沈鸿英、令代理中央直

* 此件括号内系给沈鸿英、陈天太训令的文字。

辖第一军军长陈天太

沈(该、沈)总司令所部军队遵令移防西江,所有肇庆防地,应归接收填驻。其原驻肇庆各地陈代军长(陈代军长、该代军长)所部,着即从速调防三、罗[①]一带驻扎,并将换防情形,分别具报。除分令外,仰即知照(遵照办理)。此令。

中华民国十二年四月四日

据《大本营公报》第六号

给邓泽如孙祥夫的训令[*]

(一九二三年四月五日)

大元帅训令第六一号

令兼理大本营财政部长邓泽如、广东印花税分处处长孙祥夫

查广东印花税,业经明令归该部(大本营财政部)办理在案。兹令广东印花税分处(仰该处长孙祥夫)克日将该处印花税事务交由该部(大本营财政部)派员接收办理。除分令外,仰即遵照办理。此令。

中华民国十二年四月五日

据《大本营公报》第六号

致居正电

(一九二三年四月六日)

转居觉生兄鉴:子荫[②]现尚在港,与陈逆往还,挟有多金,运动

① 三、罗:三水、罗定两县。

* 此件括号内系给孙祥夫训令的文字。

② 子荫:即黄大伟。

讨贼军将士。而兄前日来电，竟有子荫已回沪，一切未有问题等语。似此是何用意？请明答复。孙文。鱼。（四月六日译发）

据谭编《总理遗墨》第一辑

派梅光培接管官产处令

（一九二三年四月六日）

大元帅令

派梅光培即日接收官产处，归大本营财政部直接管理。此令。

中华民国十二年四月六日

据《大本营公报》第七号（一九二三年四月二十日出版）

给徐绍桢等的训令

（一九二三年四月六日）

大元帅训令第六二号

令广东省长徐绍桢、大本营军政部长程潜、大理院长赵士北

案查十年十月五日曾经明令清理庶狱，以普惠泽。旋值粤乱发生，此令迄未实行，甚非本大元帅慎重庶狱之意，亟应重申前令，切实办理。应即由大理院督率广东高等审、检两厅，暨所属各厅、庭，各派专员清查现在监狱中执行刑罚之罪犯，择其情有可原者呈请减刑。至羁押民事被告人，无论有无保人，应一律释放。其刑事被告人，证据不充分或系应处五等有期徒刑以下之刑者，及案经上告、卷宗于上年变乱损失、一时难结者，均应取保释出候审。仍督所属以后务遵刑事审限，并依法励行缓行〔刑〕、假释、责付保释。此外，军事犯及受行政处分被羁押、或因犯已废止之治安警察法被

惩治者，并应由各军事长官及广东省长遵照前令分别办理，统限三个月办理完竣具报，勿稍延玩。此令。

中华民国十二年四月六日

据《大本营公报》第七号

给杨希闵的训令

（一九二三年四月六日）

大元帅训令第六三号

令广州卫戍总司令杨希闵

查广州市内地方，近有假冒军人擅入民家，以搜查为名。藉端掠取财物，并有军人擅入民家劫财伤人情事，殊堪痛恨。仰该总司令转知各军，并通饬所属一体严密查拿，遇有此等案犯，审讯明确，即以军法从事，以安闾阎而肃军纪。切切。此令。

中华民国十二年四月六日

据《大本营公报》第七号

发给程步瀛津贴令

（一九二三年四月六日）

着会计司发给程步瀛每月津贴壹百元。此令。

孙　文

民国十二年四月六日

据《国父全集》第四册（转录史委会藏原件）

给温树德等的训令

（一九二三年四月七日）

大元帅训令第六五号

令海军舰队司令温树德、令江防司令杨廷培、令海防司令陈策、令长洲要塞司令苏从山、令闽赣边防督办李烈钧、令大本营军政部长程潜、令滇军总司令杨希闵、令桂军总司令沈鸿英、令西路讨贼军总司令刘震寰、令东路讨贼军总司令许崇智、令大本营驻江办事处全权主任古应芬、令南路讨贼军总司令黄明堂、令高雷讨贼军总司令林树巍

据两广盐运使伍学熀呈称："案据小靖场知事唐镜湖呈报：'现驻海丰粤军警备队司令马永平所部统领叶德修，以军用支绌，运盐接济，先后用船运去场盐二十一载，计一千四百二十八担。又陈统领汉南派队押船十四艘，在淡水厂由雍合等运馆配去盐四百七十六担。二共运去军用盐一千九百零四担。又三月十日该司令部副官马方平，遣兵运配下尾厂存盐四载，计二百七十二担。似此假借军用名义，擅提军盐，毫无限制，将见场盐立尽，税收损失，何堪设想。目下实无抵拒之方，理合先行呈报核销备案，如军队继续载运，再行具报。'又据代理双恩场知事姚世俨具呈：'本年二月二十五日东路讨贼军第三路司令官梁，派副官梁士衡、黄日伟到场辖之双鱼厂采卖官盐二百五十包，又派委员任心符将北寮厂存盐采卖七百包，该价提解司令部充作军饷，呈请核销备案'各等情。据此，查场产盐觔，为国税之根源，如果驻近军队自由提售，将价充饷，是盐法军纪，藩篱尽抉。税源既塞，国用无资，关系大局，殊非浅鲜。

除令复各该知事切实劝阻，其以前提过盐觔，向之补取收据送使署备案外，理合据情呈报帅座鉴核，俯赐设法维持，以顾产销，并乞指令祗遵”等情前来。查盐课纯为国税，关系外债，自应由盐政法定机关管理征收，不得任凭军人滥行干涉，以乱税则，而招责言。为此通令各军，嗣后无论何部军队，所需饷项火食，应各向该管长官直接具领，不得假借军费名义，擅在驻地有提征或变卖官盐情事，如违，定行重究。合行令仰部长、总司令、督办、主任、司令知照，并转饬所属一体遵照毋违。切切。此令。

中华民国十二年四月七日

据《大本营公报》第七号

发给陈天太部伙食费令

（一九二三年四月七日）

着市政厅垫陈天太军队伙食五千元。此令。

民国十二年四月七日

据《研究中山先生的史料与史学》中许师慎《〈国父全集〉未刊载之重要史料》

给林有祥等委任状

（一九二三年四月九日）

委任林有祥为吉礁中国国民党支部总务科正主任，陈万锦为吉礁中国国民党支部总务科副主任，李忍辱为吉礁中国国民党支部执行部书记，陈元机、李孔塔、林呈祥、陈悌英、吕俊典、李金銮、李大蚪、嬴壬癸为吉礁中国国民党支部干事，林永昭为吉礁中国国民党支部评议部书记,陈丽水、林水滬、李引相、伍远锄、林箕忠、李国钗、郑文倩、何玉麟、李文梓、黄水龟为吉礁中国国民党支部评议部评议员;陈楚良为霹雳喼乞中国国民党分部总务科主任,梁炳然、高周、冯如椿、郑润民、高石、罗林、周福为霹雳喼乞中国国民党分部执行部书记,张统垂、梁锡余、梁荣锐、李文卿、杨玉、谭祖幸、何玉、蔡恒钊、叶春谱、吴海华为霹雳喼乞中国国民党分部干事,翁镜祥为霹雳喼乞中国国民党分部评议部书记,梁元亨、冯藉生、周九、伍子金、林贤、胡杰生、黄连、林逵九、黎业初、黄万湖、赵永、陈炎初、蓝杨、陈炎成、张澄和为霹雳喼乞中国国民党分部评议部评议员。此状。

总　　理(印)

总务部部长彭素民副署

据《国父全集》第四册(转录《本部公报》一卷十六号)

给林耀如等委任状

(一九二三年四月九日)

委任林耀如为吉礁中国国民党支部宣传科正主任,陈诰远为吉礁中国国民党支部宣传科副主任;岑醒亚为霹雳喼乞中国国民党分部宣传科主任。此状。

总　　理(印)

总务部部长彭素民副署

宣传部部长叶楚伧副署

据《国父全集》第四册(转录《本部公报》一卷十六号)

给林润泽等委任状

（一九二三年四月九日）

委任林润泽为吉礁中国国民党支部会计科正主任，陈玉兔为吉礁中国国民党支部会计科副主任；麦森为霹雳嗱乞中国国民党分部会计科主任。此状。

总　　　　理（印）

总务部部长彭素民副署

财务部部长林业明副署

据《国父全集》第四册（转录《本部公报》一卷十六号）

给陈英担等委任状

（一九二三年四月九日）

委任陈英担为吉礁中国国民党支部党务科正主任，李茂海为吉礁中国国民党支部党务科副主任；高逸山为霹雳嗱乞中国国民党分部党务科主任。此状。

总　　　　理（印）

总务部部长彭素民副署

代理党务部部长孙镜副署

据《国父全集》第四册（转录《本部公报》一卷十六号）

给李引口等委任状

（一九二三年四月九日）

委任李引口为吉礁中国国民党支部正部长，颜金叶为吉礁中国国民党支部副部长，戴俌季为吉礁中国国民党支部评议部正议长，张日新为吉礁中国国民党支部评议部副议长；梁栋英为霹雳嗱乞中国国民党分部正部长，胡□为霹雳嗱乞中国国民党分部副部长，钟发为霹雳嗱乞中国国民党分部评议部正议长，李智寿为霹雳嗱乞中国国民党分部评议部副议长。此状。

总　　　　理（印）
总务部部长彭素民副署
代理党务部部长孙镜副署
财务部部长林业明副署
宣传部部长叶楚伧副署
交际部部长张秋白副署

据《国父全集》第四册（转录《本部公报》一卷十六号）

准任张国森职务令

（一九二三年四月九日）

大元帅令

大本营参军长朱培德呈请任命张国森为大本营参军处少校副官。应照准。此令。

中华民国十二年四月九日

据《大本营公报》第七号

准任吴文龙职务令

（一九二三年四月九日）

大元帅令

大本营参军长朱培德呈请任命吴文龙为大本营参军处上校副官。应照准。此令。

中华民国十二年四月九日

据《大本营公报》第七号

给萱野长知特派状

（一九二三年四月九日）

特派状：特派萱野长知为调查戒烟事宜专员。此状。

孙　文

中华民国十二年四月九日

据《国父全集》第四册（转录史委会藏原件）

褒扬顾品珍令

（一九二三年四月九日）

大元帅令

前云南总司令顾品珍，忠诚纯笃，勇略冠时，治军有方，勋劳夙著。护国护法无役不从，艰阻备尝，志气弥厉。本大总统特任为云南总司令，绥辑军民，有功边缴〔徼〕。前年自请率师北伐，董率将士，为国驰驱，不幸中道陨于寇乱。所部将士，秉承遗志，间关千里，以赴国难，遂能攘除叛逆，戡定广州。本大元帅每维教战之绩，益怀赴义之勋，宜有褒荣，用彰遗烈。顾品珍着追赠陆军上将，照上将阵亡例给恤，由军政部查照定章办理。生平事迹并宣付国史馆立传，以昭崇报而示来兹。此令。

中华民国十二年四月九日

据《大本营公报》第七号

褒扬赵又新令

（一九二三年四月九日）

大元帅令

前靖国军第二军军长赵又新，志虑忠纯，韬略娴习。护国护法两役，转战黔蜀，躬在行间，所向有功，军民爱戴。民国九年之役，陨于行阵，见危授命，无愧军人。本大元帅每轸干城之寄，益兴鼙鼓之思，特予褒扬，用彰遗绩。赵又新着追赠陆军上将，照上将阵亡例给恤，由军政部查照定章办理，以昭义烈而励戎行。此令。

中华民国十二年四月九日

据《大本营公报》第七号

发给金华林黄昌谷旅费令

（一九二三年四月九日）

着会计司发给金华林、黄昌谷二人旅费贰千元。此令。

孙　文

中华民国十二年四月九日

据《国父全集》第四册（转录史委会藏原件）

任命张开儒职务令

（一九二三年四月十日）

大元帅令

特任张开儒为大本营参谋长。此令。

中华民国十二年四月十日

据《大本营公报》第七号

委派陈独秀等职务令

（一九二三年四月十日）

大元帅令

派陈仲甫、谭平山、马超俊为宣传委员会委员。此令。

中华民国十二年四月十日

据《大本营公报》第七号

准蒋中正辞职令

（一九二三年四月十日）

大元帅令

大本营参谋长蒋中正呈请辞职。蒋中正准免本职。此令。

中华民国十二年四月十日

据《大本营公报》第七号

免马超俊职务令

（一九二三年四月十日）

大元帅令

工兵局筹备委员马超俊另有任用，应即免去本职。此令。

中华民国十二年四月十日

据《大本营公报》第七号

给徐绍桢的训令

（一九二三年四月十日）

大元帅训令第六七号

令广东省长徐绍桢

据大本营军政部长程潜呈称："案据官煤局总办黄实呈称：'呈为呈请事：窃查江、海防司令部及职局，原同属广东省长公署范围。现江、海防司令部饷薪经费，业经奉令改由钧部支放，各舰需用煤吨，为数綦巨，与职部关系至为密切，倘无明文规定，俾有率循，受令无所适从，手续殊形纷杂，如何之处，伏候饬遵'等情。据此，查江、海防舰需用煤吨甚多，事权若稍分离，应付深感困难，似应将官煤局改隶职部直接办理，俾收支放便利之效。所有请将官煤局改隶职部办理缘由，是否可行，伏候指令祗遵"等情前来。查官煤关系军需，管辖应取一致，该部长所陈，事属可行。除指令呈悉，准如所请办理，候令行广东省长遵照外，合行令仰该省长即便遵照。此令。

中华民国十二年四月十日

据《大本营公报》第七号

给李烈钧许崇智的训令

（一九二三年四月十日）

大元帅训令第六八号

令闽赣边防督办李烈钧、东路讨贼军总司令许崇智

汕头无线电台已着无线电工程总管梁志宏克日兴工建筑完备，以便通电。除令知该总管办理外，合行令仰该督办、总司令知照。此令。

中华民国十二年四月十日

据《大本营公报》第七号

给梁志宏的训令

（一九二三年四月十日）

大元帅训令第六九号

令无线电工程总管梁志宏

汕头无线电台着即日建筑完备，以便通电。除分令李督办及许总司令知照外，合行令仰该员克日兴工办理。此令。

中华民国十二年四月十日

据《大本营公报》第七号

给赵士北的训令

（一九二三年四月十日）

大元帅训令第七十号

令大理院长赵士北

据侨商潘嘉呈称："窃侨商潘嘉，奔走国事十三年，皆以国事党事为务。在小吕宋所设商号，专办国货。因我民国政府提倡实业，欢迎侨商投资，是以集资返国，复在河南凤凰冈凤宁北开设大强织造厂，地方偏僻，不入警察范围，且无更保，常受盗扰。不料去年五月十三夜，又来强徒在墙外挖洞。厂中工伴陈祥、胡德、潘成三人醒觉，突起开门瞷之。火光中，已认得为屡偷厂物之匪。匪闻门开，反挥刀扑来，三伴急以铁钊〔锹〕、木棍抵御，将其戳伤，匪始急窜，遂不穷追，实不知该匪逃至中途受伤倒毙。伏思地无兵警，门有凶徒，喊叫无从，迫得自出防卫。自卫固无干罪，御盗更可奖巧〔功〕。莫奈时当大总统蒙难离粤，潘嘉亦逃避回岷，未暇为之营救，故陈、叶[①]窃政，司法界之黑暗，已尽人皆知，何待赘溯，竟于十一年十〔七〕月十六日判决，处拒盗之工伴三人四等有期徒刑一年。扣至本年三月底，已被押八个月。窃念侨商投资归国，既无保护，不得已出于自卫。而自卫反受滥刑，不特工伴之冤无可伸，即侨商归国之心何难因是而灰冷。今幸大总统回粤，如云开见天，人民冤苦必蒙矜悯，故前月十日曾茹痛泣叩公府，乞念侨商横受冤押，特赦出狱，虽蒙面许，未见明令。今陈祥等双脚受镣，初而肿涨〔胀〕，继而溃烂，日夜呻吟，势成废疾。似此无辜被祸，莫不矜怜，故孙市政厅长、吴公安局长皆曾为三人设法，请主张公道，使昭雪冤狱。为此，万不得已，再叩崇辕，乞念侨商受窃政者所摧残，受枉法者所滥罚，立下明令，特赦出狱，使陈祥等三人不至无辜瘦〔瘐〕毙，则永感者不特潘嘉与工伴三人，即一般投资归国者，亦闻风颂德，讴歌国父不置矣"等情前来。查陈祥、胡德、潘成等三名，事出自卫，情有可原，业经执行徒刑数月，应予从宽减刑省释。仰该院长转饬该

---

① 陈、叶：指陈炯明、叶举。

管检察厅遵照办理。此令。

中华民国十二年四月十日

据《大本营公报》第七号

给程潜的指令

（一九二三年四月十日）

大元帅指令第八五号

令大本营军政部长程潜

呈请将官煤局改隶军政部直接办理由。

呈悉。准如所请办理，候令行广东省长遵照可也。此令。

中华民国十二年四月十日

据《大本营公报》第七号

致某人函*

（一九二三年四月上旬）

曹、吴竭数月之力，欲以一沈鸿英统一西南，且为督理伪令，使北方政局，几呈大变。乃伪令既下，不但不足以动我分毫，转使沈投顺之心，更为坚切，并为避嫌起见，已全军遵令移防。即沈、陈联合之企图，亦归无望。以陈部残军，所存无几。距沈远者，既感事实之困难，近者又多向我表示诚意，正极力剖白联沈之无稽。故曹、吴计划，至此已成画饼。又滇军杨希闵，因北廷任为军务帮办，

---

* 据原报称，原函甚长，此处仅系该函大意。收信者姓名不详，据函中提到沈军遵令移防等内容，时间当在四月上旬。

闻讯痛愤，向予声辨至再，并率其军官十余人，尽数入国民党，指天誓日，永不相背。余之部下既已一心一德，全粤人士，亦共愿服余命令。现在市面平靖，安堵如垣，大局前途，至可乐观。惟余唯一目的，则仍在实行兵工计划，粤中已着手进行。倘北方果有和平诚意，即可同时裁兵，和平统一，指日可待；倘以正统自居，而目人为割据僭窃，则余为倡导正谊起见，势不得不与之周旋中原也。

据上海《时报》一九二三年四月十四日
《孙氏致京中某君之一封书》

任命梅光培职务令

（一九二三年四月十一日）

大元帅令

任命梅光培为广东全省官产清理处处长。此令。

中华民国十二年四月十一日

据《大本营公报》第七号

给徐绍桢的训令二件

（一九二三年四月十一日）

一

大元帅训令第七三号

令广东省长徐绍桢

据广东电政监督李章达呈称：“窃维此次电报局罢工风潮，实沙面电报局长陈昌为首，收聚徒众，接济金钱，妨害交通，扰乱电政，实应受刑事上之制裁。经将该局长撤差，听候查办，遗缺即委电报毕业生麦萼楼接充，又被多方推宕，抗不交代。前经呈请帅座饬行通缉在案。忖电报关系交通，不容停滞，特派员督匠四出修整杆线，复电省外各局协修，方期指日功成，恢复原状。讵迩来叠接广局及各局员司报告，各线随修随阻。查系陈昌唆使奸人暗中搅乱，冀遂其破坏电政之私。始则滥觞于广州一隅，继而波及于广东全省。似此行为，不法已极，其心不可测，其罪不容诛，理应咨会军警将该犯拿获解办。惟该电报局落在沙面英段租界，陈昌常匿居是间，倘若直接逮捕，手续上不无窒碍。基此原因，理合将陈昌为首滋事、聚众罢工及抗不交代各情，备文呈恳帅座俯准，迅饬省长转饬交涉员向英领交涉，务将陈昌驱逐出局，引渡归案究办，以维国法而重主权”等情。据此，除指令呈悉，应照准，候令行广东省长转饬交涉外，合行令仰该省长转饬交涉员，迅向英领交涉，并将办理情形具复。此令。

中华民国十二年四月十一日

据《大本营公报》第八号(一九二三年四月二十七日出版)

二

大元帅训令第七四号

令广东省长徐绍桢

据广东无线电报总局局长冯伟呈称：“窃职局无线杆塔两座，其左便[①]一座，安设于局所相连旁地，塔下空地，面积甚宽。其右便一座，安设与局所相隔较远，即今之天天楼茶居右边，塔下空地，面积一如左便；惟现在堆积瓦砾及为人摆卖盘〔盆〕花，有用木板装成房舍者，又有筑作商店者一间，现开德新荣字号，形式亦极矮小

① 左便：粤语左面，下同。

简单，每于修整电杆，诸多障碍。因思该处已系电塔所在，想属公地，迨派员查问，据该商人声称，系同合益公司黄文硕租赁，并据黄文硕将财政厅给予管业凭照徼验。查核该照系民国八年一月发给，所填上手来历，只注宣统年间成德堂将此地在前清官银钱局按揭巨款，逾期弗赎，早经没归公有，并未载有成德堂之姓名，已造成无可追问。查此电杆塔于宣统三年移设该处，如果该地址系成德堂私产，其时公家亦必以价购买，始能在该地建筑；假使成德堂按押在先，该地已属公有，亦必划明阔狭。查民国六年间，曾经官银钱局清理处派员与职局工程师司徒瀛会同勘明，划定电塔脚下两旁地址，留余三丈之宽，南通大马路，北通二马路，原为电塔损坏应行修整时有所通往。今案卷因变乱虽失，而原勘人员尚可查问。况该公司呈请承买事又在民国八年，每井价银只二百五十元。其时长堤业已建筑，不特无此低贱价格，且电杆塔设在中间，而四围准商人承买，势必建造铺屋，将来完全造起，四维圈塞，试问修整电杆从何出入？此中已多疑窦，难保无商同瞒承之弊。所幸该公司原领地段共列十三号，现尚未完全建筑，只称第六第九两号经筑洋楼。局长以该公司既有财厅所给凭照，无论上手清白与否，姑不深究。现拟按照凭照内所列每井二百五十元，共一百井零零八十二方尺，除第六、第九两号共十四井零八尺六寸业经建筑免议外，其余第一、第二、第三、第四、第五、第七、第八、第十、第十一、第十二、第十三等号，按照原价如数给还，即将财厅所出凭照十一张收回涂销，然后由职局测量规划，除留电杆塔脚下附近空地照原案计划外，大约可盈余地七拾井有奇。若按照近日时价，比较该公司原领价格不无大相悬殊，估计尚可盈余多数。当此公家财窘之际，以盈款拨作计划推广无线电经费，实属不无裨益。局长为整顿扩充起见，理合具文并粘抄合益公司所缴财厅凭照一纸，呈请察核。是否有当，伏乞训示祗遵”等情。据此，除指令呈悉，所请各节，仰候令行广东省长转饬市政厅工程局查明再夺外，合行令仰该省长查照办理具复。此令。

中华民国十二年四月十一日

据《大本营公报》第八号

给赵士北的训令

（一九二三年四月十一日）

大元帅训令第七五号

令大理院长赵士北

据袁兆祺、陈德呈称：“窃工人袁兆祺、陈德，皆受广东电车有限公司雇充电车司机。于民国十年九月二十五日，袁兆祺因驶车至万福路欲避一老叟，遂至辗毙市人尹洪顺。同年十一月二十日，陈德因驶车至天字码头，适有手车夫温金，拖车由永汉路横过电车之前，陈德制止车机不及，遂至辗毙手车夫温金。依法应由公安局查照广州市行驶车辆交通罚则处断，乃法庭竟向公安局提案自办，舍弃交通罚则，强用普通刑律，判处袁兆祺执行有期徒刑四年，赔偿抚恤费共八千三百五十元；判处陈德执行有期徒刑二年零六月，赔偿抚恤费一千五百元。除赔偿抚恤费，已由被害人亲属先后依照广州市行驶车辆交通罚则规定数目先后领取完案外，工等对于判处徒刑被押经年，坐困囹圄，终日饮泣，莫奈伊何。伏读中华民国约法第二十八条，大总统有宣告大赦、特赦、减刑之规定，工等因行驶车辆犯事，法庭偏舍弃行驶车辆之单行法，强以普通刑律处断，实为非常冤屈，迫得匐叩崇辕，恳请依法宣告减刑，将袁兆祺判处执行有期徒刑四年减去三年零六月；陈德判处执行有期徒刑二年零六月，减去一年零六月，未决期内羁押之日数，准照现行新刑律第八十条规定，以二日抵徒刑一日，依法扣减省释，实为德便"等情。查该工人等以执行业务过失杀人，业经执行徒刑一年以上，所有吁恳减刑省释之处，应即照准。仰该院长转饬该管检察厅遵照办理。此令。

中华民国十二年四月十一日

据《大本营公报》第八号

发给刘玉山制弹费令

（一九二三年四月十一日）

着财政厅长发给刘玉山制弹费六千元。此令。

民国十二年四月十一日

据《研究中山先生的史料与史学》中许师慎《〈国父全集〉未刊载之重要史料》

发给姚雨平部开拔费令

（一九二三年四月十一日）

着财政厅长发给姚雨平军队开拔费叁万元。此令。

民国十二年四月十一日

据《研究中山先生的史料与史学》中许师慎《〈国父全集〉未刊载之重要史料》

致三藩市总支部函

（一九二三年四月十二日）

中国国民党驻三藩市总支部诸同志兄鉴：

执信学校需款甚切，兹汪精卫夫人陈璧君女士及其弟耀祖来美筹款，务望诸同志热心捐助，并乞广为劝募，以示尊崇先烈、造就人才之意，无任感荷。专此，即颂

公绥

孙文 四月十二日

据《国父全集》第三册（转录《会书》之十函札）

致李烈钧电

（一九二三年四月十二日）

饶平探送李边防督办鉴：得鱼、蒸电，知率所编各军移防，已为周妥，极用嘉慰。吾兄连年戎马，未获安居；而移驻闽疆，师行日远，想念贤劳，钦迟靡暨。幸努力前途，以副厚期。孙文。侵。

据《大本营公报》第七号

复张作霖电*

（一九二三年四月十二日）

奉天张雨亭先生鉴：蒸电辟复辟谣诼，并嘱宣布，转饬各报更

* 四月十日，张作霖致电孙中山（蒸电）称："近日报纸登载奉省有图谋复辟之说"是"无意识之谣诼"，力陈自己"但知爱护共和"，希望孙中山代为剖白。

正，具见矢忠民国，曷胜钦佩。国建共和十余稔矣，中经复辟之变，不旋踵而灭。国体既定，诚有非顽民所能颠覆者，执事之明，岂或屑此。不图乃有以是为中伤者，人心之险，良可浩欢〔叹〕。执事通电明志，国人皆将喜闻此祥和之言。文亦将视力所及，勉为执事剖白之，更冀本爱护共和之初衷，进而为解决大局之盛举，文虽不敏，至愿与时贤共之也。孙文。侵。

据《大本营公报》第八号

委派廖仲恺职务令

（一九二三年四月十二日）

大元帅令

特派廖仲恺为劳军使。此令。

中华民国十二年四月十二日

据《大本营公报》第七号

任命刘玉山职务令

（一九二三年四月十二日）

大元帅令

任命刘玉山为中央直辖第七军军长兼中央直辖第二师师长。此令。

中华民国十二年四月十二日

据《大本营公报》第七号

任命陈天太职务令

（一九二三年四月十二日）

大元帅令

任命陈天太为中央直辖第三师师长。此令。

中华民国十二年四月十二日

据《大本营公报》第七号

命黄隆生收管金库券令

（一九二三年四月十二日）

着黄隆生将财政厅印成之金库券全数收管。此令。

孙　文

中华民国十二年四月十二日

据谭编《总理遗墨》第一辑

给黄焕庭的指令

（一九二三年四月十二日）

大元帅指令第八八号

令卸广南船厂总办黄焕庭

呈报点交广南船澳及解除总办职务请核准销差由。

呈及清册均悉。准予销差。此令。

中华民国十二年四月十二日

据《大本营公报》第七号

广州成都铁路金币借款合同

（一九二三年四月十二日）

本合同于中华民国十二年四月十二日即西历一九二三年四月十二日订立。其订立之两造，一为中华民国政府，以孙中山博士全权代表国家及地方当局（以下简称“政府”）；一为加拿大英属哥伦比亚温哥华北方建筑有限公司（以下简称“承造人”）。

政府与承造人议定之条款如下：

第一条

承造人或其让受人愿意代中华民国政府募集年息为七厘之金币借款（以下简称“借款”），其数额以建成由广东省之广州至四川省之成都铁路（以下简称“铁路”）及其支路，双方估计所需之款为限。

此项借款待第一期债票发行之日起，即称为“中国政府国家铁路七厘金币借款——广州成都铁路借款”。

第二条

此项借款所实得之进款，用于建造此路及购置设备以及关于此项工程一切必需之费用。

第三条

此项借款还本付息，由中华民国政府良好信誉及其总税收担保，并以此路为特别抵押。

此特别抵押,为此路首次抵押,由承造人及其让受人代表债票持有者享有之(以下简称"受托人")。凡此路已建成及正在建造者以及由此路所收之各项进款,连同为此路已购及拟购各种材料、车辆、建筑物皆作为抵押品。

如每半年应还之本息全部或部份期满不能偿还时,受托人有权代表债票持有者履行由特别抵押权而所规定之各种权利。

此特别抵押权应照本条以契约办理。但须特此声明:此路除由中国政府愿意担保及抵押外,实系中国财产。此路所用土地之契约,务须毫无各种纠葛,并应随买随写,用此路名义注册立案。在勘定线内所购地段之报告各件,连同地契,应由此路总办事处送交受托人之代表收执,作为首次抵押之据。在中国政府未收回所有契据之前,照本条下文所载:凡地契存于受托人充作借款部份首次抵押之地亩,如未经中国政府字据允准,无论作何用处,一概不得出租或转售他人。如遇中国政府不能偿还借款本息时,受托人可依照抵押权限处理。所购土地务须毫无各种纠葛,并须依照中国法律规定应有各项契据妥善过契,由受托人之代表注册收执,依照本合同作为债票首次抵押,待借款本息及各项欠款还清后,即交还中国政府。如遇中国政府不能偿还本息时,受托人可依照抵押权限处理。

为进一步保实首次抵押起见,中国政府在债票赎回之前,不得将抵押之地亩、此路及此路产业出售转让与他人,或使其受损害,亦不得稍有损碍首次抵押之权利,但有受托人缮据明确允准除外。允准与否视有无损害债票持有者之利益而定。

又议定,借款本息及各项欠款倘未还清之前,除受托人缮据明确允准外,中国政府不得将上述各产业再行抵押与他人,无论是华人还是外国人。

第四条

如债票每半年之利息不能如期照付,或依照偿还附表所载,分期应还本款不能清还,则全路及其产业抵押与债票持有者之受托人,由受托人依照法律处置,使债票持有者利益得到正当维护。如因有中国政府无力控制之种种原因而不能照付到期之款,或政府要求受托人展期接管铁路,且限期不得超过六个月,可由中国政府与受托人之代表和衷议决。此项借款本息及其他各项欠款还清后,应照本合同各条所载将铁路及其全部产业完好合用交还中国政府收管。

第五条

债票之利息每半年一算,即每年六月一日及十二月一日支付,每次摊还借本及利息之数目,以及经理清还借款之代理人即承造人或其让受人之应得酬金,按每百元得一元之四分一算(按二毫五算),一并如数于期前十四天付给承造人或其让受人。建路期内应付利息之数目及二毫五之酬金,均由发行债票银行应承造人及其让受人之请求,于期前十四天在此借款所得之进项内提支,交给支付此项借款之代理人。建路期内未用之借款转存生息之利息及建成之路段行车后所得之款,皆可充付利息。如尚不足,可从借款本款内提付,此路全线竣工后,债票利息及经理借款之酬金,由中国政府从其收入及铁路进款中交付,于期前十四天一并如数付给承造人或其让受人。

中国政府担任依期清还此项借款之本息,无论何时,如此路进款及借款之现存余款不敷偿还债票利息及依照偿还附表所载分期应还之本款,中国政府应设法从他项进款拨补,以能于每届偿还期至少前十四天，将全数交付承造人或其让受人。

第六条

此项借款之债票应为中华民国政府债票。

第七条

此项借款之期限及其赎回之期限，将由双方互相商定。

一俟此项借款全数清还，本合同即无效，抵押亦取消。

第八条

债票式样，应由中国政府与承造人及其让受人于合同签定后迅速确定，如今后票样因加拿大或其他国家银市之需要必须更改，可由承造人或其让受人与中国政府或其代表会商，酌情略改。但债额总数及中国政府负债之责任不得稍有更动。所有改易之处，应由承造人或其让受人呈报中国政府。

债票准用英文刻印。中国政府受权代表之签字及其印信亦均摹刻于上。

此项借款债票须每张编连贯号数，由承造人或其让受人监督刻印，印数酌情而定。中国政府代表签押后再由承造人或其让受人附加签押。

此项债票若有遗失或损毁，则其遗失或损毁之债票可照数补发，惟须有遗失或损毁之确实证据，以通用形式交与承造人或其让受人及中国政府代表，以便查核存案。承造人或其让受人应获得索补债票人必须之担保。索补债票人应负责关于补发债票等一切费用，并担保赔偿中国政府或承造人或其让受人所有因补发债票而受之损失。

第九条

所有借款招帖以及付息还本一切详细办法，本合同未予载明者，均由承造人或其让受人与中国政府代表商定。俟本合同签字后，即准承造人或其让受人迅速发出。此借款招帖遇有需共同办理之事，中国政府令其代表与承造人或其让受人协同酌办，并将此借款招帖签字。

第十条

此项借款债票分两期或数期出售。第一期数目为一百万至一千万美元，应于本合同签押后迅速发行。此债票发行之价额由政府及承造人或其让受人参照同类债票最近之市场价值预先酌定。

此债票发行之实价，除在各国发行之印花税及议定为发行债票应付酬金外，即为中国政府所得之实数。

第十一条

此项借款实得之进款，由承造人指定并担保存放发行债票之银行，列入“广州成都铁路”户下，并按该银行之例价取息。

建筑工程即将开始时，应将在中国六个月内所需之预算款额，汇交双方议定之中国银行，列入“广州成都铁路”户下。中国政府动用此款，须凭总帐房及总工程师之签名支单。此六个月所需之预算款额汇兑后，每月应陆续汇款，以便中国常有六个月预算之款项。中国存放银行应按中国银行利息时价付给利息。

第十二条

承造人或其让受人被任为债票持有者之受托人（以下简称“受

托人”)。此后,中国政府与受托人有借款交涉之事及由此产生的各种问题,受托人作为债票持有者之代表,有权代表他们行事,将来建筑工程竣工后,受托人仍为债票持有者之代表,并从债票发行之日起至清还之日止,每年获得债票持有者应交五千美元酬金。

第十三条

此路竣工后,如有出售债票剩余之款,此款应由中国政府支配,或照本合同后文所载赎回债票,或存入双方议定之银行,作为偿还借款利息之用,或用于利于此路其他事项,但须由中国政府先期通知受托人。

第十四条

全路所需在勘测界限内之地及岔道、车站、修理厂和车库所需之地,由中国政府照详细计划按实价购买。其购款及关于购地之必需费用,均由借款进项中支付。

第十五条

一俟提供此项借款,中国政府即于广州设立铁路总办事处,其存在时间,到全部债票清还完毕。此办事处设一中国督办,由中国政府委派,配一总帐房为副手(以下称“总帐房”),须加拿大人或英国人,加拿大人之代表或有名望之英国清帐公司代表亦可。工程完竣后,所用之总工程师(以下称“工程完竣后总工程师”),亦须加拿大人或英国人。所有这些雇员及其后继人,由中国政府与受托人共同推荐。当其解雇时,亦得由中国政府与受托人双方同意。当雇员或其后继人因病故或解雇或解职或退休,造成空缺且本条款有效时,则应照上述推荐委用各办法,由英国人及上述有资格者补充。

兹因上述这些雇员职责是为增进政府与债票持有者共同利益。故订明，如遇有争执，均通过政府与受托人代表和衷解决。工程完竣后总工程师及总帐房之薪金及聘用合同之条款由政府与受托人商定，其薪金等费用均由铁路总帐中支付。

为办好此路，所有重要技术人员，应聘用富有经验有才干之外国人。如遇有同样能胜任之中国人应优先聘用。其聘任及其职责，经督办与工程完竣后总工程师协商后呈中国政府核准。聘任总帐房办事处之外籍人员，其手续相同。所聘外籍人员如有不正当行为或不能胜任者，由督办同工程完竣后总工程师商议后，经政府核准可免其职。聘用外籍人员合同应与通行格式相同。

总帐房帐务处所管此铁路建造及行车之收支帐目，应用中英两文书写。总帐房有组织及监督帐务处之责，并应经由督办将其所管之事报告政府，报告（债票持有者代表即）受托人。所有收支款项，得由总帐房签字经督办及工程完竣后总工程师核准，方可作证。

总帐房可雇用中国人员，其主要帐务人员应有熟悉帐务处整个帐务之各种机会。

全路告竣后，所需各种技术人员之安排，由督办与工程完竣后总工程师商定，并及时报告政府。

工程完竣后总工程师之职责，应是与督办商定既有效又经济维护及管理此路之办法。

在工程期内，每年从铁路借款中拨付一定款项，其数额由政府或为此而指派之官员与承造人或其让受人酌定，由政府或某专门负责之部门支配，经政府核定为办公费用。

督办经政府准许，可设立一学校，以教授中国学生铁路知识。

本条所言各节，不仅在工程期内有效，而且在债票未清还之前始终有效。

第十六条

一俟提供此项借款，即由政府与受托人协同推荐，并由政府委任一有名望之加拿大或英国顾问工程师公司（以下简称“顾问工程师”）与督办协同办理此路事务。其驻中国代表应是加拿大人或英国人，应是建造期内总工程师（以下即称“建造时总工程师”）。建造时总工程师及其后继人之免职或开除得经政府与受托人共同批准方能生效，新任之建造时总工程师亦应是有名望之英国人，其委任办法与上述相同。

建造时总工程师应监督承造人最经济建成此路，以便依照本合同各条款保护政府和债票持有者之利益。

兹因顾问工程师及建造时总工程师负有增进政府与债票持有者共同利益之责。故双方议定：如遇有争执，均由政府与受托人之代表妥善解决，其薪金及聘用合同之条款应由政府与受托人酌定，薪金等项开支均由此路总帐中支付。

顾问工程师及建造时总工程师对于直接或经由督办转达之政府意旨或训令，应予以尊重执行。对于督办关于工程技术之训令，亦应遵守，但同时应视其有无妨碍有效建造此路及其设备之完善，以便使此路成为债票持有者之完好担保品。

此路各线设计书及其他一切图样均由顾问工程师备办，经督办监核，并须注意到工程及设备所需之资本、将来回收资本之能力、当地情形及需要、工程是否经济及此路大概运输量等等，还须顾及到铁路设计合理，并有获利能力，确保此路设备完善等政府之意图，以便使此路成为债票持有者完好之担保品。

此路行车时所需之车辆包括机车应提供充足，其质量及数量，由建造时总工程师会商督办，视此路大概运输量及运输情形而定。

第十七条

如中国政府欲为此路行车、帐目及全路轨道、材料、钢轨等设备，制定统一规章，则此路之管理亦须遵守此规章，并不得有损于债票持有者之利益。

第十八条

兹委任承造人为中华民国负责此工程建筑及装配经理人。承造人应善于选用上等材料，按督办及建造时总工程师意图，依照设计要求建成此路。承造人应遵照由督办转达之政府训令，按建造时总工程师之意勘定线路。

兹委任承造人于建造期内为此铁路局购买所需国外进口一切材料设备经理人。凡督办要求购买一切重要材料要征得建造时总工程师同意。如所购材料系从国外进口，该经理人须用最便宜价格购买，按净价计算费用。兹特声明：所拟购材料及支取费用，得经督办及建造时总工程师核准，否则无效。

承造人应于购买国外材料之前进行查验，其查验费用应照实开支。

督办及建造时总工程师亦应对在国内所购各重要材料进行查验，未经双方查验批准者不得点收。

第十九条

承造人应聘任一名中国政府合意有才干之经理人并正式授予权利，代表承造人驻在工程或其附近，于建造期内代其负责此路工程。亦可酌情随时雇用能胜任之负责工程师、稽查员、监督总管、分管、工头及工人等。承造人还须备医供药为全路工程人员服务。

承造人担保所用外籍职员遵守中国风俗礼教，以及所订通商条约和中华民国政府关于寄居中国外籍人员规定，如上述外籍职员中有行为不正或不服管理或对中国地方官员不尊敬或虐待乡民等事发生，承造人一经通知后，即当根据犯事情形公平处理。

无论何时，如督办指控承造人所用之中外职员有行动不当或品行不端，则应立即查核，以便公平判决。如所指控确有证据，则犯事人应即开除。

建造此路所用之中国技术助手，承造人应为其提供熟悉铁路各部门情况之方便，并令工程人员尽力为其提供有关建路资料。

第廿条

全路所需及建造此路所需之地（包括道碴坑及取土坑），无论久用或暂用，以及便于此路或进入此路之地，均由政府及时备妥，便于承造人随时使用，不致延误工程进行。

第廿一条

中国政府所付承造人建筑、装配此路及工程期内维持此路花费金额，应按承造人实际垫付之金额及为此应付花费百分之五酬金计算。此实际垫付之金额应包括购买设备器械、总管人员薪水、管理及工作等费用及承造人所支一切费用；从欧洲或他处特聘技术师及工人等国内外旅费；以及职员专为本合同事来往旅费；购买设备器械等物品，包括物品原价及运费之实际金额，机械之租金；以及为方便所雇职员而设立之伙食处、诊疗所所需之一切费用。

承造人未得督办及顾问工程师之许可，不得与工人或任何人议定包筑或转包业务，以致有他项垫出费用。如有上述情况，其垫出费用，未经督办及顾问工程师许可，其所垫之款或全部或部份由督办及顾问工程师核定，不得列入承造人之帐。但承造人所雇职员及其薪金不在此例，由承造人自行处置。除承造人之经理人及其属下主要工程师外，其他外籍工程师及办事员之薪水与中国同类铁路人员相等。

所谓此路设备，应包括此路行车时所需一切必须之物，包括备足行车所需车辆、机车。兹特此声明：不包括此路完全建竣并设备齐全交于中国政府后所购一切设备。所有为此路所购地亩费用，督办、总帐房、顾问工程师之薪金，各办事处及其职员所用一切费用，亦不在上述建造和设备范畴内。

中国政府见经督办、建造时总工程师及总帐房核定之支出单据，即付与承造人为上述事百分之五酬金。

第廿二条

中国政府无论何时应为承造人因本合同事提供用款。为此，中国政府应实行随时付款办法。由承造人于每月底至少前七天将下月工程估计用款帐单送交建造时总工程师，政府即于每月一日拨付所估之款，存入承造人所指定之银行，为承造人之存款，如上月有欠承造人之款，应一起拨付，或于承造人处有多余之款，亦可照数扣除。

第廿三条

承造人在建造及装配此路过程中，完全可自由使用此路及工厂。在建造期内，亦可完全自由使用为此路及岔道、车站、工厂、房屋、水塔等所用一切地亩，包括取土坑、采石场、道碴坑、砖窑等用地。俟此路建成后应全数交与中国政府。

第廿四条

勘测完成后，如政府以为可行，则可与承造人议定付给红利办法，根据政府所定用款及所定期限内完成建造及装配此路某段而定。如此项办法议定后，承造人不能用所定用款于所定期限内完成建造及装配此路某段，承造人不负责任，亦不受罚款。

第廿五条

中国政府应防止干预、阻碍和骚扰承造人之事发生，并须采取必要之防范措施，以保护承造人所雇人员及财产安全。

第廿六条

承造人所雇职员之财产及与工程有关之一切人和物，均须由中国政府保护。政府应注意地方安宁，不得有预谋妨碍工程之事发生。如遇有工人缺乏而有碍工程进行，政府应尽力与承造人配合，妥为解决，并全力协助承造人雇到工人。

第廿七条

督办、建造时总工程师及承造人之代理人应就有关工程必须实行之事进行晤商，以求商定维护各自利益及原则；双方满意之办事细则及行动准则。如因有关此路装配、建造而引起之争论（除非另外订定），则应由不满意一方立即向政府提出，政府应迅速作出公正裁决。如某方觉得受亏或不满意，则应立即交双方所推之两中立公正人裁决。该公正人应按加拿大仲裁法调查情况，作出公平判决。如两公正人所判不能一致，再立即交两公正人所推一公断人判决，此公断人之判决即为终判，双方不得再有争执。

第廿八条

承造人于建造期内，应视建造情况而起用临时轨道行车，一切车务应照督办所定之价目单及有关章则办理。行车进款，扣出总帐房为行车支出费用后，承造人应得多余之款之三分之一。

第廿九条

如督办及建造时总工程师认为某路段竣工可行车时，承造人应依照本合同之规定交与中国政府。至于何段为竣，应于完成勘测后划定。

第卅条

为保护全段安全，应设中国铁路巡警队，归督办指挥，其警官均用中国人。所有警饷及维持费用，完全由此路建造及维持费中支付。如此路遇有需请中国政府派兵保护时，应由铁路总办事处申请政府迅速派出，其费用由政府付给。

第卅一条

此路建造及行车所需各种材料，不论由国外进口，还是由各省运至建造工地，如中国其他现存及拟造铁路享有厘税豁免之待遇，则此路亦应享有。此路借款之债票及其息票以及此路进款，均应豁免中华民国政府各税。

第卅二条

中国制造和生产之材料，如价格及质量与进口材料相等，应优先购用以促进中国工业发展;加拿大材料,如价格及质量与其他各国材料相等,亦应优先购用。

第卅三条

承造人经中国政府同意,可将其各种权利全部或部份转让或委托与其后继人或让受人。

第卅四条

如有必要适当发行为建造此路全部或部份之省债票,广东广西两省依照本合同所定各条款,并以各省总税收及其良好信誉作保,可有权发行。其数额以建造本省境内路段所需款项而定。若各省直接与承造人订立合同,但本合同所定之各省管理与监督之权仍属广州政府或中华民国统一政府。各省应由稽核员向督办报告各省经费开支情况。

如日后需发行中华民国债票取代上述省债票,政府即行同意发行中华民国债票取代之(如有必要的话),并以中华民国总税收及其良好信誉担保。

如本合同签订后十二个月内工程尚未开始,中国政府可终止本合同,双方均不为本合同付代价。但虽已期满,而正为财政事进行交涉,则可延长六个月,再展期得经双方互相商定。

第卅五条

一俟成立统一政府,中华民国政府及广东广西省政府,保证中华民国统一政府批准并采纳本合同,若统一政府即为此约原执行者,此种“批准”及“采纳”即为本合同发行债票之保证,并以中华民国总税收及良好信誉作担保。

第卅六条

本合同共缮写英文中文五份。中国政府留存三份，送交英驻华大使或英驻广州总领事一份，承造人收执一份。如有疑义之处，应以英文为准。

本合同于中华民国十二年四月十二日即西历一九二三年四月十二日，由两造在广州签字。

中华民国十二年四月十二日

西历一九二三年四月十二日

孙中山（签字）（印）

加拿大北方建筑有限公司副董事长卡明（签字）

见证人　陈友仁

据中国第二历史档案馆藏英文原件译稿（孙修福译）

给程潜等的训令

（一九二三年四月十三日）

大元帅训令第七九号

令大本营军政部长程潜、大本营驻江办事处全权主任古应芬、广东讨贼军第四军军长梁鸿楷

广东讨贼军第一师师长李济深所部，及中央直辖第四独立旅旅长张振武所部、现驻新兴第一独立旅旅长余六吉所部，均归广东讨贼军第四军军长梁鸿楷指挥，仍遵照前令，由大本营驻江办事处全权主任古应芬节制调遣。此令。

中华民国十二年四月十三日

据《大本营公报》第八号

给程潜的训令

（一九二三年四月十三日）

大元帅训令第八十号

令大本营军政部长程潜

中央直辖第二、三两师着改编为中央直辖第七军。其军长一职，业经任命刘玉山充任在案。所有该军编配及驻扎、点验各事宜，着由军政部转饬该军长、师长等妥为办理。此令。

中华民国十二年四月十三日

据《大本营公报》第八号

给程潜等的训令

（一九二三年四月十三日）

大元帅训令第八一号

令大本营军政部长程潜，警备军军长姚雨平、师长杨坤如

据警备军军长姚雨平、师长杨坤如电称："遵令于佳日拂晓，将驻惠阳之翁辉腾所部全数缴械，并派队向海丰、汕尾进发，肃清余孽"等情。查该师长勇敢善战，于回粤、援桂两役，颇立奇功。昨年六月之变，为陈逆诱胁，不能自拔；每念前劳，深致痛惜。近据其自请立功，用赎前愆；本大元帅念其夙劳，许以自新，密令该军长责以肃清余孽之任。兹据前情，足征该师长勇于为善，不远而复，爱护国家，犹本初志。方今贼氛未靖，正壮士立功之会，一俟该师长克日将海丰、汕尾一带逆军完全扑灭，本大元帅论功行赏，自当与起

义诸将，一体从优奖励。至此次出力人员，着由军政部详细调查汇案核办。除分令外，仰即遵照。此令。

中华民国十二年四月十三日

据《大本营公报》第八号

给程潜的指令

（一九二三年四月十三日）

大元帅指令第九十号

令大本营军政部长程潜

呈为徐汉臣等九名希图扰乱，乞明令通辑归案究办由。

呈悉。据称徐汉臣等蓄谋叛乱，逆迹昭著，实属罪无可逭。着照该部所请，即由该部遵令分行各军事长官，通饬所属一体严密缉拿，务获究办，毋稍宽纵。切切。此令。

中华民国十二年四月十三日

附：程潜原呈

为呈请事：谨案已革东路讨贼军第八师师长徐汉臣、旅长黄定中及徐芳廷、徐〈鸿〉钧、徐春波、林炳南等，野心未戢，希图扰乱，暗受陈逆炯明接济指使，屡次派人前往江门，勾结大本营直辖陆军第四旅营连长徐参衡、曹扬武、欧建标等运动兵士，约期举动。幸该旅团长等察觉尚早，立将该徐参衡等呈请撤换。讵该徐汉臣等甘心从逆，一意谋乱，一再与该已革营连长徐参衡等，派人携款到江运动各营官兵，并在沙坪、省城两处假借名义设立机关，私招军队，冀遂乱谋。迭据大本营直辖第四旅旅团长及江门各军处报告，均属实情。该徐汉臣等前因不法，致被革斥；近复怙恶不悛，一志谋逆，希图破坏大局，实属不法已极。应请大元帅明令通饬各军，将徐汉臣、黄定中、徐庭芳、徐春波、徐鸿钧、林炳南、徐参衡、曹扬武、欧建标等九名一律缉获归案惩治，以肃军纪而清乱源。所有呈请明令通缉徐汉臣等九名归案各缘由，是否有当，理合具文呈请钧座，俯赐裁核示遵。谨呈

大元帅

军政部长程潜

中华民国十二年四月七日

据《大本营公报》第八号

与唐继尧等对时局的通电*

（一九二三年四月十四日）

参众两院议员、各省省议会、各省军民长官、各法团、各报馆鉴：文等不佞，昔以护法之旨，为人民所推，转战数年，幸告无罪。兹值人心厌兵，天道将复，于是有和平统一之宣言，愿与直系诸将共图善后。意谓人情助顺，直系诸将当亦同此觉悟。不意言之谆谆，听者藐藐。闽粤督理诸令随下，而又驱策川黔亡将乘间为寇，增兵直北，图扰关东，屯戍闽赣，冀侵两浙。所幸滇、桂将领，素明大义，不肯苟从，其计不能行于岭海。而川峡之间尚为毒螫所集。窥其用意，非吞龁西南、摧残民治不止。是则和平统一，只为片面之要求，强敌在前，果非文辞所能御。文等岂敢自食前言，而正当

* 据当时报纸记载，该电系由章太炎在上海起草，稿成后曾寄给孙中山，同时由在沪各省代表请示本省当局征得同意。孙中山了解上述情况后，乃同意在沪拍发。

防卫，有不得已。自今以后，我西南各省决以推诚相见，共议图存，弃前事之小嫌，开新元之结合。分灾恤患，载之简书，外间内谗，一切勿受。兵为防守，不为争权，虽折冲疆埸，为义兴师，而终不背和平主旨。我西南诸省父老兄弟当亦以敬恭桑梓，鉴其不得已之苦衷。其他省有被直系蹂躏，愿同心敌忾者，文等为之敬执鞭弭，所不辞也。孙文、唐继尧、刘成勋、熊克武、赵恒惕、谭延闿、刘显世。寒。

据上海《民国日报》一九二三年四月十五日
《西南之重要表示》

复李烈钧函*

（一九二三年四月十四日）

协和吾兄鉴：

道腴[①]来，得手书，具悉吾兄艰苦，时时在念。苦军用浩繁，不能如期接济，顷已先筹汇一批（五万由汝为转汇），并嘱道腴驰还，一切嘱其面达。望早赴事机，以蒇全功为望。此间情形，道腴可详述。北江已将肃清，东江亦甚得手，当易了也。顺颂
近佳

孙文　民国十二年四月十四日

据《国父全集》第三册（转录史委会藏原件影印）

---

* 时李烈钧任闽赣边防督办，奉孙中山命移驻闽南，将原驻防地让与回粤的许崇智军驻扎。

① 道腴：即周震鳞。

复程德全等电

（一九二三年四月十四日）

程雪楼先生暨王、欧阳、周、狄、许、顾诸先生鉴：来电奉悉。此间议售官产，仅为寺旁隙地，佛寺佛象，均在保存之列，幸勿过虑。孙文。寒。

据上海《民国日报》一九二三年四月十六日
《孙总统复为佛请命电》

批答沈鸿英之“和平统一”宣言*

（一九二三年四月十四日）

代答：此间获得沈鸿英电稿，证实直曹无诚意，与之言和平统一，是犹对牛弹琴，不如其已，此后只有对国民宣传和平统一，而促人民之大觉悟，以备群众之大革而已，政府暂尚不设。

据《国父全集》第四册（转录史委会藏抄件）

任命杨虎等职务令

（一九二三年四月十四日）

大元帅令

任命杨虎、孙祥夫、李元著为大本营海军特派员。此令。

---

* 据《国父全集》注：原件无年月，按沈鸿英之宣言在民国十二年四月十四日。

中华民国十二年四月十四日

据《大本营公报》第八号

给王棠陈兴汉的训令

（一九二三年四月十四日）

大元帅训令第八十二号

令大本营会计司长王棠、大本营庶务司长陈兴汉

据大本营秘书长杨庶堪呈称："窃查大本营公报及直辖各机关印信、牙章，历由职处分别刊铸、颁发，并有一切印刷品，亦经职处随时经理。所有此项人工、材料，月需数目亟应酌予规定。拟请每月暂行规定经费毫洋一千元。伏乞察核批准。饬由会计司按月如数拨交庶务司具领，以资办公"等情。据此，除指令呈悉，应照准外，合行令仰该司令即便遵照。此令。

中华民国十二年四月十四日

据《大本营公报》第八号

复北京学生联合会函

（一九二三年四月十五日）

北京学生联合会诸先生公鉴：

朱务善、李敏二君来，获诵惠书，备聆尊旨，足征谋国公忠，见义勇为。国之不亡，将于诸君乎是赖，欣感无已。

北京本为吾国首善之区，今乃变为首恶之地，荡涤而廓清之，夫岂异人之任。今诸君毅然定议促我北征，责任在躬，义无或后。况复和平绝望，转移之术，惟出于战之一途。文自当整率六师，冀

副厚望。所虑根本未固，往辙堪虞，于势不能不稍有待耳，然终必有以勉副诸君之望也。

君等主张，极表赞同，倘遇机缘，当力副厚望。抑文更有进者：北庭今日所凭藉以祸国者，吴佩孚一人已耳。佩孚朝伏诛，北庭夕瓦解。然佩孚之有今日，实则曩日之舆论为之，故居今日而欲灭佩孚，仍非先转移舆论，不易为功也。且宣传主义以为义师之导，较之徒恃武力，其难易不可同年而语。诸君明达勇决，尚望极力从事宣传，使北方民众皆晓然于佩孚之恶，而亟思去之，则庶乎成功不远矣。

国步艰难，时乎不再，诸君苟能以时各抒已见，迪文不逮，尤所愿欲而企祷者焉。临笔不尽。专复，藉颂

学祺

孙文　四月十五日

据《国父全集》第三册（转录史委会藏原稿）

复宁武函

（一九二三年四月十六日）

梦岩兄鉴：

伍君[①]还，得手书，并悉尽力宣传，有加无已，不胜嘉慰。王、赵、冯三君事[②]，已交党部查照来函办理，交由伍君转达矣。复颂

时祺

孙文　四月十六日

据《国父全集》第三册（转录史委会藏原件）

① 伍君：即伍朝枢。

② 王、赵、冯三君事：据《国父全集》原题，系指王子珍、赵冠儒、冯庸三人加入国民党一事。

致古应芬电三件

（一九二三年四月十六日）

一

万火急。江门古主任鉴：（相密）一、沈逆鸿英分三路攻我省城，我滇军今早在白云山及西村[①]附近与逆军激战中。二、第一师全部及第四旅即刻开赴三水，协同我滇军第四师向芦苞、新街、源潭[②]前进攻击敌之后方；周之贞所部及第三师、海防司令陈策协同对肇庆方面警戒，并相机占领肇庆城。大元帅孙。铣。

二

江大舰转江门大本营古全权主任：（△密）沈逆鸿英图谋不轨，形迹已露。着江门海陆各军即时出发，约同陈天太所部，合力攻取肇庆、四会、清远各地，并分途追击扫灭逆军。此令。孙文。大元帅铣令到复。（中华民国十二年四月十六日午前二时发）

三

江门大本营主任：（△密）战事已开，刻在白云山一带激战中。江门军队宜速来三水，向石井方面进攻，以击敌人之背。因敌已全数集中于此以图省城，故我亦宜集于一处以对付之，至急至要。孙文。（民国十二年四月十六日发）

据中国革命博物馆藏原件

① 白云山、西村：白云山在广州北郊，西村位于广州西郊。

② 芦苞、新街、源潭：地名，分别在广东三水、花县、清远县。

致许崇智电二件

（一九二三年四月十六日）

一

汕头许总司令：（△密）沈逆鸿英图谋不轨，形迹已露，今晚果集队攻城。着东路各军火速集中河源，向翁源、韶州袭击，以断逆贼与江西之联络。刘震寰已集中增城，向从化方面前进；李福林集中龙眼洞[①]，向花县方面前进；滇军由粤汉铁路并北江东岸一带向北攻击；江门海陆军向肇攻击，得手后则向四会、清远追剿，以扫灭逆军。仰该总司令案〔按〕照所定战略，速赴机宜。此令。孙文。（四月十六日午前四时）

二

汕头许总司令：（△密）沈逆昨夜谋攻城，今朝果然发动。幸滇军向有准备，不至贻误，现正在白云〈山〉脚一带激战中。逆军数日前已悉数集中源潭以下，其上至韶关，则兵力甚弱，但闻大庾到有北兵两旅，想此时尚未至韶城。兄宜火速饬精锐数旅，向翁源、英德方面前进，以截彼铁路之交通。此间已饬江门军队先取肇庆，再抄出西江北岸，以截敌之归路。倘东西能如期合围，则贼可灭矣。孙文。（四月十六日发）

据中国革命博物馆藏原件

① 龙眼洞：地名，在广州市东北郊。

讨伐沈鸿英令

（一九二三年四月十六日）

大元帅令

沈逆鸿英反复无常，奸诈成性，阴谋内乱，逆迹久彰。本大元帅念其微劳，恕其既往，屡示优容，冀与感化。不意狼子野心始终不悛，一面呈报移防，一面阴行鬼蜮，竟于昨夜擅自称兵，进袭省城。幸我军将士用命，戒备有素，当经击退。似此恣行叛逆，甘为戎首，扰乱军纪，贻害地方，实属罪不容逭，法所必诛。沈鸿英应即褫夺桂军总司令本职，着滇军总司令兼广州卫戍总司令杨希闵、东路讨贼军总司令许崇智、西路讨贼军总司令刘震寰、大本营驻江办事处全权主任古应芬、东路讨贼军第三军军长李福林、中央直辖第七军军长刘玉山、中央直辖第三军军长卢师谛、海军舰队司令温树德、驻汕海军各将领、广东江防司令杨廷培、广东海防司令陈策等，各督饬所部，分途兜剿，迅速扑灭，以正法纪而遏乱源。此令。

中华民国十二年四月十六日

据《大本营公报》第八号

任命赵德恒职务令

（一九二三年四月十六日）

大元帅令

任命赵德恒为大本营高级参谋。此令。

中华民国十二年四月十六日

据《大本营公报》第八号

委派李绮庵职务令

（一九二三年四月十六日）

大元帅令

派李绮庵为工兵局筹备委员。此令。

中华民国十二年四月十六日

据《大本营公报》第八号

发给李福林部出发费令

（一九二三年四月十六日）

着财政厅长发给李福林军队出发费贰万元。此令。

民国十二年四月十六日

据《研究中山先生的史料与史学》中许师慎《〈国父全集〉未刊载之重要史料》

致古应芬电二件

（一九二三年四月十七日）

一

江门大〈本〉营古主任：（△密）敌人大股集中于白云山、石井一带，为顽强之抵抗。着江门军队火速运至三水，即行向石井方面袭击，以期迅速破敌。此令。孙文。（民国十二年四月十七日子时）

二

江门大本营(△密)。湘芹兄鉴:前令有江门军队担任北江西岸战事,乃今敌人悉集其力于白云山、兵工厂[①]一带,其志在夺取省城。虽一发则被我击退,然我反攻亦被其顽强抵抗。闻北兵两旅将到韶关,若彼有新力兵而我无之,则吃亏矣。故江门之军不可固执前定计划,当火速加入白云山、兵工厂之战,以期一鼓而灭敌。望兄速照此意施行。颂云明日到三水指挥。孙文。篠。(以上电分一份用无线电发,一份用有线电发,务期速达。)(民国十二年四月十七日九时半发)

据中国革命博物馆藏原件

致许崇智电

(一九二三年四月十七日)

陈天太部已出四会矣。现战情已变,江门军当全数出三水芦苞,向高塘、新街方面进攻,以速扫灭袭击省城之敌为先,然后再为第二步进取。孙文。篠。中华民国十二年四月十七日。(十时半发)

据谭编《总理遗墨》第一辑

任命廖湘芸职务令

(一九二三年四月十七日)

大元帅令

任命廖湘芸为虎门要塞司令。此令。

---

① 兵工厂:指石井兵工厂,在广州北郊。

中华民国十二年四月十七日

据《大本营公报》第八号

给黄冠三等委任状

（一九二三年四月十七日）

委任黄冠三为哗造中国国民党通讯处正主任；刘芹为哗造中国国民党通讯处评议部正议长；杨结扳为哗造中国国民党通讯处评议部副议长。此状。

总　　理（印）
总务部部长彭素民副署
代理党务部部长孙镜副署
财务部部长林业明副署
宣传部部长叶楚伧副署
交际部部长张秋白副署

据《国父全集》第四册（转录《本部公报》一卷十六号）

给陈金晃委任状

（一九二三年四月十七日）

委任陈金晃为哗造中国国民党通讯处党务科科长。此状。

总　　理（印）
总务部部长彭素民副署
代理党务部部长孙镜副署

据《国父全集》第四册（转录《本部公报》一卷十六号）

给吴泽庭委任状

（一九二三年四月十七日）

委任吴泽庭为哔造中国国民党通讯处会计科科长。此状。

总　　　　　　理（印）

总务部部长彭素民副署

财务部部长林业明副署

据《国父全集》第四册（转录《本部公报》一卷十六号）

给陈祥委任状

（一九二三年四月十七日）

委任陈祥为哔造中国国民党通讯处宣传科科长。此状。

总　　　　　　理（印）

总务部部长彭素民副署

宣传部部长叶楚伧副署

据《国父全集》第四册（转录《本部公报》一卷十六号）

给苏孟裔等委任状

（一九二三年四月十七日）

委任苏孟裔为哔造中国国民党通讯处总务科科长；孔超武为哔造中国国民党通讯处执行部书记；蔡翊超、李电轮、梁紫垣、方铁侠、蔡子文、何宽荣、陈秩生、刘润祥、郑衍祥为哔造中国国民党通讯处科员；曾秩军为哔造中国国民党通讯处评议部书记；梁帝柱、刘森耀、陈仲良、黄华贵、古振煊、黄耀祺、简军权为哔造中国国民党通讯处评议部评议员。此状。

总　　　　理(印)

总务部部长彭素民副署

据《国父全集》第四册(转录《本部公报》一卷十六号)

委派陈兴汉职务令

(一九二三年四月十七日)

大元帅令

派陈兴汉管理粤汉铁路事务。此令。

中华民国十二年四月十七日

据《大本营公报》第八号

给赵士北的指令

(一九二三年四月十七日)

大元帅指令第一〇二号

令大理院长兼管司法行政事务赵士北

呈为拟办坟山登记，先行派员筹议，在筹办期内不动支款项以节縻费由。

呈悉。所请尚属可行，应准如所拟办理。此令。

中华民国十二年四月十七日

据《大本营公报》第八号

发给王之南用费令

（一九二三年四月十七日）

着会计司发给王之南用费五百元。此令。

孙 文

中华民国十二年四月十七日

据《国父全集》第四册（转录史委会藏原件）

发给刘玉山军费令

（一九二三年四月十七日）

着会计司发给刘玉山军费壹万元。此令。

孙 文

中华民国十二年四月十七日

（罗桂芳手收五千元）

据《国父全集》第四册（转录史委会藏原件）

发给黄骚药料等费令

（一九二三年四月十七日）

着会计司发给黄骚药料、仓租并保险运输共贰千七百九十八元半港纸。此令。

孙 文

中华民国十二年四月十七日

据《国父全集》第四册(转录史委会藏原件)

介绍日本名医广告

(一九二三年四月十八日)

翁日本九州人,幼学汉法医术,后研究西洋医学,窥破药料万能说之大误,乃苦心殚虑,考求适当于人体之食品,以助胃肠之蠕动,卒发明人工的蠕动法,应用于各种病人,无不立奏神效,翁自名其法曰抵抗疗法焉。余之识翁,因陈英士患胃肠病,血痢四年,中外名医束手;旋以某人介绍,受翁治疗,不数月痼疾全瘳。余当时亦患胃病,延翁诊治,犹疑信参半;盖以翁主张胃病之人忌食滋养品,宜食坚硬物,所说全与西医相反也。不期受疗未几,著效非常。据翁所说,力避肉类、油脂,而取坚甲蔬菜及能排流动物之硬质食物。余依其法而行,躯体渐次康健;一旦复食原物,宿病又再丛生。至此知翁所说全非臆造。其后七八年以迄今日,废止肉、油等物,得保逾恒之健康,皆翁所赐也。原来吾国人民极嗜油、肉,伤害天质,不知凡几。国民身体改良,非行高野主义不可,为余夙所倡导(详孙文学说第一章)。翁感于余说,思有所贡献于吾华,特提七十老躯,不辞跋涉,来至沪上,开设治疗院,余亦乐为之介绍于国人。

院址在梅白格路昌宏里口。

孙 文

据上海《民国日报》一九二三年四月十八日

《孙文介绍名医》

给李晖等委任状

（一九二三年四月十八日）

委任李晖为横滨中国国民党支部党务科正主任，冯隆阶为横滨中国国民党支部党务科副主任；关松远为市必汗中国国民党分部党务科主任；陈竹山为叨架伙中国国民党分部党务科主任；郑松盛为品夫中国国民党分部党务科主任；麦元景为列孔列姐中国国民党分部党务科主任；朱炯昌为喜路市姊中国国民党分部党务科主任；周竞持为把利佛中国国民党分部党务科主任；伍俊荣为片市阻珠中国国民党分部党务科主任；黄汉儿为卡忌利中国国民党分部党务科主任；冯晓楼为都朗杜中国国民党分部党务科主任；黄雄甫为点问顿中国国民党分部党务科主任；黄先求为宙巴仑中国国民党分部党务科主任；敖英三为古璧中国国民党分部党务科主任；曾沛传为片市鲁别中国国民党分部党务科主任；方远龙为夏路弗市中国国民党分部党务科主任；黄能民为宙布碌中国国民党分部党务科主任；李维砚为多榄喜亚中国国民党分部党务科主任；曾桂芳为云高华中国国民党分部党务科主任；余保纲为尾利慎血中国国民党分部党务科主任；黄焕珍为片的顿中国国民党分部党务科主任；潘子才为市打鳟中国国民党分部党务科主任；周长福为约顿中国国民党分部党务科主任；黄恭穗为伙伟林中国国民党分部党务科主任；马相荣为汝利慎中国国民党分部党务科主任；蔡雨松为所慎尾利中国国民党分部党务科主任；黄昂儒为波兰佛中国国民党分部党务科主任；邓叔平为雷城中国国民党分部党务科主任；李醒汉为顷士顿中国国民党分部党务科主任；马才晃为沙城中国国民党分部党务科主任；李桓为波兰顿中国国民党分部党务科主任；谭润兴为圣转中国国民党分部党务科主任；麦晋三为柯京中国国民党分部党务科主任；司徒仲明为片市打佛中国国民党分部党务科主任；陈占四为委伴中国国民党分部党务科主任；梁雨金为温谙中国国民党分部党务科主任；李礽嵩为吉治打中国国民党通讯处党务科科长；马仟修为老市仑中国国民党通讯处党务科科长；和泮为尾利和中国国民党通讯处党务科科长；司徒汉南为笠夫李市中国国民党通讯处党务科科长；郑良民为企仑打中国国民党通讯处党务科科长；黄衡石为圣卡顿中国国民党分部党务科科长；赵楚珩为且砧中国国民党通讯处党务科科长。此状。

总　　　理（印）
总务部部长彭素民副署
代理党务部部长孙镜副署

据《国父全集》第四册（转录《本部公报》一卷十七号）

给陈顺成等委任状

（一九二三年四月十八日）

委任陈顺成为横滨中国国民党支部会计科正主任，梁芍坡为横滨中国国民党支部会计科副主任；黄焕南为市必汗中国国民党分部会计科主任；司徒侠夫为叨架伙中国国民党分部会计科主任；袁炎为品夫中国国民党分部会计科主任；余演中为列孔列姐中国国民党分部会计科主任；李松光为喜路市姊中国国民党分部会计科主任；梁仁沛为把利佛中国国民党分部会计科主任；黄洪德为片市阻珠中国国民党分部会计科主任；雷维浣为卡忌利中国国民党分部会计科主任；许炯昌为都朗杜中国国民党分部会计科主任；马鸿本为点问顿中国国民党分部会计科主任；黄宽芹为宙巴仑中国国民党分部会计科主任；司徒卓廷为古璧中国国民党分部会计科主任；黄名祥为片市鲁别中国国民党分部会计科主任；叶如富为夏路弗市中国国民党分部会计科主任；徐荔为宙布碌中国国民党分部会计科主任；麦乾初为多榄喜亚中国国民党分部会计科主任；黄华尧为云高华中国国民党分部会计科主任；马铭林为尾利慎血中国国民党分部会计科主任；周遂鳌为片的顿中国国民党分部会计科主任；潘镒荣为市打罅中国国民党分部会计科主任；李宗佳为约顿中国国民党分部会计科主任；林荣滋为伙伟林中国国民党分部会计科主任；马大合为汝利慎中国国民党分部会计科主任；李彰时为所慎尾利中国国民党分部会计科主任；李询云为波兰佛中国国民党分部会计科主任；周汉裔为雷城中国国民党分部会计科主任；何铁汉为顷士顿中国国民党分部会计科主任；黎星为沙城中国国民党分部会计科主任；黄滉林为波兰顿中国国民党分部会计科主任；谭声耀为圣转中国国民党分部会计科主任；薛德光为柯京中国国民党分部会计科主任；梁象灼为片市打佛中国国民党分部会计科主任；关伯仲为委伴中国国民党分部会计科主任；黄热血为温谙中国国民党分部会计科主任；李礽饶为吉治打中国国民党通讯处会计科科长；雷振声为老市仑中国国民党通讯处会计科科长；龚槐桢为追架中国国民党通讯处会计科科长；舜中为尾利和中国国民党通讯处会计科科长；陈毓生为笠夫李市中国国民党通讯处会计科科长；黄颂声为企仑打中国国民党通讯处会计科科长；方协民为圣卡顿中国国民党通讯处会计科科长；张寿南为且砧中国国民党通讯处会计科科长。此状。

总　　　　理(印)

总务部部长彭素民副署

财务部部长林业明副署

据《国父全集》第四册(转录《本部公报》一卷十七号)

给罗翩云等委任状

(一九二三年四月十八日)

委任罗翩云为横滨中国国民党支部宣传科正主任;关羡华为市必汗中国国民党分部宣传科主任;张梦汉为叻架伙中国国民党分部宣传科主任;余庆强为品夫中国国民党分部宣传科主任;麦松稔为列孔列姐中国国民党分部宣传科主任;盘尚呆为喜路市姊中国国民党分部宣传科主任;周家麟为把利佛中国国民党分部宣传科主任;周家苑为片市阻珠中国国民党分部宣传科主任;雷家赏为卡忌利中国国民党分部宣传科主任;王硕果为都朗杜中国国民党分部宣传科主任;刘梓森为点问[题]顿中国国民党分部宣传科主任;黄文甫为宙巴仑中国国民党分部宣传科主任;周世钊为古璧中国国民党分部宣传科主任;马峤峰为片市鲁别中国国民党分部宣传科主任;林举辉为夏路弗市中国国民党分部宣传科主任;徐子禄为宙布碌中国国民党分部宣传科主任;曾毓鳌为多榄喜亚中国国民党分部宣传科主任;黄占元为云高华中国国民党分部宣传科主任;张毅卿为尾利慎血中国国民党分部宣传科主任;黄民举为片的顿中国国民党分部宣传科主任;邓汉进为市打罅中国国民党分部宣传科主任;司徒石泉为约顿中国国民党分部宣传科主任;李捷安为伙伟林中国国民党分部宣传科主任;周广柏为汝利慎中国国民党分部宣传科主任;林善焯为所慎尾利中国国民党分部宣传科主任;黄国良为波兰佛中国国民党分部宣传科主任;余稔中为雷城中国国民党分部宣传科主任;王怀乐为顷士顿中国国民党分部宣传

科主任；关双为沙城中国国民党分部宣传科主任；梁松生为波兰顿中国国民党分部宣传科主任；谭声永为圣转中国国民党分部宣传科主任；吴茂为柯京中国国民党分部宣传科主任；司徒怀汉为片市打佛中国国民党分部宣传科主任；周南山为委伴中国国民党分部宣传科主任；黄星楼为温谙中国国民党分部宣传科主任；张自强为吉治打中国国民党通讯处宣传科科长；黄华焕为老市仑中国国民党通讯处宣传科科长；马砺周为追架中国国民党通讯处宣传科科长；金良为尾利和中国国民党通讯处宣传科科长；陈履生为笠夫李市中国国民党通讯处宣传科科长；刘英元为企仑打中国国民党通讯处宣传科科长；司徒文华为圣卡顿中国国民党通讯处宣传科科长；黄松辅为且砧中国国民党通讯处宣传科科长。此状。

总　　　　　　理（印）
总务部部长彭素民副署
宣传部部长叶楚伧副署

据《国父全集》第四册（转录《本部公报》一卷十七号）

给黄焯民等委任状

（一九二三年四月十八日）

委任黄焯民为横滨中国国民党支部总务科正主任，鲍连就为横滨中国国民党支部总务科副主任，杨光庆为横滨中国国民党支部执行部书记，陈春树、郑德泉、欧阳静山、梁有长、赵日初、张瑞荃、刘炳初、陈燎辉、成崇本、温国恩、李电英、周国清、鲍胜常、吴焕云、林文联为横滨中国国民党支部干事，李晋光为横滨中国国民党支部评议部书记，李寅佳、陆耀芸、刘泽泉、谢俊亨、黄维炘、陈火秀、李润璋、鲍州昭为横滨中国国民党支部评议部评议员；关勋旋为市必汗中国国民党分部党务科主任，关我愚为市必汗中国国民党分部执行部书记，关烈民、关鼎之、关元深、关省吾、关碧峰、梁炎、胡樨荣、余祝三、黄兰韵、关健民、关勋焯、余伟和为市必汗中国国民党分部干事，关卓臣、余松林、余锡坤、胡锡如、关伯荣、余玖、关砚池、余衍廷、余卓、余稳和、关璧池为市必汗中国国民党分部评议部评议员；张栋耀为叨架伙中国国民党分部总务科主任，司徒铁魂为叨架伙中国国民党分部执行部书记，吴汇正、甄子逵、陈再生、梁洪藉、余国俊为叨架伙中国国民党分部干事，谢诣斌为叨架伙中国国民党分部评议部书记，麦宝山、陈连会、余飞腾、郑鉴明、李礽质、张文资为叨架伙中国国民党分部评议员；黄雅秀为品夫中国国民党分部总务科主任，黄施博为品夫中国国民党分部执行部书记，阮若春、敖瑞、阮汉生、朱荣仕、黄镇兰、周禧、周自怀、钟毓兰、黄敖为品夫中国国民党分部干事，黄渭北为品夫中国国民党分部评议部书记，周松均、黄树擢、卢朝伟、朱牛姝、余爍礼、袁奕相、阮珍耀、黄挺生为品夫中国国民党分部评议部评议员；周宏瑞为列孔列姐中国国民党分部总务科主任，朱本固为列孔列姐中国国民党分部执行部书记，朱乾、余百年、马华祥、余强、胡维喜为列孔列姐中国国民党分部干事，黄桢瑞为列孔列姐中国国民党分部评议部书记，麦德焆、余荣鎏、余百驄、马洪藻、陈利、胡锦、麦乾彩、曾优群、周日初、邝安为列孔列姐中国国民党分部评议部评议员；盘活隆为喜路市姊中国国民党分部总务科主任，马恒慈为喜路市姊中国国民党分部执行部书记，盘炯隆、骆伙、李波、冯鸣楫、李炳祥、盘文杰为喜路市姊中国国民党分部干事，黄庭炜为喜路市姊中国国民党分部评议部书记，芹昌、马恒广、朱奕堃、盘铨昌、盘英元、盘达尊、邓兆、盘煜隆、盘国昌、黄灿邦、马华芳为喜路市姊中国国民党分部评议部评议员；司徒威林为把利佛中国国民党分部总务科主任，司徒颂舆为把利佛中国国民党分部执行部书记，周中坚、周孔生、梁安、周爵臣、梁植臣、周兴盛、周颂平、梁泳溟、司徒日月、吕浩芳、周在焯、周溢之、陆光宿、周秉三、周玉衡、周家香、周翼常为把利佛中国国民党分部干事，周杰三为把利佛中国国民党分部评议部书记，梁礼庭、周家甜、周孔生、梁爕、周瑞述、周道伟、周梦生、周开泉、梁市三、司徒位畬为把利佛中国国民党分部评议部评议员；周侠志为片市阻珠中国国民党分部总务科主任，陈拔南、周汉醒为片市阻珠中国国民党分部执行部书记，周英鹄、马友梧、赵一枝、许同得为片市阻珠中国国民党分部干事，聂耀初为片市阻珠中国国民党分部评议部书记，黄雅良、许福民、余杰庆、马洄澴、郑烈民、周宪良、梁璧柱、许球为片市阻珠中国国民党分部评议部评议员；陈屠帝为卡忌利中国国民党分部总务科主任，潘侠魂、黄陶阶为卡忌利中国国民党分部执行部书记，马臻璇、雷震光、余耀棠、何荣川为卡忌利中国国民党分部干事，雷卓平为卡忌利中国国民党分部评议部书记，周我汉、余子燕、李镜如、雷家祺、李子平、袁勤能、黄仲珊、谢宇擎、黄进秀、林龙波、梁礼、雷少俊、余礼彬为卡忌利中国国民党分部评议部评议员；吴志革为都朗杜中国国民党分部总务科主任，赵泮生为都朗杜中国国民党分部执行部书记，曹惠民、刘希惠、叶仕林、杨可任、赵华石、许月波、张烈民、黄白天、戚泽民、钟辅戚、卓卿、周雄彪、吴熊、李铁如、彭家广、林振华、许良瑞、黄惠民、薛毅夫为都朗杜中国国民党分部干事，宋卓勋为都朗杜中国国民党分部评议部书记，林卓平、林鹤余、李剑侠、冯一枝、曾成裘、李耀云、何梦龄、吴清华、胡郎、赵贤为都朗杜中国国民党分部评议部评议员；马求德为点问顿中国国民党分部总务科主任，马镜池为点问顿中国国民党分部执行部书记，马畅廷、马汉修、黄精华、黄启瀹、李润富、马恒立、朱五郎、朱赞棠、马锦章、黄兆鲸为点问顿中国国民党分部干事，黄醒非为点问顿中国国民党分部评议部书记，马祝三、黄润生、马荣日、马卓元、朱若愚、黄龙强、马伯志、黄天习、李松轩、马鸿禧、朱广奕、余朝恩、陈璧池为点问顿中国国民党分部评议部评议员；杨汉三为宙巴仑中国国民党分部总务科主任，马典如为宙巴仑中国国民党分部执行部书记，马尚伟、曾广理、余常、马血民、锦云为宙巴仑中国国民党分部干事，黄奕贤为宙巴仑中国国民党分部评议部书记，黄磊民、谢四女、马宏达、马锦铎、胡宽卓、张海一、林敏岩、黄槐、胡叶、梁旺、黄利民、马为韶为宙巴仑中国国民党分部评议部评议员；吴侠夫为古璧中国国民党分部总务科主任，方是男、关伟民为古璧中国国民党分部执行部书记，司徒泽民、司徒润生、陈雅卿、黄昂照、黄联辅、方振民、梁城广、司徒雅轩、司徒丽川、周家榻、关兆康、陈卓男、梁域裕为古璧中国国民党分部干事，司徒树兰为古璧中国国民党分部评议部书记，黄作谦、司徒道之、方智农、梁旭强、敖兴三、李儒均、司徒绪堂、司徒绩懿、周世灿、林举礼为古璧中国国民党分部评议部评议员；黄道显为片市鲁别中国国民党分部总务科主任，曾惠霖为片市鲁别中国国民党分部执行部书记，张椿协、谭华汉、黄国辉、裘灿、黄仲琳、马祥、郑德昌、周拱彬为片市鲁别中国国民党分部干事，黄馥庭为片市鲁别中国国民党分部评议部书记，黄世信、李美安、丘修瑞、李其信、曾连胜、陈寿桐、周如日、陈社雄、黄松后、黄名珍为片市鲁别中国国民党分部评议部评议员；黄辉石为夏路弗市中国国民党分部总务科主任，区广常为夏路弗市中国国民党分部执行部书记，谭文沾、王伟昌、黄治、文良永、叶云生、司徒光军为夏路弗市中国国民党分部干事，伍耀畅为夏路弗市中国国民党分部评议部书记，区圣爵、陈元勋、徐双丁、谭鸿源、余熙和、伍色旗、司徒福年、张贵子、马科民、生兢雄为夏路弗市中国国民党分部评议部评议员；周泽波为宙布碌中国国民党分部总务科主任，李景伦为宙布碌中国国民党分部执行部书记，马本葵、徐见龙、李振美、李维週、邓祥、李福、吴胜、李有女为宙布碌中国国民党分部干事，邓深为宙布碌中国国民党分部评议部书记，李芳南、李仲田、伍甲、陈灼贤、李赵南、董翰、伍耀康、李泽、徐贯、李社保为宙布碌中国国民党分部评议部评议员；李玉堂为多榄喜亚中国国民党分部总务科主任，谢章云、黄纪乾为多榄喜亚中国国民党分部执行部书记，麦锡祥、谢汝程、李显、李伸来、罗燮南、谢铭为、李俭持、杨庸夫、罗卓生、余卓、冯洪生、罗信琼、黎天然为多榄喜亚中国国民党分部干事，吴禄为多榄喜亚中国国民党分部评议部书记，黄炳德、袁瑞石、李松亭、雷寿如、黄赞规、廖国林、梁朝栋、梁邦栋、李敏钦、曾春仪、何谅、罗养法、潘百生、曾纪华为多榄喜亚中国国民党分部评议部评议员；李琼为云高华中国国民党分部总务科主任，黄卫为云高华中国国民党分部执行部书记，盘爱隆、陈启裕、黄民生、赵荣灿、甄良染为云高华中国国民党分部干事，黄信杰为云高华中国国民党分部评议部书记，黄赞、黄超衍、陈桂芳、黄锦旺、谭毅强、谭伯棠、司徒衍衢、马松筠、林福业、甄新辉、梁福昌、黄贺穰、苏汉生、杨日晓、谭锦元、苏护民为云高华中国国民党分部评议部评议员；谢鉴强为尾利慎血中国国民党分部总务科主任，梁若泉为尾利慎血中国国民党分部执行部书记，余鸣岐、谢能钦、马本洁、余雄飞为尾利慎血中国国民党分部干事，马海为尾利慎血中国国民党分部评议部书记，李醒民、余汝珊、余丰和、余鸿毛、余植三、谢福来、余明三为尾利慎血中国国民党分部评议部评议员；刘炳焯为片的顿中国国民党分部总务科主任，刘瑞石为片的顿中国国民党分部执行部书记，黄保之、黄绵传、刘希媛、罗永基、马奖修、关自琳为片的顿中国国民党分部干事，周卫东为片的顿中国国民党分部评议部书记；陈明星、林举熀、胡奕生、黄涛世、陈津渔、黄维熊为片的顿中国国民党分部评议部评议员；谢星南为市打罅中国国民党分部总务科主任，潘孔嘉、梁灯欣为市打罅中国国民党分部执行部书记，钟毓群、李发遇、梁安家、伍时仰、潘逢有、黄道大、邝灼南为市打罅中国国民党分部干事，潘超元为市打罅中国国民党分部评议部书记，黄慕强、胡维就、李发集、谢爵臣、许积芹、邓道炎、李如山、邓道行、邓鋈文、潘国亮、潘若涛、潘南山、潘植生、潘枢善、潘国强、潘泽民、潘杏棠、梁石稳为市打罅中国国民党分部评议部评议员；余章森为约顿中国国民党分部总务科主任，关兆槐为约顿中国国民党分部执行部书记，谢家琚为约顿中国国民党分部评议部书记，李康衢、谢瑞德、余光礼、余启华、周麟、雷林、李德、谢沐、谭柏为约顿中国国民党分部评议部评议员；钟吉辰为伙伟林中国国民党分部总务科主任，王复甦、李伟三为伙伟林中国国民党分部执行部书记，李琼南、徐长盛、司徒携区、卓光、李炳烈、李福培、林德盘为伙伟林中国国民党分部干事，钟英勤为伙伟林中国国民党分部评议部书记，林北立、李金练、赵林、黄振坤、黄金洪、卫旺、李仁巧为伙伟林中国国民党分部评议部评议员；谢维早为汝利慎中国国民党分部总务科主任，朱仁甫为汝利慎中国国民党分部执行部书记，黄百宽、马维霖、黄锦棠、叶春裔、谢其鸿、朱卓修、叶春华为汝利慎中国国民党分部干事，雷法尧为汝利慎中国国民党分部评议部书记，周廷卫、陈礼光、黄纪祥、胡燮畴、雷锡平、李东初、朱连谦、朱炳长、马荣尧、黄栋铨为汝利慎中国国民党分部评议部评议员；林汉兴为所慎尾利中国国民党分部总务科主任，李树庭、李明东为所慎尾利中国国民党分部执行部书记，李玉亭、林焯雄、林奕权、李芳华为所慎尾利中国国民党分部干事，赵景福为所慎尾利中国国民党分部评议部书记，林长胜、甄祥伟、林进三、李玉三、林日章、李玉庵、李卓平、李振民、李健初、赵国乔、李怀民、冯贤起为所慎尾利中国国民党分部评议部评议员;黄业初为波兰佛中国国民党分部总务科主任,黄护民、李植庭为波兰佛中国国民党分部执行部书记,许昌登、伍浩川、许生、黄求丁、李云熠、李启光、许会民、黄撰文、黄亦民、黄新有为波兰佛中国国民党分部干事,黄洪卓为波兰佛中国国民党分部评议部书记,黄人杰、黄昂赞、黄作严、黄东三、黄芝桢、黄雄亚、许植民、李谷棠为波兰佛中国国民党分部评议部评议员;麦世泽为雷城中国国民党分部总务科主任,李血生为雷城中国国民党分部执行部书记,余海和、刘希初、李一一、梁鸿威、陈西就、余卫汉、余燊熙、蔡燊盛为雷城中国国民党分部干事,蔡蕃春为雷城中国国民党分部评议部书记,李谷全、陈命之、雷康勉、陈明、李惠民、李朗天、周寿民、余毓照、黄焕业、马悦常为雷城中国国民党分部评议部评议员;吕耀南为顷士顿中国国民党分部总务科主任,李雄亚为顷士顿中国国民党分部执行部书记,谭文键、李向景、李宪章、李景民、谭廷芳、邝镇修、张瀞兴、李寄汉、李侠民、李世暹、梁凤韶、林立楠为顷士顿中国国民党分部干事,李镜如为顷士顿中国国民党分部评议部书记,李达民、林进元、雷我武、林德云、李康平、谭颂平、蔡珠盛为顷士顿中国国民党分部评议部评议员;黄锦如为沙城中国国民党分部总务科主任,廖麟为沙城中国国民党分部执行部书记,黎保、叶元、阮石瑚、马炳林、陆逢、黄毓相李猷新、胡沃如、林胜、黄贞民、梁在为沙城中国国民党分部干事,黄育为沙城中国国民党分部评议部书记,胡杖昌、李文、余富、廖振、李英、李逸民、陈潜、胡遵滋为沙城中国国民党分部评议部评议员;余端和为波兰顿中国国民党分部总务科主任,陈宪民、谭扳为波兰顿中国国民党分部执行部书记,谭品臣、黄显逢、黄树彭、梁勤、曾显锋、李炳银、李梓云、黄合、曾云渠、黄健夫为波兰顿中国国民党分部干事,黄树沾为波兰顿中国国民党分部评议部书记,黄昂舜、胡江林、谭显德、曾玉麟、黄兆钿、方仲海、曾祐荣、冯少平为波兰顿中国国民党分部评议部评议员；谭家豪为圣转中国国民党分部总务科主任，谭宇明、赵镛大为圣转中国国民党分部执行部书记，李期进、余修中、谭家岳、谭昌琛、郑传发为圣转中国国民党分部干事，谭蔚文为圣转中国国民党分部评议部书记，谭声鉴、谭伟林、孔洪生、谭杰芬、谭昌琛、郑厚聪、郑号亮为圣转中国国民党分部评议部评议员；司徒仕焯为柯京中国国民党分部总务科主任，梁凤年为柯京中国国民党分部执行部书记，周荫南、麦国兴、梁竞雄、林善逵、谭步觉为柯京中国国民党分部干事，周豪伟为柯京中国国民党分部评议部书记，黄福盛、司徒文海、周在俭、司徒俊璧、林廷幹、周一新、司徒文质、李树屏、司徒文学、梁羡如、敖文锦、谭杰生为柯京中国国民党分部评议部评议员；司徒若海为片市打佛中国国民党分部总务科主任，司徒德彬、李尚志为片市打佛中国国民党分部执行部书记，麦炳煖、司徒汉庭、李达、麦琼三、马培灿为片市打佛中国国民党分部干事，司徒仲明为片市打佛中国国民党分部评议部书记，司徒俊照、陈若民、马力强、麦伯幹、黄福盈、麦圣雪、梁玉书、李秉均、叶卫民、司徒如、麦锡儿、梁锦棠、谭开锦、司徒业、麦侣云、司徒发淦、李溥、李维、陈郁、司徒发舜为片市打佛中国国民党分部评议部评议员；石美基为委伴中国国民党分部总务科主任，石美基、余新为委伴中国国民党分部执行部书记，黄燕和、黄昂参、陈江如、李圣福、李猷立、李圣庭、李绣石、余述畲为委伴中国国民党分部干事，陈彪为委伴中国国民党分部评议部书记，陈明熠、陈应学、李云达、李民丁、梁天池、陈日光、陈华、陈大、胡寂然、朱开强为委伴中国国民党分部评议部评议员；黄焕伦为温谙中国国民党分部总务科主任，黄静村为温谙中国国民党分部执行部书记，周幹平、黄凤朝、黄绰洪、马炯刚、梁信仍、黄瑞云、陈杰民、郑聘三、盘益民、李日昇、郑民强、黄国荣、李雨琴、黄广森、黄祐之、黄同享为温谙中国国民党分部干事，郑侠夫为温谙中国国民党分部评议部书记，黄传尧、陈丽初、苏树洪、李成兆、廖兰初、黄宽启、黄惠初、梁煜成、麦英球、黄振华为温谙中国国民党分部评议部评议员；李云奎为吉治打中国国民党通讯处总务科科长，陈肇元为吉治打中国国民党通讯处执行部书记，梁福为吉治打中国国民党通讯处评议部评议员；黄培进为老市仑中国国民党通讯处总务科科长，黄纯杰为老市仑中国国民党通讯处执行部书记，梁社元、马庄修、黄朝舜为老市仑中国国民党通讯处评议部评议员；龚荦平为迫架中国国民党通讯处执行部书记，黄均旺为迫架中国国民党通讯处评议部书记，谢汝畅、盘润、曾优群、梁璞珊、周馥兰为迫架中国国民党通讯处评议部评议员；爚和为尾利和中国国民党通讯处总务科科长，燿田为尾利和中国国民党通讯处执行部书记，蔡洪为尾利和中国国民党通讯处评议部书记，大礼、瑞安、瑞铿、余保、荣润、祥盛为尾利和中国国民党通讯处评议部评议员；关天民为笠夫李市中国国民党通讯处总务科科长，李文藻为笠夫李市中国国民党通讯处执行部书记，关天民为笠夫李市中国国民党通讯处评议部书记，陈伯衮、余少民、陈福、陈始平为笠夫李市中国国民党通讯处评议部评议员；马锦棠为企仑打中国国民党通讯处总务科科长，李根民为企仑打中国国民党通讯处执行部书记，李琼波、黄颂棠为企仑打中国国民党通讯处科员，李天洽、黄英德、黄达强、马淮清、黄洽传为企仑打中国国民党通讯处评议部评议员；何剑侠为圣卡顿中国国民党通讯处总务科科长，伍权洽为圣卡顿中国国民党通讯处执行部书记，黄衡石、甄天民、邝卓云、张黻臣、方持平、司徒懿渠为圣卡顿中国国民党通讯处科员，赵一山为圣卡顿中国国民党通讯处评议部书记，谢伯杰、黄洛运、张觐庆、李光华、刘省三、李兆汉、李育之、张纬培、张汉雄为圣卡顿中国国民党通讯处评议部评议员；赵卓忠为且砧中国国民党通讯处总务科科长，赵楚珩为且砧中国国民党通讯处执行部书记，林我醒为且砧中国国民党通讯处评议部书记，甄明霭、汤名惠、李如松为且砧中国国民党通讯处评议部评议员。此状。

总　　　　　理（印）

总务部部长彭素民副署

据《国父全集》第四册（转录《本部公报》一卷十七号）

给鲍应隆等委任状

（一九二三年四月十八日）

委任鲍应隆为横滨中国国民党支部正部长，阮茂熊为横滨中国国民党支部副部长，鲍次楼为横滨中国国民党支部评议部正议长，梁觐三为横滨中国国民党支部评议部副议长；关瑞祥为市必汗中国国民党分部正部长，胡恪廷为市必汗中国国民党分部副部长，余锦森为市必汗中国国民党分部评议部正议长，关国仪为市必汗中国国民党分部评议部副议长；张晓初为呖架伙中国国民党分部正部长，关洪德为呖架伙中国国民党分部副部长，李育之为呖架伙中国国民党分部评议部正议长，张元章为呖架伙中国国民党分部评议部副议长；黄惠民为品夫中国国民党分部正部长，敖奕生为品夫中国国民党分部副部长，黄俊伟为品夫中国国民党分部评议部正议长，黄树畅为品夫中国国民党分部评议部副议长；黄毅夫为列孔列姐中国国民党分部正部长，陈定之为列孔列姐中国国民党分部副部长，梁龙廷为列孔列姐中国国民党分部评议部正议长，黄黔禺为列孔列姐中国国民党分部评议部副议长；黄松友为喜路市姊中国国民党分部正部长，盘璀隆为喜路市姊中国国民党分部副部长，盘铨隆为喜路市姊中国国民党分部评议部正议长，盘炯尊为喜路市姊中国国民党分部评议部副议长；周瑞述为把利佛中国国民党分部正部长，胡汉宸为把利佛中国国民党分部副部长，周匡时为把利佛中国国民党分部评议部正议长，胡汉宸为把利佛中国国民党分部评议部副议长；曾民权为片市阻珠中国国民党分部正部长，钟铨如为片市阻珠中国国民党分部副部长，马锦登为片市阻珠中国国民党分部评议部正议长，梁成光为片市阻珠中国国民党分部评议部副议长；余庆宗为卡忌利中国国民党分部正部长，何井立为卡忌利中国国民党分部副部长，黄民章为卡忌利中国国民党分部评议部正议长，李沛如为卡忌利中国国民党分部评议部副议长；伍愤然为都朗杜中国国民党分部正部长，陈志英为都朗杜中国国民党分部副部长，赵文蔚为都朗杜中国国民党分部评议部副议长，吴竞道为都朗杜中国国民党分部评议部副议长；马光珠为点问顿中国国民党分部正部长，朱祖汉为点问顿中国国民党分部副部长，黄纯亨为点问顿中国国民党分部评议部正议长，马大扬为点问顿中国国民党分部评议部副议长；李华隆为宙巴仑中国国民党分部正部长，黄惠谦为宙巴仑中国国民党分部副部长，关荣燊为宙巴仑中国国民党分部评议部正议长，马宗孟为宙巴仑中国国民党分部评议部副议长；梁星初为古璧中国国民党分部正部长，司徒绚墀为古璧中国国民党分部副部长，司徒碧珊为古璧中国国民党分部评议部正议长，黄树庆为古璧中国国民党分部评议部副议长；黄修平为片市鲁别中国国民党分部正部长，黄桂荣为片市鲁别中国国民党分部副部长，黄卓凡为片市鲁别中国国民党分部评议部正议长，林举多为片市鲁别中国国民党分部评议部副议长；司徒朝相为夏路弗市中国国民党分部正部长，司徒乙秀为夏路弗市中国国民党分部副部长，区栋纲为夏路弗市中国国民党分部评议部正议长，谭炳堃为夏路弗市中国国民党分部评议部副议长；马世源为宙布碌中国国民党分部正部长，苏准如为宙布碌中国国民党分部副部长，李惠元为宙布碌中国国民党分部评议部正议长，伍宏汉为宙布碌中国国民党分部评议部副议长；梁贤天为多榄喜亚中国国民党分部正部长，罗璧初为多榄喜亚中国国民党分部副部长，李自坚为多榄喜亚中国国民党分部评议部正议长，关崇汉为多榄喜亚中国国民党分部评议部副议长；黄信德为云高华中国国民党分部正部长，周直民为云高华中国国民党分部副部长，朱直民为云高华中国国民党分部评议部正议长，马观宦为云高华中国国民党分部评议部副议长；黄亦蓁为尾利慎血中国国民党分部正部长，余卫民为尾利慎血中国国民党分部副部长，余札敦为尾利慎血中国国民党分部评议部正议长；黄述传为片的顿中国国民党分部正部长，黄广传为片的顿中国国民党分部副部长，邓钜普为片的顿中国国民党分部评议部正议长，朱灼均为片的顿中国国民党分部评议部副议长；梁廷相为市打鳒中国国民党分部正部长，潘德芳为市打鳒中国国民党分部副部长，潘璧光为市打鳒中国国民党分部评议部正议长，潘寅善为市打鳒中国国民党分部评议部副议长；余金中为约顿中国国民党分部正部长，李楷为约顿中国国民党分部副部长，谢参为约顿中国国民党分部评议部正议长，周达为约顿中国国民党分部评议部副议长；黄举昌为火伟林中国国民党分部正部长，李穗农为火伟林中国国民党分部副部长，李崇殿为火伟林中国国民党分部评议部正议长，黄超励为火伟林中国国民党分部评议部副议长；马大俸为汝利慎中国国民党分部正部长，刘绍勋为汝利慎中国国民党分部副部长，马群生为汝利慎中国国民党分部评议部正议长，马高明为汝利慎中国国民党分部评议部副议长；赵耀楼为所慎尾利中国国民党分部正部长，李榆南为所慎尾利中国国民党分部副部长，林共进为所慎尾利中国国民党分部评议部正议长，李廷光为所慎尾利中国国民党分部评议部副议长；许瑞轩为波兰弗中国国民党分部正部长，黄剑魂为波兰弗中国国民党分部副部长，黄少白为波兰佛中国国民党分部评议部正议长，黄茂兰为波兰佛中国国民党分部评议部副议长；余衮羡为雷城中国国民党分部正部长，李庆宏为雷城中国国民党分部副部长，李平来为雷城中国国民党分部评议部正议长，李忠为雷城中国国民党分部评议部副议长；林启文为顷士顿中国国民党分部正部长，李唤觉为顷士顿中国国民党分部副部长，李辅仁为顷士顿中国国民党分部评议部正议长，叶伯英为顷士顿中国国民党分部评议部副议长；谭在田为沙城中国国民党分部正部长，麦泳舟为沙城中国国民党分部副部长，胡启为沙城中国国民党分部评议部正议长，黎藉为沙城中国国民党分部评议部副议长；谭显辉为波兰顿中国国民党分部正部长，冯达生为波兰顿中国国民党分部副部长，马亮为波兰顿中国国民党分部评议部正议长，谭洛川为波兰顿中国国民党分部评议部副议长；谭声兆为圣转中国国民党分部正部长，李期戬为圣转中国国民党分部副部长，谭炳桓为圣转中国国民党分部评议部正议长，关崇宇为圣转中国国民党分部评议部副议长；林举棠为柯京中国国民党分部正部长，梁博平为柯京中国国民党分部副部长，司徒德伦为柯京中国国民党分部评议部正议长，陈明铨为柯京中国国民党分部评议部副议长；麦林为片市打佛中国国民党分部正部长，马耀星为片市打佛中国国民党分部副部长，李屈儿为片市打佛中国国民党分部评议部正议长，陈惠予为片市打佛中国国民党分部评议部副议长；陈众憎为委伴中国国民党分部正部长，李富为委伴中国国民党分部副部长，朱开鳌为委伴中国国民党分部评议部正议长，李池为委伴中国国民党分部评议部副议长；盘卓山为温谙中国国民党分部正部长，黄钊传为温谙中国国民党分部副部长，黄嵩亭为温谙中国国民党分部评议部正议长，黄文波为温谙中国国民党分部评议部副议长；李经五为吉治打中国国民党通讯处正主任，周华林为吉治打中国国民党通讯处副主任，李礽彬为吉治打中国国民党通讯处评议部副议长；梁求贤为老市仑中国国民党通讯处正主任，黄晃纯为老市仑中国国民党通讯处评议部正议长，黄树俊为老市仑中国国民党通讯处评议部副议长；马砺余为迫架中国国民党通讯处正主任，伍禄寿为迫架中国国民党通讯处副主任，黄贻亮为迫架中国国民党通讯处评议部正议长，马惠群为迫架中国国民党通讯处评议部副议长；马培为尾利和中国国民党通讯处正主任，煦章为尾利和中国国民党通讯处评议部正议长；陈新民为笠夫李市中国国民党通讯处正主任，宋柏多为笠夫李市中国国民党通讯处副主任，关仲民为笠夫李市中国国民党通讯处评议部正议长，陈仲平为笠夫李市中国国民党通讯处评议部副议长；关占鳌为企仑打中国国民党通讯处正主任，李昌庭为企仑打中国国民党通讯处评议部正议长；罗振邦为圣卡顿中国国民党通讯处正主任，刘蕡生为圣卡顿中国国民党通讯处副主任，谢渔伯为圣卡顿中国国民党通讯处评议部正议长，黎日初为圣卡顿中国国民党通讯处评议部副议长；刘宗汉为且砧中国国民党通讯处正主任，雷任庄为且砧中国国民党通讯处副主任，汤名骥为且砧中国国民党通讯处评议部正议长，黄植生为且砧中国国民党通讯处评议部副议长。此状。

总　　　　　　　理（印）
总务部部长彭素民副署
代理党务部部长孙镜副署
财务部部长林业明副署

宣传部部长叶楚伧副署
交际部部长张秋白副署

据《国父全集》第四册(转录《本部公报》一卷十七号)

准任吴嵎职务令

(一九二三年四月十八日)

大元帅令

大本营参军长朱培德呈请任命吴嵎为大本营参军处上校副官。应照准。此令。

中华民国十二年四月十八日

据《大本营公报》第八号

任命胡谦职务令

(一九二三年四月十八日)

大元帅令

任命胡谦为大本营高级参谋。此令。

中华民国十二年四月十八日

据《大本营公报》第八号

任命杨蓁职务令

(一九二三年四月十八日)

大元帅令

任命杨蓁为大本营秘书。此令。

中华民国十二年四月十八日

据《大本营公报》第八号

命胡谦在军政部服务令

（一九二三年四月十八日）

大元帅令

大本营高级参谋胡谦着在大本营军政部服务。此令。

中华民国十二年四月十八日

据《大本营公报》第八号

免杨蓁职务令

（一九二三年四月十八日）

大元帅令

大本营高级参谋杨蓁另有任用，应免本职。此令。

中华民国十二年四月十八日

据《大本营公报》第八号

派黄垣收管广州电话局令

（一九二三年四月十八日）

派大本营技师黄垣即往收管广州市电话局，以利军用。此令。

民国十二年四月十八日

孙　文

据谭编《总理遗墨》第一辑

着取消谢心准委任令

（一九二三年四月十八日）

着秘书处取消谢心准之委任，另有任务。此令。

孙 文

中华民国十二年四月十八日

据谭编《总理遗墨》第一辑

命赵士觐将电话局交黄垣收管令

（一九二三年四月十八日）

着广州市电话局局长赵士觐即将该局交替与大本营技师黄垣收管，以利军用。此令。

孙 文

民国十二年四月十八日

据谭编《总理遗墨》第一辑

任命朱培德兼职令

（一九二三年四月十八日）

军政部长程潜出差，着参军长朱培德兼军政部长。此令。

孙 文

中华民国十二年四月十八日

据谭编《总理遗墨》第一辑

给杨希闵的训令

（一九二三年四月十八日）

大元帅训令特字第一号

令中央直辖滇军总司令杨希闵

沈逆构乱，称兵犯我省会，经滇军总司令杨希闵督率将士分道攻讨，贼众崩溃。两日以来，诸将士杀敌致果，忠勇奋发；本大元帅顾念贤劳，实深嘉尚。所有此次滇军之士、兵、夫，著先发给犒赏毫洋四万元，由财政厅长杨西岩赍送该总司令分别颁发，以励有功。此令。

中华民国十二年四月十八日

据《大本营公报》第八号

发给谢心准公费令

（一九二三年四月十八日）

着会计司发给谢心准公费五百元。此令。

孙　文

中华民国十二年四月十八日

据《国父全集》第四册（转录史委会藏原件）

发给黄骚购军米款令

（一九二三年四月十八日）

着会计司每日发给黄骚买军米银七千元。此令。

孙　文

民国十二年四月十八日

据《国父全集》第四册(转录史委会藏原件)

发给马源恤款令

(一九二三年四月十八日)

着会计司发给马源恤款壹千元。此令。

孙 文

民国十二年四月十八日

据《国父全集》第四册(转录史委会藏原件)

致上海议和代表电*

(一九二三年四月十九日)

沈逆已被我击溃,白云山、兵工厂相继占领,近已追过江村①以上,各路兜剿,摧灭自易。该逆此次叛变,系受吴佩孚指使。黎、张、曹②如犹言和,非先罢免吴佩孚,不得认为诚意;如其游移,和议立可停止,免堕术中。撤销伪令③,今日已不成问题矣。孙文。皓。

据重庆《国民公报》一九二三年五月十七日《粤变后孙中山之态度》

---

* 原报道称受电者为"驻沪中山代表",未标明姓名。按:当时孙中山派驻上海的议和代表系胡汉民、汪精卫、徐谦、孙洪伊四人。

① 江村:在广州北郊。

② 黎、张、曹:黎元洪、张绍曾、曹锟。

③ 伪令:指三月二十日北京政府颁发的任命沈鸿英为督理广东军务善后事宜的命令。孙中山曾要求取消这一任命。

嘉慰前敌将士令

（一九二三年四月十九日）

此次沈逆叛变，扑攻省城，意图扰乱粤局，倾覆国家。滇军总司令杨希闵，督率所部，力遏敌氛；西路讨贼军总司令刘震寰、巩卫军司令朱培德、中央直辖第三军军长卢师谛、第七军军长刘玉山、东路讨贼军第三军军长李福林，迅速赴援，同心杀贼；遂于三日之间，尽破叛军，克复白云山、兵工厂等处，省城附近一带，已告肃清。诸将士忠勇性成，深明大义，苦战奋斗，迅奏肤功，皆因各军长官训练夙著，调度有方。本大元帅嘉慰之余，深念劳苦。现在逆军崩裂，已不能成军，迅速穷追，易就殄灭，务各努力前进，扫除逆敌，以竟全功，本大元帅有厚望焉。此令。

中华民国十二年四月十九日

据上海《民国日报》一九二三年五月一日《孙总统严申赏罚》

任命陈同赉职务令

（一九二三年四月十九日）

任命陈同赉为钦防司令。此令。

孙　文

十二年四月十九日

据谭编《总理遗墨》第一辑

任命朱和中职务令

（一九二三年四月十九日）

大元帅令

任命朱和中为广东兵工厂厂长。此令。

中华民国十二年四月十九日

据《大本营公报》第八号

免朱卓文职务令

（一九二三年四月十九日）

大元帅令

广东兵工厂厂长朱卓文另有任用，应免本职。此令。

中华民国十二年四月十九日

据《大本营公报》第八号

免朱和中职务令

（一九二三年四月十九日）

大元帅令

大本营高级参谋朱和中另有任用，应免本职。此令。

中华民国十二年四月十九日

据《大本营公报》第八号

给粤汉铁路公司董事局的指令

（一九二三年四月十九日）

大元帅指令第一〇三号

令商办粤汉铁路公司董事局

呈悉。查该路久为沈逆占据，现因收复伊始，路政急须整理。又值军事紧急，不得不利用铁路交通，经本大元帅令派陈兴汉管理粤汉铁路事务在案。兹据呈称：陈兴汉、张少棠、刘锦江等既由该局公推为该路临时总理、协理、董事长各职，所请备案之处，应即照准。惟值军事时期，如凡事皆须会签会定，未免手续繁重，作事迟滞。陈兴汉既经令派，兼受公推，自宜畀以全权，令负专责，以期作事敏活，庶能裨益路政，不误戎机。合行令仰该局即便遵照办理。此令。

中华民国十二年四月十九日

据《大本营公报》第八号

发给战伤官兵调养费令

（一九二三年四月十九日）

着会计司发给战伤官长、士兵调养费九千四百元。此令。

孙　文

民国十二年四月十九日

据《国父全集》第四册（转录史委会藏原件影印）

发给刘震寰军费令

（一九二三年四月十九日）

着财政厅长发给刘震寰军费五万元。此令。

孙　文

民国十二年四月十九日

据《国父全集》第四册（转录史委会藏原件）

发给何克夫军费令

（一九二三年四月十九日）

着会计司发给何克夫军费叁千元。此令。

孙　文

民国十二年四月十九日

据《国父全集》第四册（转录史委会藏原件）

发给杨映波公费令

（一九二三年四月十九日）

着会计司发给杨映波公费壹千元。此令。

孙　文

民国十二年四月十九日

据《国父全集》第四册（转录史委会藏原件）

给霍居南等委任状

（一九二三年四月二十日）

委任霍居南为南非洲中国国民党支部正部长，陈佐兴为南非洲中国国民党支部副部长，朱轰为南非洲中国国民党支部评议部正议长，何伟臣为南非洲中国国民党支部评议部副议长；郭致安为苏洛中国国民党支部正部长，吕水源为苏洛中国国民党支部副部长，何君子为苏洛中国国民党支部评议部正议长，林兴为苏洛中国国民党支部评议部副议长；池任男为万隆中国国民党分部正部长，周子球为万隆中国国民党分部副部长，陈骏衡为万隆中国国民党分部评议部正议长，李党民为万隆中国国民党分部评议部副议长。此状。

总　　　　理（印）
总务部部长彭素民副署
代理党务部部长孙镜副署
财务部部长林业明副署
宣传部部长叶楚伧副署
交际部部长张秋白副署

据《国父全集》第四册（转录《本部公报》一卷十八号）

给廖文科等委任状

（一九二三年四月二十日）

委任廖文科为南非洲中国国民党支部党务科正主任，廖云炳为南非洲中国国民党支部党务科副主任；张汉持为苏洛中国国民党支部党务科正主任，赵卓为苏洛中国国民党支部党务科副主任；张伯轩为万隆中国国民党分部党务科主任。此状。

总　　　　理（印）

总务部部长彭素民副署

代理党务部部长孙镜副署

据《国父全集》第四册（转录《本部公报》一卷十八号）

给邓伯朋等委任状

（一九二三年四月二十日）

委任邓伯朋为南非洲中国国民党支部会计科正主任，霍锡桂为南非洲中国国民党支部会计科副主任；吕青云为苏洛中国国民党支部会计科正主任，林开宗为苏洛中国国民党支部会计科副主任；古继鹏为万隆中国国民党分部会计科主任。此状。

总　　　　理（印）

总务部部长彭素民副署

财务部部长林业明副署

据《国父全集》第四册（转录《本部公报》一卷十八号）

给霍胜刚等委任状

（一九二三年四月二十日）

委任霍胜刚为南非洲中国国民党支部宣传科正主任，朱印山为南非洲中国国民党支部宣传科副主任；吴麟趾为苏洛中国国民党支部宣传科正主任，林生江为苏洛中国国民党支部宣传科副主任;侯民柱为万隆中国国民党分部宣传科主任。此状。

总　　　　理(印)

总务部部长彭素民副署

宣传部部长叶楚伧副署

据《国父全集》第四册(转录《本部公报》一卷十八号)

给黎铁石等委任状

(一九二三年四月二十日)

委任黎铁石为南非洲中国国民党支部总务科正主任,岑宗焕为南非洲中国国民党支部总务科副主任,梁景星为南非洲中国国民党支部评议部书记,谭孙田、霍晋云、梁洁修、梁念德、霍锡根、万丽生、叶嵩庆、梁景星为南非洲中国国民党支部评议部评议员;吴克明为苏洛中国国民党支部总务科正主任,陈克明为苏洛中国国民党支部总务科副主任,林德雄、吕妈成为苏洛中国国民党支部执行部书记,余子豪、陈活生、陈胜、赵社龙为苏洛中国国民党支部干事,邓义、黄玉科、张贤、陈槐、符家衿、林烟、钟汉民、黎士启、刘益、李林、伍德为苏洛中国国民党支部评议部评议员;池任男为万隆中国国民党分部总务科主任,黄伯蕃为万隆中国国民党分部执行部书记,李问凡、刘进旭、蓝茂春、房蔚岩、彭梓彬、朱伟南、崔文灼、胡润盛为万隆中国国民党分部干事,彭伯良、杨辉兰、丘汉根、锺军凯、潘克修、方汉京、杨兆创、杨继初为万隆中国国民党分部评议部评议员。此状。

总　　　　理(印)

总务部部长彭素民副署

据《国父全集》第四册(转录《本部公报)一卷十八号)

任命罗翼群职务令

（一九二三年四月二十日）

大元帅令

特任罗翼群为大本营兵站总监。此令。

中华民国十二年四月廿日

据《大本营公报》第八号

委派赵士觐等职务令

（一九二三年四月二十日）

大元帅令

派赵士觐为管理俘虏主任委员；黄馥生、关汉光为管理俘虏委员。此令。

中华民国十二年四月廿日

据《大本营公报》第八号

任命喻毓西职务令

（一九二三年四月二十日）

大元帅令

任命喻毓西为大本营高级参谋。此令。

中华民国十二年四月二十日

据《大本营公报》第八号

褫夺李易标沈荣光职务令

（一九二三年四月二十日）

大元帅令

沈逆鸿英称兵作乱，业经明令讨伐。各军分途进击，期速荡平。所有附逆军官李易标、沈荣光等甘心从乱，扰害地方，均属罪无可逭。中央直辖第五军军长李易标、第六军军长沈荣光，着即褫夺本职，并着各军长官饬令前敌将士，将沈鸿英、李易标、沈荣光悬赏购拿，务获惩办，以伸国法而快人心。此令。

中华民国十二年四月廿日

据《大本营公报》第八号

给吴铁城的训令

（一九二三年四月二十日）

大元帅训令第九一号

令广州市公安局长吴铁城

据确探报告，本月十八日下午七时，有一着军服及常服者共九名，手携灯笼，有东路讨贼军第十路第二梯团司令部蔡字样，并各手持短枪，携带封条，将市桥渡及鹤山渡①两艘封用等情。查现在军事方殷，在省军队悉出应战，省会警备单薄，难保无不轨之徒，乘间窃发。据探报所见东路讨贼军第十路第二梯团等名称，是否假

① 市桥渡、鹤山渡：往市桥（番禺）及鹤山的客船。

托名义，借端滋扰，仰该局长确切查明，呈候核办；并着督饬所属各警区遵照前令，一体严防密查，遇有冒称军队、私携兵器、擅生事端、扰害商旅一切人犯，应行即时拿获，从重惩办。切切。此令。

中华民国十二年四月廿日

据《大本营公报》第八号

给邓泽如等的训令二件

（一九二三年四月二十日）

一

大元帅训令第九二号

令财政部长邓泽如、令广东财政厅长杨西岩、令广州市市政厅长孙科

该部、厅、厅投卖公产，应一律收纳现银，不得以印收、借单、债券等类抵缴。此令。

中华民国十二年四月二十日

二

大元帅训令第九三号

令财政部长邓泽如、令广东财政厅长杨西岩、令广州市市政厅长孙科

现在军用浩繁，亟须筹集大宗款项，以应急需，所有公产，应速开投，以资公用。切切。此令。

中华民国十二年四月廿日

据《大本营公报》第八号

给王棠的训令二件

（一九二三年四月二十日）

一

大元帅训令第九四号

令大本营会计司司长王棠

据大本营内地侦探长李天德呈称："职处现因沈逆捣乱粤局，人心浮动，诸逆党纷纷往来，意图窃发，若不严密缉拿惩办，则此辈更无忌惮。惟职处当此纷扰之时，费用必逾越常轨，兹拟请由钧座迅饬会计司发给职处临时需费银二千元，俾得措置裕如，办事不致棘手，实为公便"等情前来。除指令呈悉，候令行大本营会计司如数发给，仰即知照外，合即令仰该司长遵照办理。此令。

中华民国十二年四月廿日

二

大元帅训令第九六号

令大本营会计司司长王棠

据大本营参军长朱培德呈称："因收回军用电信处，请发给款项，提前架设军用专线电话，以利戎机"等情。经已指令照准。仰该司长从速发给毫银三千元，以便刻日兴工。此令。

中华民国十二年四月廿日

据《大本营公报》第八号

给程潜等的训令

（一九二三年四月二十日）

大元帅训令第九七号

令大本营军政部长程潜、令中央直辖滇军总司令兼广州卫戍总司令杨希闵，令大本营巩卫军司令朱培德、令中央直辖西路讨贼军总司令刘震寰、令东路讨贼军总司令许崇智、令南路讨贼军总司令黄明堂、令闽赣边防督办李烈钧、令东路讨贼军第三军军长李福林、令中央直辖第三军军长卢师谛、令中央直辖第七军军长刘玉山、令海军舰队司令温树德、令广东江防司令杨廷培、令大本营驻江办事处全权主任古应芬、令广东海防司令陈策、令高雷讨贼军总司令兼绥靖处处长林树巍、令警备军军长姚雨平

兹令派赵士觐为管理俘虏主任委员，黄馥生、关汉光为管理俘虏委员。除饬该委员等遵照赶行筹备办理外，合行令仰该部长、总司令、司令、督办、军长、主任转令所部前敌将领一体知照。此令。

中华民国十二年四月廿日

据《大本营公报》第九号(一九二三年五月四日出版)

给李天德的指令

（一九二三年四月二十日）

大元帅指令第一〇四号

令大本营内地侦探长李天德

呈请迅饬大本营会计司发给该处临时需费二千元由。

呈悉。候令行大本营会计司如数发给，仰即知照。此令。

中华民国十二年四月廿日

据《大本营公报》第八号

给冯伟的指令

（一九二三年四月二十日）

大元帅指令第一〇五号

令广东无线电报总局局长冯伟

呈缴本年四月份支付预算书请察核备案由。

呈及预算书均悉。准予备案。此令。

中华民国十二年四月廿日

据《大本营公报》第八号

给朱培德的指令

（一九二三年四月二十日）

大元帅指令第一〇六号

令大本营参军长朱培德

呈为收回军用电信处，经恳请发给款项，提前架设军用专线电话由。

呈悉。应即照准。训令大本营会计司从速发毫银三千元。仰即遵照具领。此令。

中华民国十二年四月二十日

据《大本营公报》第八号

发给徐树荣军费令

（一九二三年四月二十日）

着会计司发给徐树荣军费壹千元。此令。

孙 文

民国十二年四月二十日

据《国父全集》第四册（转录史委会藏原件）

发给江门军队伙食费令

（一九二三年四月二十日）

着会计司发给江门军队伙食费贰万元。此令。

孙 文

民国十二年四月二十日

据中山大学孙中山纪念馆藏原件

发给兵工厂长筹备费令

（一九二三年四月二十日）

着会计司发给兵工厂长筹备费壹千元。此令。

孙 文

民国十二年四月二十日

据中山大学孙中山纪念馆藏原件

准林云陔辞职令

（一九二三年四月二十一日）

大元帅令

大本营财政部第三局局长林云陔呈请辞职。林云陔准免本职。此令。

中华民国十二年四月廿一日

据《大本营公报》第八号

给杨希闵的指令

（一九二三年四月二十一日）

大元帅指令第一一〇号

令中央直辖滇军总司令杨希闵

呈请发给制弹费四万元由。

呈悉。所请提前发给制弹厂经费四万元，除已令由会计司照发外，着即前往该司具领。惟兵工厂现已收回，业经任命厂长切实经理，购办原料已有计划。此后制弹厂事宜，应由兵工厂长管理，以便统一军实而利进行。所有制出子弹，准予提前补充该军之需要。仰即遵照。此令。

中华民国十二年四月廿一日

据《大本营公报》第八号

给梁鸿楷的指令

（一九二三年四月二十一日）

大元帅指令第一一一号

令广东讨贼军第四军军长兼大本营驻江办事处主任梁鸿楷

呈请解除驻江办事处主任兼职由。

呈悉。应照准。此令。

中华民国十二年四月廿一日

据《大本营公报》第八号

发给刘玉山军费令

（一九二三年四月二十一日）

着会计司发给刘玉山军费壹万元。此令。

孙　文

民国十二年四月二十一日

据《国父全集》第四册（转录史委会藏原件）

致许崇智电

（一九二三年四月二十三日）

汝为兄鉴：梅培回，携函及箇电俱悉。数日以来，沈贼势力殆尽扫灭，今日源潭以下已无敌军踪迹矣。昨日韶关无线电消息，似该处之残贼亦预备他走。刻肇庆、四会、清远一带尚有小战，然不日必可肃清，至此形势一变。前着由海道运兵到省援应，今可不急矣。兄处队伍仍当由陆到惠，沿途肃清陈贼残部，并拆卸汕尾子弹厂，将机器运省，以归统一。此间滇军已令全数追击〈至〉韶关。如日来财政能解决，当乘势北伐，以为一劳永逸之计，未审兄意如何。孙文。漾。（四月二十三日发）

据中国革命博物馆藏原件

任命陈可钰职务令

（一九二三年四月二十三日）

大元帅令

任命陈可钰为广东宪兵司令。此令。

中华民国十二年四月廿三日

据《大本营公报》第八号

裁撤庶务司令

（一九二三年四月二十三日）

大元帅令

大本营庶务司应即裁撤，所有该管事务，著归大本营会计司庶务科办理。此令。

中华民国十二年四月廿三日

据《大本营公报》第八号

给程潜等的训令

（一九二三年四月二十三日）

大元帅训令第九十八号

令大本营军政部长程潜、令中央直辖滇军总司令兼卫戍总司令杨希闵、令大本营巩卫军司令朱培德、令中央直辖西路讨贼军总司令刘震寰、令东路讨贼军总司令许崇智、令南路讨贼军总司令黄明堂、令闽赣边防督办李烈钧、令东路讨贼军第三军军长李福林、令中央直辖第三军军长卢师谛、令中央直辖第七军军长刘玉山、令海军舰队司令温树德、令广东江防司令杨廷培、令大本营驻江办事处全权主任古应芬、令广东海防司令陈策、令高雷讨贼军总司令兼绥靖处处长林树巍、令警备军军长姚雨平

各部军队所有扣用商轮渡，应一律即日放行，以利交通。如因军事确有需用船只之处，着向大本营呈请核准指拨。仰即转令所属，一体遵照办理。切切。此令。

中华民国十二年四月廿三日

据《大本营公报》第九号

给冯伟的训令

（一九二三年四月二十三日）

大元帅训令第九十九号

令广东无线电报总局局长冯伟

据广东电政监督李章达呈称:"窃章达昨奉钧府第五十四号训令,内开:'东较场无线电台着即交由广东无线电总局局长冯伟接管。所有该台经费,仍照常由沙面电报局支给。此令'等因。奉此,自应遵令照办,惟查该无线电台向归职处管理,而沙面电报局乃属职处管辖范围,向来指令该沙面局直接拨款接济该无线电台,自属简当办法。今该台既交由广东无线电总局接管,则该台经费自当划归该局接济,对上〔于〕统系上、手续上似属清楚。奉令前因,理合备文呈请帅座察核,准予将沙面电报局拨给东较场无线电台一案注销。如何之处,伏乞训令祇遵"等情前来。除指令照准外,合行令仰该局长即便查照办理。此令。

中华民国十二年四月廿三日

据《大本营公报》第九号

发给刘震寰部犒赏金令

(一九二三年四月二十三日)

着会计司发给刘震寰部前敌兵士犒赏每名贰元,官长赏酒席,共贰万五千。此令。

孙　文

中华民国十二年四月廿三日

据《国父全集》第四册(转录史委会藏原件)

发给杨赓笙公费令

(一九二三年四月二十三日)

着会计司发给杨赓笙公费壹千元。此令。

孙　文

民国十二年四月二十三日

据《国父全集》第四册（转录史委会藏原件）

发给黄骚办军米费令

（一九二三年四月二十三日）

着财政厅长发给黄骚办军米费弍万元。此令。

民国十二年四月二十三日

据《研究中山先生的史料与史学》中许师慎《〈国父全集〉未刊载之重要史料》

给郭铸人等委任状

（一九二三年四月二十四日）

委任郭铸人为棉兰中国国民党分部总务科主任；郭铸人为棉兰中国国民党分部执行部书记；黄丕安、梁如九、罗中奭、李闻一、严子芸、赵璧磋为棉兰中国国民党分部干事；方怀南为棉兰中国国民党分部评议部书记；方怀南、苏维亚、李良芬、洪敬铭、纪晖生为棉兰中国国民党分部评议部评议员。此状。

总　　　　理（印）

总务部部长彭素民副署

据《国父全集》第四册（转录《本部公报》一卷十八号）

给张蓝田委任状

（一九二三年四月二十四日）

委任张蓝田为棉兰中国国民党分部宣传科主任。此状。

总　　　　　　理（印）

总务部部长彭素民副署

宣传部部长叶楚伧副署

据《国父全集》第四册（转录《本部公报》一卷十八号）

给冯少强委任状

（一九二三年四月二十四日）

委任冯少强为棉兰中国国民党分部会计科主任。此状。

总　　　　　　理（印）

总务部部长彭素民副署

财务部部长林业明副署

据《国父全集》第四册（转录《本部公报》一卷十八号）

给潘奕源委任状

（一九二三年四月二十四日）

委任潘奕源为棉兰中国国民党分部党务科主任。此状。

总　　　　　　理（印）

总务部部长彭素民副署
代理党务部部长孙镜副署

据《国父全集》第四册(转录《本部公报》一卷十八号)

给陈白宣等委任状

(一九二三年四月二十四日)

委任陈白宣为棉兰中国国民党分部正部长;伍璇玑为棉兰中国国民党分部副部长;苏英会为棉兰中国国民党分部评议部正议长;叶燕浅为棉兰中国国民党分部评议部副议长。此状。

总　　　　　　理(印)
总务部部长彭素民副署
代理党务部部长孙镜副署
财务部部长林业明副署
宣传部部长叶楚伧副署
交际部部长张秋白副署

据《国父全集》第四册(转录《本部公报》一卷十八号)

任命卢焘职务令

(一九二三年四月二十四日)

卢焘为大本营高级参谋。此令。

孙　文

民国十二年四月二十四日

据谭编《总理遗墨》第一辑

任命蒋隆棻职务令

（一九二三年四月二十四日）

大元帅令

任命蒋隆棻为大本营高级参谋。此令。

中华民国十二年四月廿四日

据《大本营公报》第九号

委派宋子文职务令

（一九二三年四月二十四日）

大元帅令

派宋子文为中央银行筹备员。此令。

中华民国十二年四月廿四日

据《大本营公报》第九号

派金华林赴前线视察令

（一九二三年四月二十四日）

派大本营高级参谋金华林赴北江方面前线视察。此令。

孙　文

中华民国十二年四月廿四日

据谭编《总理遗墨》第一辑

给林树巍的训令

（一九二三年四月二十四日）

大元帅训令第一〇〇号

令高雷绥靖处长林树巍

据两广盐运使伍学熀呈称："窃电茂场知事员缺，前经运使委任伍时贤接理；三亚场知事员缺，则委邝锡尧接理；梅菉分局委员，则委赵子澜接充，该员等均经起程赴任。兹接伍时贤函称：'以电茂场知事员缺，已先由高雷绥靖处林处长树巍令委李词垣接代，不允交代；三亚场知事邝锡尧，亦以前知事刘亚威既不接见，亦不交代；梅菉分局委员赵子澜，均〔亦〕以梅菉局委员已由林处长树巍令委邹培豪权理，抗不交代'等情函报前来。查各处盐务场局，前因地方秩序未定，有先经由该处司令、处长就近委员暂代者，均属一时权宜之举。现在大局已定，既经由省委人，自应交代，以期事权统一，藉以督率整理而顾税收。据呈前情，理合呈请察核，俯赐电饬高雷绥靖处林处长树巍，转饬现代电茂场知事李词垣、梅菉分局委员邹培豪赶速交代；并恳电饬琼崖善后处邓处长本殷，转饬三亚场知事刘亚威即日移交，不得抗延，俾明统系，实为公便"等情前来。查现在大局渐定，所有各财政机关，自应归主管机关委员办理，以专责成。除指令外，合行令仰该处长查照办理具复。此令。

中华民国十二年四月廿四日

据《大本营公报》第九号

给程潜的指令

（一九二三年四月二十四日）

大元帅指令第一一四号

令大本营军政部长程潜

呈送该部军法处组织条例请鉴核由。

呈悉。所拟条例业经审定，仰即遵照办理。条例并发。此令。

中华民国十二年四月廿四日

附：大本营军政部军法处组织条例

第一条　军法处设处长一人，委员三人，直隶军政部长，专管本处事务。

第二条　凡陆海军军官、军属、士兵犯罪以及人民触犯军法之逮捕、审问、判决执行事项，概归军法处办理。

第三条　军法处适用《陆海军审判条例》及《陆海军刑事条例》各法令。

第四条　凡因被告人之身分，有必须高等军法会审时，得临时呈请组织之。

第五条　书记官、录事因事务之繁简设置之。

第六条　本条例自呈请大元帅核准公布日起实行。

中华民国十二年四月廿四日

据《大本营公报》第九号

给朱培德的指令*

（一九二三年四月二十四日）

大元帅指令第一一五号

令大本营参军长兼理军政部务朱培德

呈报遵令兼理军政部务由。

呈悉。此令。

中华民国十二年四月廿四日

据《大本营公报》第九号

给黄同发等委任状

（一九二三年四月二十五日）

委任黄同发为威灵顿中国国民党分部正部长，颜继昌为威灵顿中国国民党分部副部长，周细为威灵顿中国国民党分部评议部正议长，吴楫康为威灵顿中国国民党分部评议部副议长；司徒桂为谷架坡中国国民党分部正部长，邝松为谷架坡中国国民党分部副部长，周想为谷架坡中国国民党分部评议部正议长，梁业为谷架坡中国国民党分部评议部副议长；郭醴泉为苏华中国国民党分部正部长，方汉章为苏华中国国民党分部副部长，余顺为苏华中国国民党分部评议部正议长，张廷琛为苏华中国国民党分部评议部副议

* 孙中山因军政部长程潜已派往三水指挥左路军队，故于程未回任前，命朱培德暂行兼理军政部部务。朱遵令于二十一日到部视事，并于是日向孙中山呈报。

长；关嗣澄为普扶中国国民党分部正部长，谭英文为普扶中国国民党分部副部长，谢坤为普扶中国国民党分部评议部正议长，关嗣濼为普扶中国国民党分部评议部副议长；陈立梅为庇利士滨中国国民党分部正部长，萧庚盖为庇利士滨中国国民党分部副部长，阮力为庇利士滨中国国民党分部评议部正议长，杨健清为庇利士滨中国国民党分部评议部副议长；陈公秉为纽丝仑屋仑中国国民党分部正部长，吴群芳为纽丝仑屋仑中国国民党分部副部长，周桂枝为纽丝仑屋仑中国国民党分部评议部正议长，刘南为纽丝仑屋仑中国国民党分部评议部副议长；林甲为墨溪中国国民党分部正部长，赵珊达为墨溪中国国民党分部副部长，冯寿为墨溪中国国民党分部评议部正议长，余冠成为墨溪中国国民党分部评议部副议长；雷鹏为美利滨中国国民党分部正部长，陈任一为美利滨中国国民党分部副部长，雷惠和为美利滨中国国民党分部评议部正议长，刘希波为美利滨中国国民党分部评议部副议长。此状。

总　　　理（印）
总务部部长彭素民副署
代理党务部部长孙镜副署
财务部部长林业明副署
宣传部部长叶楚伧副署
交际部部长张秋白副署

据《国父全集》第四册（转录《本部公报》一卷十八号）

给陈中等委任状

（一九二三年四月二十五日）

委任陈中为威灵顿中国国民党分部党务科主任；梁秩为谷架

坡中国国民党分部党务科主任；朱许为苏华中国国民党分部党务科主任；胡迺和为普扶中国国民党分部党务科主任；陈景廉为庇利士滨中国国民党分部党务科主任；刘锦梁为纽丝仑屋仑中国国民党分部党务科主任；梁骚为墨溪中国国民党分部党务科主任；雷衡为美利滨中国国民党分部党务科主任。此状。

总　　　　理(印)

总务部部长彭素民副署

代理党务部部长孙镜副署

据《国父全集》第四册(转录《本部公报》一卷十八号)

给杨刘安等委任状

(一九二三年四月二十五日)

委任杨刘安为威灵顿中国国民党分部会计科主任；司徒圣为谷架坡中国国民党分部会计科主任；方生发为苏华中国国民党分部会计科主任；钟启镇为普扶中国国民党分部会计科主任；刘敬为庇利士滨中国国民党分部会计科主任；区星耀为纽丝仑屋仑中国国民党分部会计科主任；孙鉴贞为墨溪中国国民党分部会计科主任；周家珍为美利滨中国国民党分部会计科主任。此状。

总　　　　理(印)

总务部部长彭素民副署

财务部部长林业明副署

据《国父全集》第四册(转录《本部公报》一卷十八号)

给颜丽邦等委任状

（一九二三年四月二十五日）

委任颜丽邦为威灵顿中国国民党分部宣传科主任；梁秩为谷架坡中国国民党分部宣传科主任；梅迺铭为苏华中国国民党分部宣传科主任；黄达峰为普扶中国国民党分部宣传科主任；孙玉韶为庇利士滨中国国民党分部宣传科主任；鲍以文为纽丝仑屋仑中国国民党分部宣传科主任；曾三贵为墨溪中国国民党分部宣传科主任；萧述之为美利滨中国国民党分部宣传科主任。此状。

总　　　　理（印）

总务部部长彭素民副署

宣传部部长叶楚伧副署

据《国父全集》第四册（转录《本部公报》一卷十八号）

给颜鉴光等委任状

（一九二三年四月二十五日）

委任颜鉴光为威灵顿中国国民党分部总务科主任，谢巨非为威灵顿中国国民党分部执行部书记，颜孟玑、黄嘉树、谢福煦、颜耀华、杨培基、苏树燊、黄灼南、颜焯辉为威灵顿中国国民党分部干事，颜利和为威灵顿中国国民党分部评议部书记，朱栋、黄子培、黄华健、颜炳坻、颜炳联、谢伯伦、谢容光、梁星俦、苏炳培、颜绪华为威灵顿中国国民党分部评议部评议员；谢登为谷架坡中国国民党分部总务科主任，刘景三为谷架坡中国国民党分部执行部书记，李石、麦更、关敖、司徒宗、黄有、陈才为谷架坡中国国民党分部干事，杨焯为谷架坡中国国民党分部评议部书记，司徒福、李万、黄带、黎东、司徒扬、利亨为谷架坡中国国民党分部评议部评议员；梁寿显为苏华中国国民党分部总务科主任，苏惠潮为苏华中国国民党分部执行部书记，黄龙佐、司徒高、邝诚敬、刘麟、林芳、蔡铨、梅逌安、邝央、苏惠潮、邝日波、李祥、司徒专佑、邝敬活、黄品辉、萧福、黄添喜、黄用源、邝修献、毛週照、谭声攸为苏华中国国民党分部干事，谢参汉为苏华中国国民党分部评议部书记，陈石兰、黄照康、张元琮、邓创强、钟连福、余尧礼、邝修栋、雷华桂、李祐、马社祥、锺庆、邝松伟、谭南、李惠金为苏华中国国民党分部评议部评议员；司徒董为普扶中国国民党分部总务科主任，陈立祚、谭小赤为普扶中国国民党分部执行部书记，温振洽、胡昌炽、钱椿荣、谢华威、梁修文、潘积、谢海、钟大囊、陈典赛、尹德、黄麟望、何贻烘、谢维显、伍遇春、赵启棠、梁乃缵、何燕杰、谢永璁、钟孔心、潘保荣、李昌济、李传远、刘景士蔑女士、关柏、陈鸿荣为普扶中国国民党分部干事，谢栋为普扶中国国民党分部评议部书记，李仲泉、陈琼宜、范明扬、刘畅亭、潘盛财、黄宗培、朱始杏、廖登、胡植邦、黄彪、张文桑为普扶中国国民党分部评议部评议员；高绍清为庇利士滨中国国民党分部总务科主任，杨健清为庇利士滨中国国民党分部执行部书记，刘廷、高永安、刘敬、刘泗全、刘平、刘玉湖为庇利士滨中国国民党分部干事，郑昌信为庇利士滨中国国民党分部评议部书记，欧颂尧、萧介生、萧生贤、侯然、侯留、阮义顺、麦健昌、郑何、蔡已未、萧炤然、陈华庆、冯兴、刘见、李茂、刘耀伦、萧焯熙、黄兆光、阮礼宏为庇利士滨中国国民党分部评议部评议员；陈华福为纽丝仑屋仑中国国民党分部总务科主任，吴砥伯、陈华东为纽丝仑屋仑中国国民党分部执行部书记，陈兴、杨文捷、王北善、黄鉴澄、吴千蒿、吴涤凡、锺锦芬、张若湖、陈登翰、陈明、关燊南、谢麟柱、石大、黎并佳、李爱用、陈寿南、黄卓池、莫汝材、黄添培、黎闰华为纽丝仑屋仑中国国民党分部干事，钟桃辉为纽丝仑屋仑中国国民党分部评议部书记，张丽壎、黄锡尧、叶汝蓁、林茂龄、李敬之、李成、邵栋华、蔡永光、方祐、林泉、余淦、缪晃、卢玉颜、锺妙容、黄坤一为纽丝仑屋仑中国国民党分部评议部评议员；陈乾为墨溪中国国民党分部总务科主任，叶经和、刘晚江为墨溪中国国民党分部执行部书记，杨水、王保、梁金福、司徒双龙、赵祥、曹树棠、黄赐、梁达、梁望为墨溪中国国民党分部干事，刘海为墨溪中国国民党分部评议部书记，陈总平、黄丁贵、林锦华、何桐、陈傍、温观福、麦根、林达、陈仰、谭振、曾康义、黄来为墨溪中国国民党分部评议部评议员；陈孟枢为美利滨中国国民党分部总务科主任，黄襄望为美利滨中国国民党分部执行部书记；高厚华、刘维侣、余权和、锺镒、刘康民、雷学海、雷惠和夫人、林榛、刘维光、黄天祥、陈壮、张祥、萧述之夫人、周申、梁解、雷岳为美利滨中国国民党分部干事，雷丽琴为美利滨中国国民党分部评议部书记，黄孔望、黄铨昆、杨备朝、梁梅、黄楼望、雷家稔、张孔钿、陈宗权、关玉云、雷遇、潘森、锺燮、缪官维、李理臣为美利滨中国国民党分部评议部评议员。此状。

总　　　　理（印）

总务部部长彭素民副署

据《国父全集》第四册（转录《本部公报》一卷十八号）

给卢师谛等的训令

（一九二三年四月二十五日）

大元帅训令第一〇一号

令中央直辖第三军军长卢师谛、令中央直辖西路讨贼军总司令刘震寰、令中央直辖滇军总司令杨希闵、令中央直辖第七军军长兼第二师〈师〉长刘玉山、令管理粤汉铁路事务陈兴汉、令中央直辖滇军第一师师长杨池生、令中央直辖滇军第二师师长杨如轩、令中央直辖滇军第三师师长范石生

各军官兵乘坐火车到达目的地时，须立刻下车，将车头及客车、货车一律放回总站，以便应用，不得扣留车辆，及在车辆上住宿，以免妨害交通，阻碍输运。切切。此令。

中华民国十二年四月廿五日

据《大本营公报》第九号

发给江门军队药料费令

（一九二三年四月二十五日）

着会计司发江门军队药料费壹千元。此令。

孙 文

民国十二年四月二十五日

据《国父全集》第四册（转录史委会藏原件）

发给周震鳞公费令

（一九二三年四月二十五日）

着会计司发给周道腴公费壹千元。此令。

孙 文

民国十二年四月二十五日

据《国父全集》第四册（转录史委会藏原件）

发给李福林军费令

（一九二三年四月二十五日）

着会计司陆续发给李福林军费五万元。此令。

孙　文

中华民国十二年四月二十五日

据《国父全集》第四册（转录史委会藏原件）

发给江固舰伙食费令

（一九二三年四月二十五日）

着会计司发给江固火食六百元。此令。

孙　文

民国十二年四月二十五日

据《国父全集》第四册（转录史委会藏原件）

发给孙勇党款令

（一九二三年四月二十五日）

着会计司发给孙勇党款壹百元。此令。

孙　文

民国十二年四月二十五日

据《国父全集》第四册（转录史委会藏原件）

发给孙勇公费令

（一九二三年四月二十五日）

着会计司发给孙勇公费叁百元。此令。

孙　文

中华民国十二年四月二十五日

据《国父全集》第四册（转录史委会藏原件）

致程潜等电*

（一九二三年四月二十六日）

并译转程总指挥潜、梁军长鸿楷、陈师长天太、周师长之贞、陈司令策均鉴：（应密）进攻肇庆各部队，转归梁军长指挥调遣可也。孙文。宥。

据中国革命博物馆藏原件

致梁鸿楷电

（一九二三年四月二十六日）

并译转梁军长：陈部[①]兵力究有若干？希该军长相机处置，免制肘腋。如彼尚有诚意，则当令其为攻肇先锋。兹特务〔发〕给别

* 此电及同日致梁鸿楷电均未署年月。按进攻肇庆战事在一九二三年四月下旬至五月中旬，故定为一九二三年四月。

① 陈部：指陈天太所部。

令。如其不能先攻肇庆，则当离去后应调往四会防守，以明任务而专责成。别令应否交陈，盼酌之。孙文。宥。

据中国革命博物馆藏原件

任命周演明等职务令

（一九二三年四月二十六日）

大元帅令

任命周演明为大本营兵站总监部交通局局长；徐伟为经理局局长；李奉藻为卫生局局长；陈兴汉为铁路输送局局长。此令。

中华民国十二年四月廿六日

据《大本营公报》第九号

准任依鼎和职务令

（一九二三年四月二十六日）

大元帅令

大本营参谋长张开儒呈请任命依鼎和为大本营参谋处上校参谋。应照准。此令。

中华民国十二年四月廿六日

据《大本营公报》第九号

委派王国璇等职务令

（一九二三年四月二十六日）

大元帅令

派王国璇为广东造币厂总办；邝次昆、王棠为造币厂会办；黄骚为广东造币厂监督兼工程师。此令。

中华民国十二年四月廿六日

据《大本营公报》第九号

命即发委黄骚职务令*

（一九二三年四月二十六日）

黄骚为造币厂监督，着即发委，以便进行。

据谭编《总理遗墨》第三辑

严拿古日光令

（一九二三年四月二十六日）

大元帅令

工兵局筹备委员古日光，甘心从逆，罪无可逭，着即褫夺本职。仰各军长官一体严拿，务获惩办。此令。

中华民国十二年四月廿六日

据《大本营公报》第九号

命财政厅等将收入悉解大本营会计司令

（一九二三年四月二十六日）

近日军事紧急，需用浩繁，所有政府欠债悉停止还期两月，着

* 此件未署时间。所标时间系据《大本营公报》黄骚委任令发表日期。

财政厅、盐运使及各机关，将各项收入悉解到大本营会计司收，以应军用。各宜禀〔凛〕遵毋违。此令。

孙　文

中华民国十二年四月廿六日

据谭编《总理遗墨》第一辑

发给朱培德伤兵恤款及杂费令

（一九二三年四月二十六日）

着会计司发给朱培德伤兵恤款及杂费叁千元。此令。

孙　文

中华民国十二年四月二十六日

据《国父全集》第四册（转录史委会藏原件）

发给罗拔工务洋行款令

（一九二三年四月二十六日）

着会计司发给罗拔工务洋行七千五百元。此令。

孙　文

中华民国十二年四月二十六日

据《国父全集》第四册（转录史委会藏原件）

发给梅光培招待费令

（一九二三年四月二十六日）

着会计司发给梅光培招待费贰百元。此令。

孙　文

中华民国十二年四月二十六日

据《国父全集》第四册(转录史委会藏原件)

准任王吉壬杨泰职务令

(一九二三年四月二十七日)

大元帅令

大本营参军长朱培德呈请任命王吉壬、杨泰为大本营参军处少校副官。均照准。此令。

中华民国十二年四月廿七日

据《大本营公报》第九号

准任高中禹职务令

(一九二三年四月二十七日)

大元帅令

大本营参军长朱培德呈请任命高中禹为大本营参军处少校副官。应照准。此令。

中华民国十二年四月廿七日

据《大本营公报》第九号

命取消梁士诒通缉令

(一九二三年四月二十七日)

着取消梁士诒通缉令。此令。

孙　文

中华民国十二年四月廿七日

据谭编《总理遗墨》第一辑

复李烈钧函

（一九二三年四月二十八日）

协和吾兄鉴：

得四月廿日书，具见诚勇之概，深为欣佩。

沈逆恃北方为援，顽强抵抗，我军分三路进击，期于扑灭。然不断其北窜之路，终不能殄灭无遗；且彼得据赣边，勾连北敌，仍为我患。甚望吾兄所部早日出发图赣，不惟断沈逆之去路，亦且开北伐之先声，想兄必投袂而起。上兵伐谋，固不必聚兵力于粤东一隅也。

尊部所需款项，正在力筹，必当源源接济。近日情况，盼时见告。即颂

捷绥

孙文　民国十二年四月廿八日

据《国父全集》第三册（转录史委会藏原件影印）

任命林直勉职务令

（一九二三年四月二十八日）

大元帅令

任命林直勉为大本营秘书。此令。

中华民国十二年四月廿八日

据《大本营公报》第九号

准任张鉴藻职务令

（一九二三年四月二十八日）

大元帅令

大本营兵站总监罗翼群呈请任命张鉴藻为大本营兵站第一支部长。应照准。此令。

中华民国十二年四月廿八日

据《大本营公报》第九号

委派李亦梅等职务令

（一九二三年四月二十八日）

大元帅令

派李亦梅、李煜堂、吴东启、林护、徐仪峻、余斌臣、雷荫荪、黎海山、吴业创、林泽生、马永灿、蔡昌、王国璇、郭泉、林晖庭、李星衢、郑香题、伍于簪为中央财政委员会委员。此令。

中华民国十二年四月廿八日

据《大本营公报》第十号（一九二三年五月十一日出版）

准杨煦绩辞职令

（一九二三年四月二十八日）

大元帅令

大本营秘书杨熙绩呈请辞职。杨熙绩准免本职。此令。

中华民国十二年四月廿八日

据《大本营公报》第九号

发给梁鸿楷军费令

（一九二三年四月二十八日）

着会计司发给梁鸿楷军费五千元。此令。

孙　文

中华民国十二年四月二十八日

据《国父全集》第四册（转录史委会藏原件）

发给江固舰饷及杂费令

（一九二三年四月二十八日）

着会计司发给江固舰四月份饷并杂用共壹千四百贰十六元。此令。

孙　文

中华民国十二年四月廿八日

据中山大学孙中山纪念馆藏原件

任命田士捷职务令

（一九二三年四月二十九日）

大元帅令

任命田士捷为大本营参军。此令。

中华民国十二年四月廿九日

据《大本营公报》第九号

任命卢兴原职务令

（一九二三年四月二十九日）

大元帅令

任命卢兴原为总检察厅检察长。此令。

中华民国十二年四月廿九日

据《大本营公报》第十号

任命徐于职务令

（一九二三年四月二十九日）

徐于为大本营军事委员。此令。

孙　文

中华民国十二年四月二十九日

据谭编《总理遗墨》第一辑

委派万黄裳职务令

（一九二三年四月二十九日）

大元帅令

派万黄裳为潮桥运副。此令。

中华民国十二年四月廿九日

据《大本营公报》第九号

发给徐于密电本令

（一九二三年四月二十九日）

着秘书处发给密电一本交徐于。此令。

中华民国十二年四月廿九日

孙　文

据谭编《总理遗墨》第一辑

任命戴任职务令

（一九二三年四月三十日）

大元帅令

任命戴任为大本营参军。此令。

中华民国十二年四月卅日

据《大本营公报》第十号

任命罗伟彊职务令

（一九二三年四月三十日）

大元帅令

任命罗伟彊为中央直辖东路警备军第一路司令。此令。

中华民国十二年四月三十日

据《大本营公报》第十号

准任容景芳职务令

（一九二三年四月三十日）

大元帅令

大本营参军长朱培德呈请任命容景芳为大本营参军处上校副官。应照准。此令。

中华民国十二年四月卅日

据《大本营公报》第十号

给傅秉常的训令

（一九二三年四月三十日）

大元帅训令第一一〇号

令粤海关监督傅秉常

据大本营驻江办事处全权主任古应芬呈称："窃职现准江门海关税务司许礼雅第五十六号函开：'本月二十一日曾致一函，并声明容日将何者应税、何者应免之军用物品开列函送，计已上达台端。兹将定章所载持有护照应税、应免之各项军用物品分别列单送上，希为查收。至于输运军用物品之护照，如贵主任呈请大元帅行知敝关，准凭大本营护照照章分别征、免验放，则日后可省文牍，并可免稽延军用矣等由。计送单二纸。'准此，查职处前因军事吃紧，军用物品不时派员赴港购买，比到江门，往往为该税关误会扣留，当经函致该税务司，将应行免税理由理合备文并缮呈送单，一经呈请钧府察核，伏恳俯赐令饬粤海关监督咨行税务司，转令该关，以后准凭职处护照免验放行”等情。据此，除指令呈及送单均候令行粤海关监督遵照办理外，合行令仰该监督迅即函知该税务司转饬江门海关，无论应税免税各军用物品，概凭大本营驻江办事处护照，随时免验放行，以利戎机。送单抄发。此令。

中华民国十二年四月卅日

据《大本营公报》第十号

给古应芬的指令

（一九二三年四月三十日）

大元帅指令第一一一号

令大本营驻江办事处全权主任古应芬

呈请令饬粤海关监督咨行税务司转令江门海关税务司，以后凡输运军用物品，准凭该处护照免验放行由。

呈及送单均悉，候令行粤海关监督遵照办理可也。此令。

中华民国十二年四月卅日

据《大本营公报》第十号

发给喻毓西旅费令

（一九二三年四月三十日）

着会计司发给喻毓西旅费贰百元。此令。

孙　文

中华民国十二年四月三十日

据《国父全集》第四册（转录史委会藏原件）

与王宠惠杨天骥的谈话*

（一九二三年四月下旬）

此次北方阳言和平，阴使沈鸿英叛变，于夜半急攻大本营。若我军战败则无可言，惟现已战胜，不能不述此事。惟我仍不改主张，可再与北方言和，但须视北方之觉悟如何。

据《北京益世报》一九二三年五月十六日《孙中山言和平须待北方觉悟》

附：同题异文

余对于和平统一，未变初衷。虽北方一面言和，一面助沈鸿英等扰粤，和平似已破裂，然余今既驱逐沈氏，戡定粤局，北方果从此觉悟，则和平统一仍可继续商榷。

据上海《民国日报》一九二三年五月十一日《杨天骥返沪之和平谈》

重修安庆烈士墓祭文

（一九二三年四月）

维中华民国十有二年，安庆烈士墓重修工竣，士绅祀之以礼。中国国民党总理孙文乃遣张秋白以清酌素羞之奠，为文以祭之曰：

胡虏猾夏，八表同昏。毁室取子，斁我彝伦。天道周星，物极

* 王宠惠、杨天骥是张绍曾派往广州见孙中山的代表。此为杨天骥回到上海时转述孙中山与王、杨的一次谈话。杨未提及确切日期，今据谈话内容提到沈鸿英叛军已被击败及王宠惠行程，酌定为四月下旬。

必反。犬羊运终，神眷皇汉。民族自决，适应潮流。匪势之因，亦在人谋。惟我先烈，力回乾轴。凤不永栖，龙不终伏。投袂而起，剑及履及。前仆后兴，再接再厉。江淮奥区，代产人豪。光复旧物，濠泗功高。虏廷惧亡，愚民自饰。爰有吴君，奋身一掷。丁未义军，耀武挥戈。腹地兴师，此为先河。血不虚流，流者必获。百年腥膻，以除以祓。大业之隆，有开必先。及兹淳熙，亦念辛艰。崇德报功，万邦维宪。矧乃国殇，民极庸建。郁郁佳城，英灵式依。贞珉纪勋，用诏来兹。长江若带，皖江〔山〕若砺。于万斯年，粢盛勿替。尚飨。

据《中央党务月刊》第七期《总理函稿》

命江门海关放行电话机令*

（一九二三年四月）

着广州税务司饬江门税关放行。此令。

孙　文

民国十二年四月

据《国父全集》第四册（转录史委会藏原件影印）

命将东校场电台归广东无线电总局管理令

（一九二三年四月）

着电政监督将东校场无线电台交归广东无线电总局局长管

* 古应芬来电称，大本营驻江门办事处从香港购运军用电话机四部，被江门海关税司扣留，请求孙中山命令海关监督咨税务司转行江门海关监督立予免税放行。

理，并将该台经费照常由沙面电报局支给。此令。
民国十二年四月

据《国父全集》第四册（转录史委会藏原件影印）

批陈天太借款原据

（一九二三年四月）

着财政厅发给。（大本营军政部部长程潜具领发给陈天太部毫洋壹万元原据。）

据《研究中山先生的史料与史学》中许师慎《〈国父全集〉未刊载之重要史料》

委派余育之职务令

（一九二三年五月一日）

大元帅令

派余育之为中央财政委员会委员。此令。
中华民国十二年五月一日

据《大本营公报》第十号

准任汪彦平职务令

（一九二三年五月一日）

大元帅令

大本营审计局长刘纪文呈请任命汪彦平为大本营审计局主任审计官。应照准。此令。

中华民国十二年五月一日

据《大本营公报》第十号

准王棠辞职令

（一九二三年五月一日）

大元帅令

广东造币厂会办王棠呈请辞职。应照准。此令。

中华民国十二年五月一日

据《大本营公报》第十号

命安北舰暂留省河令

（一九二三年五月一日）

着安北舰长暂留省河，以待后命。此令。

孙 文

民国十二年五月一日

据中国革命博物馆藏原件

给关景星的训令

（一九二三年五月一日）

大元帅训令第一一一号

令前广东盐务稽核分所经理关景星

查广东盐务稽核分所经理一职，前经委任伍汝康接任，并令该员刻日交代各在案。除令饬伍汝康克日到任外，合令行仰该员刻日交代，毋得违抗干咎。切切。此令。

中华民国十二年五月一日

据《大本营公报》第十号

给伍汝康的训令

（一九二三年五月一日）

大元帅训令第一一二号

令广东盐务稽核分所经理伍汝康

查广东盐务稽核分所经理一职，前经委任该员接任在案。现已日久，未据将到任日期具报，合行令仰该经理克日赴任具报，勿得迟延。切切。此令。

中华民国十二年五月一日

据《大本营公报》第十号

任命陈天太职务令

（一九二三年五月二日）

大元帅令

任命陈天太为中央直辖第七军第三师师长。此令。

中华民国十二年五月二日

据《大本营公报》第十号

准任李民雨职务令

（一九二三年五月二日）

大元帅令

大本营兵站总监罗翼群呈请任命李民雨为大本营兵站第二支

部长。应照准。此令。

中华民国十二年五月二日

据《大本营公报》第十号

发给杨希闵犒赏费令

（一九二三年五月二日）

着会计司发给杨总司令犒赏费壹万元。此令。

孙 文

中华民国十二年五月二日

据中山大学孙中山纪念馆藏原件

复张作霖函

（一九二三年五月三日）

雨亭先生执事：

精卫转到手教，恳挚无伦，自非神明契洽靡间，不获闻此谠论。某氏[1]之恶已昭著于国人，吾辈为国除患，知之当为切至，相期之殷，不敢不勉。

来示谓藉武力以济和平之穷，极为扼要。此间于固有兵工厂外，曾于桂陆[2]败后，以外交手段争得最新式机械，足敷建厂之用。惟需款二百五十万，需时半年，乃克成功。此间支出过巨，尚未有力遽及于此，常日念之，徒呼负负，稍可设法，终当为之，此固军实

① 某氏：指曹锟。

② 桂陆：指桂系军阀陆荣廷。

之至要也。至尊见以协和回赣、组安回湘，乃与鄙意不谋而同。所以迟迟，徒以财政过绌，不能因应咸宜。协和回军之需，至少须五十万元；组安之需，亦必得二十万元，乃克有济。此间自战事起后，救死扶伤，在在需款，仓卒乃无以应之，如公处此时能助此额，协、组皆可立发，他无所顾，不识尊意以为可行否？

川军因内讧过深，即引吴[①]者亦非本怀，此时已渐酝酿逐吴之谋，顷已派人前往开说，大要不至无望。反吴军队如熊、但、石、汤[②]诸人，尚余军额三四万，足以一战。其中立诸军，仍可望结合，尊旨不难达到。

沈逆自攻省溃败后，乃集全力于西北两江；直军两旅加入作战，初颇顽强，我军小挫。三十日军田、银盏坳[③]之役，我军拚死力战，已将直旅击溃，不能成军。其后方张克瑶一旅闻已丧胆，不敢遽进矣。是役我军伤师长一、旅长二、团长四、营长六，下级官与士兵死伤约近千人，敌两倍之，我团长一已死，北江敌兵纷乱逃死之情，极可悯叹。吴贼造孽，已极其能事，天不助乱，我幸而获胜。此后万端待理，大局底定，更未知何日。我公高掌远蹠，何以见教？万冀不遗，进而为具体之商榷，则公私之感，宁复有暨。

精卫初拟返粤报命，后以俄事及敌方紧急，乃电嘱其先赴尊处，唯有以辱教之。此复，即颂

勋祺

孙文　中华民国十二年五月三日

据《国父全集》第三册（转录史委会藏原件）

---

① 吴：指吴佩孚。

② 熊、但、石、汤：即川军将领熊克武、但懋辛、石青阳、汤子模。

③ 军田、银盏坳：在广东花县、清远县。

致汪精卫电

（一九二三年五月三日）

精卫兄：雨亭函已收到。渠主协和回赣、组安回湘，与鄙见极同。唯协和需五十万元，组安需二十万元，此间因战事剧烈，费款至巨，力难兼顾，拟由兄力向雨公商助见复。协、组得款，均可立发，别无他顾，已专函雨公言之矣。我军连日大胜，北军两旅，均已击溃，已占领琶江[①]，日内可得韶关。唯东江余孽，尚思蠢动，已严备，当不至为巨患也。孙文。江。

据《国父全集》第三册（转录史委会藏原稿）

给徐绍桢的训令

（一九二三年五月三日）

大元帅训令第一一八号

令广东省长徐绍桢

此次沈逆叛乱，各军奋勇杀贼，迭奏肤功，而北江一带各处民团，亦能乘机出奇，协同兜剿，毙敌无算，殊堪嘉许。仰该省长详查所有得力民团立功较著者，一律转令慰劳，并将所有战绩分别切实呈报，以凭核办。此令。

中华民国十二年五月三日

据《大本营公报》第十号

---

① 琶江：广东清远县地名。

给杨西岩的借款收据

（一九二三年五月三日）

收到杨西岩先生借到洋毛〔毫〕银拾万元正。此据。余款本息着市政厅长拨市产偿还。此批。

民国十二年五月三日

据《研究中山先生的史料与史学》中许师慎《〈国父全集〉未刊载之重要史料》

任命黄子聪职务令

（一九二三年五月四日）

大元帅令

任命黄子聪为大本营秘书。此令。

中华民国十二年五月四日

据《大本营公报》第十号

准林直勉辞职令

（一九二三年五月四日）

大元帅令

大本营秘书林直勉呈请辞职。林直勉准免本职。此令。

中华民国十二年五月四日

据《大本营公报》第十号

发给梁醉生旅费令

（一九二三年五月四日）

着会计司发给梁醉生旅费贰百元。此令。

孙　文

中华民国十二年五月四日

据《国父全集》第四册（转录史委会藏原件）

发给夏醉雄旅费令

（一九二三年五月四日）

着会计司发给夏醉雄旅费五百元。此令。

孙　文

中华民国十二年五月四日

据《国父全集》第四册（转录史委会藏原件）

免周之贞职务令

（一九二三年五月五日）

大元帅令

四邑两阳香顺八属[1]绥靖处业经明令裁撤，绥靖处长周之贞

---

① 四邑两阳香顺八属：指广东的台山、开平、恩平、新会、阳江、阳春、香山、顺德八县。

另有任用，应免本职。此令。
中华民国十二年五月五日

据《大本营公报》第十号

任命周之贞职务令

（一九二三年五月五日）

大元帅令

任命周之贞为中央直辖广东讨贼军第二师师长。此令。
中华民国十二年五月五日

据《大本营公报》第十号

任命盛荣超职务令

（一九二三年五月五日）

大元帅令

任命盛荣超为大本营参军。此令。
中华民国十二年五月五日

据《大本营公报》第十号

裁撤八属绥靖处令

（一九二三年五月五日）

大元帅令

四邑两阳香顺八属绥靖处应即裁撤，所有善后事宜，着该地方官切实办理。此令。

中华民国十二年五月五日

据《大本营公报》第十号

给古应芬周之贞的训令

（一九二三年五月五日）

大元帅训令第一二〇号

令大本营驻江办事处全权主任古应芬、四邑两阳香顺八属绥靖处处长周之贞

四邑两阳香顺八属绥靖处应即裁撤，该处所属分驻各县队伍，着一律调赴前敌。此令。

中华民国十二年五月五日

据《大本营公报》第十号

在河口对滇军的演说*

（一九二三年五月六日）

此次各军皆能奋勇杀贼，至为人所敬爱。而最近滇军在军田与沈军、北军血战数昼夜，卒将沈军、北军歼灭无遗，大获胜利，尤足为世界所称许。此次战争，为拥护约法而战，更为争人格而战，与昔日为帝王一家一姓而战迥然不同，往昔寻常军人，其当军〔兵〕之目的，志在升官发财，吾辈革命军人则志在拥护民国，铲除破坏和平之北方军阀，宗旨与寻常军人完全相反。吾辈革命军，如获胜利，足使中国成为富强之国。此目的得达，吾辈之兄弟姊妹亲戚朋

---

* 五月六日，孙中山赴西江视察防地及抚慰前方将士，于当日黄昏在三水河口向滇军官兵数百人演说。此系报载演说大略。

友及四万万之人民，皆可同享幸福，其荣幸较诸个人之升官发财，实有天渊之别。故甚切盼各军努力杀贼，以竟全功，使千秋后世，及已之子子孙孙，皆食吾辈革命军之赐，何幸如之。

据上海《民国日报》一九二三年五月十三日
《孙先生巡视西北江》

发给梁醉生旅费令

（一九二三年五月六日）

着会计司发给梁醉生旅费叁百元。此令。

孙　文

中华民国十二年五月六日

据《国父全集》第四册（转录史委会藏原件）

发给卢师谛部伙食费令

（一九二三年五月六日）

着会计司发给卢师谛军队伙食三千元。此令。

中华民国十二年五月六日

孙文（大元帅章）

据中国第二历史档案馆藏原件

复林建章电*

（一九二三年五月七日）

上海海军林司令鉴：佳电迟至昨午始达。朗诵回环，欣慰无量。

---

* 一九二三年四月八日，海军第一舰队从青岛开抵上海，会同原驻沪各舰，推举林建章为海军领袖。反对直系军阀孙传芳入闽。四月九日，林建章致电孙中山，表示海军今后不参加内争，赞成"联省自治"，希望实现"和平统一"。

以为此时全国兵士皆如在沪海军袍泽，其将领皆如执事者，则和平统一盛业不难指挥立定。年来国事蜩螗，由于一二军阀之凭藉武力恣行攘夺，实由于多数军人昧厥卫国保民之天职，甘为强权所制〔利〕用，而供无主义之牺牲。尊论一语破的，读之令人快慰。方今和平统一，已为全国人心所蕲向，少数冥顽之徒，乃必背道而驰，于川、闽、粤诸省，均已屡试其技，野心未达，而吾民颠沛流离之苦，已增至不忍见闻矣。文迭次宣言，标明主旨，凡赞助和平统一者皆吾友，反抗和平统一者皆吾仇。如执事之明达，与在沪海军之澈悟，文当竭其绵薄，相与勠力同心，共纾国难。南来海军诸将士，亦极表同情，幸勖前途，以竟全功。临电钦迟，至深企祷。孙文。阳。

据上海《民国日报》一九二三年五月十日《孙总统赞许驻沪海军电》

免徐绍桢职务令

（一九二三年五月七日）

大元帅令

广东省长徐绍桢另有任用，应免本职。此令。

中华民国十二年五月七日

据《大本营公报》第十号

免邓泰中职务令

（一九二三年五月七日）

大元帅令

大本营高级参谋邓泰中另有任用，应免本职。此令。

中华民国十二年五月七日

据《大本营公报》第十号

免杨西岩伍学熀职务令

（一九二三年五月七日）

大元帅令

广东财政厅长杨西岩、两广盐运使伍学熀均另有任用，应免本职。此令。

中华民国十二年五月七日

据《大本营公报》第十号

免谭延闿职务令

（一九二三年五月七日）

大元帅令

大本营内政部长谭延恺〔闿〕另有任用，应免本职。此令。

中华民国十二年五月七日

据《大本营公报》第十号

免邓泽如职务令

（一九二三年五月七日）

大元帅令

大本营建设部长兼理财政部长邓泽如另有任用，应免本兼各职。此令。

中华民国十二年五月七日

据《大本营公报》第十号

任命廖仲恺职务令

（一九二三年五月七日）

大元帅令

特任廖仲恺为广东省长。此令。

中华民国十二年五月七日

据《大本营公报》第十号

任命邓泽如职务令

（一九二三年五月七日）

大元帅令

任命邓泽如为两广盐运使。此令。

中华民国十二年五月七日

据《大本营公报》第十号

任命叶恭绰兼职令

（一九二三年五月七日）

大元帅令

财政部长叶恭绰着兼理广东财政厅长。此令。

中华民国十二年五月七日

据《大本营公报》第十号

委派邓慕韩职务令

（一九二三年五月七日）

大元帅令

派邓慕韩为大本营广东宣传委员。此令。

中华民国十二年五月七日

据《大本营公报》第十号

任命徐绍桢等职务令

（一九二三年五月七日）

大元帅令

特任徐绍桢为大本营内政部长；叶恭绰为财政部长；谭延闿为建设部长。此令。

中华民国十二年五月七日

据《大本营公报》第十号

任命邓泰中等职务令

（一九二三年五月七日）

大元帅令

任命邓泰中为大本营军政部次长；杨西岩为内政部次长；郑鸿年为财政部次长；伍学熀为建设部次长。此令。

中华民国十二年五月七日

据《大本营公报》第十号

发给杨希闵伙食费令

（一九二三年五月八日）

着会计司发给滇军总司令伙食贰万元。此令。

孙　文

中华民国十二年五月八日

据中山大学孙中山纪念馆藏原件

给汤连等委任状

（一九二三年五月九日）

委任汤连、黄全、袁肇春、莫泉、方成为亚洲皇后船中国国民党分部筹备员。此状。

总　　理（印）

总务部部长彭素民副署

据《国父全集》第四册（转录《本部公报》一卷十九号）

给陈焕庭委任状

（一九二三年五月九日）

委任陈焕庭为亚洲皇后船中国国民党分部筹备主任。此状。

总　　理（印）

总务部部长彭素民副署

代理党务部部长孙镜副署

财务部部长林业明副署
宣传部部长叶楚伧副署
交际部部长张秋白副署

据《国父全集》第四册(转录《本部公报》一卷十九号)

发给黄骚取消定船赔补费令

(一九二三年五月九日)

着会计司发给黄骚取消定船赔补费贰千五百元港币。此令。

孙 文

中华民国十二年五月九日

据《国父全集》第四册(转录史委会藏原件)

发给西江军队军费令

(一九二三年五月九日)

着会计司发给西江军队军费壹万元。此令。

孙 文

中华民国十二年五月九日

据中山大学孙中山纪念馆藏原件

致杨希闵等电

(一九二三年五月十日)

韶州杨总司令、杨、杨、范、蒋①师长鉴:顷据韶关无线电报局

① 杨、杨、范、蒋:即杨池生、杨如轩、范石生、蒋光亮。

称"沈逆逃窜,我军已于今早进驻韶城"等语。此次沈逆倡乱,勾引北敌,盘踞北江,倾危大局。赖我军将帅忠勇,士卒用命,摧破强敌,克复名城,奠安粤局,功在国家。本大元帅欣慰之余,深用叹赏。所有此次战役出力人员,着该总司令先行传令嘉奖,以励有功。其负伤、阵亡诸将士,并着从速造报,优加抚恤。至各士兵血战兼旬,劳苦可念,所需饷项,应即发给,着一并造具饷册前来请领。并着该总司令激励将士,跟踪追击,以竟全功,有厚望焉。大元帅。蒸。

中华民国十二年五月十日

据《大本营公报》第十一号(一九二三年五月十八日出版)

给朱凤吾等委任状

(一九二三年五月十日)

委任朱凤吾为坝罗中国国民党分部正部长,詹仲民为坝罗中国国民党分部副部长,王苐鸿为坝罗中国国民党分部评议部正议长,李嘉鹏为坝罗中国国民党分部评议部副议长;黄一新为意基度中国国民党分部正部长,万民强为意基度中国国民党分部副部长,陈茂华为意基度中国国民党分部评议部正议长,钟昌鹤为意基度中国国民党分部评议部副议长;赵彪为智京中国国民党分部正部长,李满为智京中国国民党分部副部长,李珍为智京中国国民党分部评议部正议长,梁有成为智京中国国民党分部评议部副议长;陈福元为那卡利中国国民党通讯处正主任,罗景华为那卡利中国国民党通讯处副主任,李霖义为那卡利中国国民党通讯处评议部正议长,余百发为那卡利中国国民党通讯处评议部副议长;周澄清为主咕中国国民党通讯处正主任,陈锡棠为主咕中国国民党通讯处副主任；邝锦逵为高老沙中国国民党通讯处正主任，周瑞典为高老沙中国国民党通讯处副主任；邓以光为世利乔中国国民党通讯处正主任。此状。

总　　理（印）
总务部部长彭素民副署
代理党务部部长孙镜副署
财务部部长林业明副署
宣传部部长叶楚伧副署
交际部部长张秋白副署

据《国父全集》第四册（转录《本部公报》一卷十九号）

给符潮波等委任状

（一九二三年五月十日）

委任符潮波为坝罗中国国民党分部党务科主任；钟荫墀为智京中国国民党分部党务科主任；胡尧亚为那卡利中国国民党通讯处党务科科长；唐敬富为主咕中国国民党通讯处党务科科长；李年常为高老沙中国国民党通讯处党务科科长。此状。

总　　理（印）
总务部部长彭素民副署
代理党务部部长孙镜副署

据《国父全集》第四册（转录《本部公报》一卷十九号）

给朱维烈等委任状

（一九二三年五月十日）

委任朱维烈为坝罗中国国民党分部会计科主任；潘桃为智京中国国民党分部会计科主任；甄增培为那卡利中国国民党通讯处会计科科长；唐敬富为主咕中国国民党通讯处会计科科长；陈棠为高老沙中国国民党通讯处会计科科长；司徒德炜为世利乔中国国民党通讯处会计科科长。此状。

总　　　　理（印）

总务部部长彭素民副署

财务部部长林业明副署

据《国父全集》第四册（转录《本部公报》一卷十九号）

给陈克珍等委任状

（一九二三年五月十日）

委任陈克珍为坝罗中国国民党分部宣传科主任；黄昌为智京中国国民党分部宣传科主任；朱义然为那卡利中国国民党通讯处宣传科科长；周澄清为主咕中国国民党通讯处宣传科科长；李岭南为高老沙中国国民党通讯处宣传科科长。此状。

总　　　　理（印）

总务部部长彭素民副署

宣传部部长叶楚伧副署

据《国父全集》第四册（转录《本部公报》一卷十九号）

给符汉精等委任状

（一九二三年五月十日）

委任符汉精为坝罗中国国民党分部总务科主任，张汉彰为坝罗中国国民党分部执行部书记，朱儒翰、钟日南、符午坊、陈良谋、何信鲁、白继文、黄得光、吴汉光、詹所奉、李运淑为坝罗中国国民党分部干事，李命根为坝罗中国国民党分部评议部书记，梁月臣、许之禄、郑邦钟、洪熙初、詹开奉、詹开柏、陈壮英、吴坤珍、颜书鸾、黄汉章、陈汉英、陈良钰、黄自铭、符献川、何鑫、符寿山为坝罗中国国民党分部评议部评议员；刘民特为意基度中国国民党分部执行部书记，刘民特、冯树荣、刘广泰、邹科珍为意基度中国国民党分部干事，刘觉民为意基度中国国民党分部评议部书记，钟晓鸣、巫世珍、陈秀廷、郭德明为意基度中国国民党分部评议部评议员；邓香泉为智京中国国民党分部总务科主任，李起凤、邓香泉为智京中国国民党分部执行部书记，邝受田、罗肇初为智京中国国民党分部干事，马舜民为智京中国国民党分部评议部书记，陈树章、赖海珊、黄朗池、赵饶、余来、梁买为智京中国国民党分部评议部评议员；冯俊三为那卡利中国国民党通讯处总务科科长，甄香泉、冯俊三为那卡利中国国民党通讯处执行部书记，谢雨生、余仲强、练瑞隆、黄连优为那卡利中国国民党通讯处干事，胡联为那卡利中国国民党通讯处评议部书记，阮官成、刘富生、陈锐生、蔡成兴、梁修林、蔡民挥为那卡利中国国民党通讯处评议部评议员；周楫为主咕中国国民党通讯处总务科科长，陈锡棠为主咕中国国民党通讯处执行部书记；李维垣为高老沙中国国民党通讯处总务科科长，李锡蕃为高老沙中国国民党通讯处执行部书记；邓镜墀为世利乔中国国民党通讯处执行部书记。此状。

总　　　　理（印）

总务部部长彭素民副署

据《国父全集》第四册（转录《本部公报》一卷十九号）

任命王国璇职务令

（一九二三年五月十日）

任王国璇为广东财政厅长。

孙　文

据《国父全集》第四册（转录史委会藏抄件）

官产收归大本营办理令

（一九二三年五月十日）

即日要收回官产，归大本营办理。

民国十二年五月十日

据《国父全集》第四册（转录史委会藏原件影印）

命查明有功乡团颁奖令

（一九二三年五月十日）

大元帅令

沈逆叛变，勾结北军，进窥粤垣，冀危大局。赖我各军将士勠力同心，勇猛杀贼，不兼旬而追奔逐北，逆氛以戢。西、北两江名城大邑次第克复,诸将士劳苦功高,一俟残贼肃清,自应另案一体分别从优叙奖。惟查此次讨逆军兴,沿粤汉铁路各地乡团,深明大义,乘机杀贼,或协助我军作战,或扰乱逆敌后方,致收迅克之功。该乡团等为国效命,甚属可嘉,着军政部调查明确,分别呈候颁给匾额,以彰义声而昭激劝。此令。

中华民国十二年五月十日

据《大本营公报》第十一号

通缉黄大伟令

（一九二三年五月十日）

大元帅令

前东路讨贼军第一军军长黄大伟,近受北廷嗾使,挟陈逆重金,潜伏香港,派遣党羽,散布谣言,运动军队,希图扰乱治安,破坏大局。该前军长以青年学子,受本大元帅训诲培植十有余年,内预机要,外参戎行,优渥隆重,鲜有伦比,乃桀骜放纵,屡抗军令,善诱严督,讫无悛改。本大元帅犹曲予优容,冀终悔悟。前讨贼军进驻福建,该前军长一意孤行,刚愎自用,对于长官命令,均等弁髦。本大元帅为统一军令起见,不获已饬令解职,并拟任以他项重寄,以酬前劳。不意该前军长毫不思过,倒行逆施,悍然无忌以至此极。兹特宣布罪状,交各军长官一体传令通缉,务获究办,以儆背叛而肃军纪。此令。

中华民国十二年五月十日

据《大本营公报》第十一号

发给孙祥夫等公费令

（一九二三年五月十日）

着会计司发海军委员三人公费壹千五百元，另孙祥夫往汕头宣慰公费壹千元。此令。

孙　文

中华民国十二年五月十日

据《国父全集》第四册（转录史委会藏原件）

发给吴世英常庭兰旅费令

（一九二三年五月十日）

着会计司发给吴世英、常庭兰二人旅费共贰百元。此令。

孙　文

中华民国十二年五月十日

据《国父全集》第四册（转录史委会藏原件）

发给长洲要塞司令伙食费令

（一九二三年五月十日）

发给长洲要塞司令伙食壹千元。此令。

孙　文

中华民国十二年五月十日

据中山大学孙中山纪念馆藏原件

复徐谦等电*

（一九二三年五月十一日）

蒸电悉。战胜，对北自仍可言和。此次获沈军前后密码，中有曹锟致沈电多通，亦积极主战。以后勿轻听其甘言，必其觉悟不能以武力统一，乃可从长商议也。孙文。真。

据上海《民国日报》一九二三年五月十三日
《孙总统不改变平和主张》

致许崇智电

（一九二三年五月十一日）

汕头许总司令：（△密）叶举、洪湘臣[①]等逆已于十日到惠州，成立粤军总指挥〈部〉，现已大举来犯石龙、增城，望为注意。孙文。（五月十一日）

据谭编《总理遗墨》第一辑

命杨廷培将炮交回李福林令

（一九二三年五月十一日）

着杨旅长廷培将前借李福林军长之炮贰门交回该军长应用。

---

* 当时徐谦等担任孙中山派驻上海办理和平统一事宜全权代表，五月初，与刚从广州归来之杨天骥谈话，得知孙中山曾表示可再与北方言和，便于五月十日致电孙中山询问，此为孙中山复电。

① 洪湘臣：即洪兆麟。

此令。

孙　文

民国十二年五月十一日

据谭编《总理遗墨》第一辑

命派员调查沿海盐务令

（一九二三年五月十一日）

大元帅令

着广东盐务稽核分所经理伍汝康派员乘安北舰前往广东沿海产盐场所调查盐务事宜，仰各该处所驻军队一体协同办理。此令。

中华民国十二年五月十一日

据《大本营公报》第十一号

准任曾拔职务令

（一九二三年五月十二日）

大元帅令

大本营参军长朱培德呈请任命曾拔为大本营参军处中校副官。应照准。此令。

中华民国十二年五月十二日

据《大本营公报》第十一号

准林达存辞职令

（一九二三年五月十二日）

大元帅令

大本营财政部第二局局长林达存呈请辞职。林达存准免本职。此令。

中华民国十二年五月十二日

据《大本营公报》第十一号

发给刘玉山军费令

（一九二三年五月十二日）

着会计司陆续发给刘玉山军费壹万元。此令。

孙　文

中华民国十二年五月十二日

据《国父全集》第四册（转录史委会藏原件）

发给周伯甘谢愤生出发费令

（一九二三年五月十三日）

着会计司发给周伯甘、谢愤生二旅长出发费共贰千元。此令。

孙　文

中华民国十二年五月十三日

据《国父全集》第四册（转录史委会藏原件）

委派魏邦平职务令

（一九二三年五月十四日）

大元帅令

特派魏邦平为西江讨贼军总指挥。此令。

中华民国十二年五月十四日

据《大本营公报》第十一号

准任罗桂芳职务令

（一九二三年五月十四日）

大元帅令

大本营兵站总监罗翼群呈请任命罗桂芳为大本营兵站第三支部长。应照准。此令。

中华民国十二年五月十四日

据《大本营公报》第十一号

任命尹骥职务令

（一九二三年五月十四日）

大元帅令

任命尹骥为中央直辖陆军第一、第二两师指挥。此令。

中华民国十二年五月十四日

据《大本营公报》第十一号

委派周震鳞职务令

（一九二三年五月十四日）

大元帅令

特派周震鳞为大本营劳军使兼督率中央直辖第一、第二两师事宜。此令。

中华民国十二年五月十四日

据《大本营公报》第十一号

任命夏醉雄职务令

（一九二三年五月十四日）

大元帅令

任命夏醉雄为大本营咨议。此令。

中华民国十二年五月十四日

据《大本营公报》第十二号（一九二三年五月二十五日出版）

委派黄白马伯麟职务令

（一九二三年五月十四日）

大元帅令

派黄白、马伯麟为大本营特务委员。此令。

中华民国十二年五月十四日

据《大本营公报》第十一号

给王棠的训令

（一九二三年五月十四日）

大元帅训令第一二五号

令大本营会计司司长王棠

据广东无线电报总局局长冯伟呈称："窃职局每月经常费业经

按月编造预算书呈报在案。惟自去年陈军败走时，各局机件多被损坏，现又值军事加紧时期，亟应从速修理；更兼汕头创设分局，工程一门尤不能不特别注意。前月特在上海聘工程师两员：一黎福强，月薪三百元；一林心泉，月薪二百元；另由上海来粤旅费二百元。该两员均于四月一日到差。查前缴四月份预算书内并无列入该两员月薪及旅费等项，理合追加专文呈报钧帅察核备案，伏乞俯准令行会计司补发给领，实为公便。一俟军事稍松，再行酌量裁撤”等情前来。除指令照准外，合行令仰该司长即便补发给领。此令。

中华民国十二年五月十四日

据《大本营公报》第十一号

给程潜等的训令

（一九二三年五月十四日）

大元帅训令第一二六号

令大本营军政部长程潜、令中央直辖滇军总司令兼广州卫戍总司令杨希闵、令大本营巩卫军司令朱培德、令中央直辖西路讨贼军总司令刘震寰、令东路讨贼军第三军军长李福林、令中央直辖第三军军长卢师谛、令中央直辖第七军军长刘玉山、令大本营驻江办事处全权主任古应芬、令广东海防司令陈策

据大本营兵站总监罗翼群呈称：“为厘定兵站路线统筹接济，恳请各军通令查照，以明统系而免虚縻，恭呈仰祈鉴核事。窃职部成立以来，已逾旬日，各路站所设置，略有端倪。惟各军旧日有自行设置兵站者，领取物料每不一致，有向职辖各兵站领取者，有直接到职部领取者，亦有由职部直接运送前线供给者，名目歧异，于

统系上难归一致，于经济上亦不免虚糜。职总监兵站，愚见所及，应行改革之处，不敢含默。兹由职部略为厘定，以一事权。现拟分为东、西、北三路，各路设支部一处，分站若干处，视兵力之大小，战事之进度如何，逐渐增加站所，以期能达普及任务。北路支部专接济粤汉铁路附近及琶江口以上大小北江一带作战军队之给养；站所位置，则随前方战况之进步移设，以韶关为支部驻地。西路支部固定位于河口，专接济西江、绥江两河沿岸附近及清远以下作战军之给养。东路专接济沿广九铁路及石龙、增城以上东路作战军之给养。至兵站线所辖区域内之作战军队，统归职部所辖各部、站直接供给。其旧日各军原有自行设备之兵站，似无庸设置，亦不再向各方领取，庶省手续繁冗，且免重领、滥取、浪费之弊。所有以上各缘由，理合厘定计划，附图呈请鉴核。伏乞俯赐通令各军查照职部计划，派员到职部妥协接洽，庶明统系而省虚糜。是否有当，恭候训示祇遵”等情，并附图前来。据此，除指令照准外，合亟令行各军一体查照办理。路线略图随发。此令。

中华民国十二年五月十四日

据《大本营公报》第十一号

给王棠的训令

（一九二三年五月十四日）

大元帅训令第一二七号

令大本营会计司司长王棠

据广东无线电报总局局长冯伟呈称：“窃职局每月经常费，曾经编造预算书按月呈请准予发给照领。查临时费一门，向来规定每年七千元。自民国十年八月间，奉准每年增加五千元，合共一万二千元。如有开支,届时呈准实报实销,于临时特种活支并修整、添购机件尚不在内,历经遵照办理各在案。现当军事时期,职局为专办军事传达机关,特种活支较诸寻常自必更多,理合将四月份〈临〉时特种活支造册随文呈报钧帅鉴核。伏乞训示祇遵。并请令行会计司发给祇领,实为公便"等语,并造具清册前来。除指令照准外,合行令仰该司长即便如数发给。清册并发。此令。

中华民国十二年五月十四日

据《大本营公报》第十一号

给古应芬的训令

(一九二三年五月十四日)

大元帅训令第一二八号

令大本营驻江办事处全权主任古应芬

东路讨贼军第十四路司令周少棠所部着拨归大本营兵站总监指挥调遣。此令。

中华民国十二年五月十四日

据《大本营公报》第十一号

给罗翼群的训令

(一九二三年五月十四日)

大元帅训令第一二九号

令大本营兵站总监罗翼群

东路讨贼军第十四路司令周少棠所部着拨归该总监指挥调遣。此令。

中华民国十二年五月十四日

据《大本营公报》第十一号

给罗翼群的指令

（一九二三年五月十四日）

大元帅指令第一六四号

令大本营兵站总监罗翼群

呈为厘定兵站路线统筹接济请通令各军查照以明统系而免虚糜由。

呈暨略图悉。所拟尚属可行，准予通令各路军事长官一体查照办理。此令。

中华民国十二年五月十四日

据《大本营公报》第十一号

给朱和中的指令

（一九二三年五月十四日）

大元帅指令第一六七号

令广东兵工厂厂长朱和中

呈请将每日制出枪枝子弹照旧章解交军械局由。

呈悉。该厂每日所制枪弹，着暂解交兵站部备用。此令。

中华民国十二年五月十四日

据《大本营公报》第十一号

发给李元箸杂费令

（一九二三年五月十四日）

着会计司发给海军委员李元箸杂费叁百元。此令。

孙　文

中华民国十二年五月十四日

据《国父全集》第四册（转录史委会藏原件）

与外国记者的谈话

（一九二三年五月十五日）

此次临城劫车案①，掳中外乘客，系袭老洋人②掳西教士受吴佩孚改编国军故智。吴首开此风，令匪党以接洋财神为不二法门，后患不堪设想。祸魁有属，舆论家宜注意。

据上海《民国日报》一九二三年五月十六日《本报专电》

发给黄昌谷公费令

（一九二三年五月十五日）

着会计司每月（由四月起）发给黄昌谷公费叁百元。此令。

孙　文

① 临城劫车案：一九二三年五月五日，土匪孙美瑶部在山东临城绑架火车旅客二百余人，其中外国旅客二十六人，以北京政府收编作为释放中外旅客的条件。这一事件在帝国主义压力下，以收编孙美瑶匪部了结。

② 老洋人：河南著匪张庆。一九二二年底曾绑架外国教士及商人二十余人，后被吴佩孚收编。

中华民国十二年五月十五日

据《国父全集》第四册(转录史委会藏原件)

发给徐于旅费令

(一九二三年五月十五日)

着会计司发给徐于旅费叁百元。此令。

孙 文

中华民国十二年五月十五日

据《国父全集》第四册(转录史委会藏原件)

发给徐树荣军费令

(一九二三年五月十五日)

着会计司发给徐树荣军费壹千元。此令。

孙 文

中华民国十二年五月十五日

据《国父全集》第四册(转录史委会藏原件)

任命王隆中职务令

(一九二三年五月十六日)

大元帅令

任命王隆中为大本营咨议。此令。

中华民国十二年五月十六日

据《大本营公报》第十二号

委派谢心准职务令

（一九二三年五月十六日）

大元帅令

派谢心准为大本营特务委员。此令。

中华民国十二年五月十六日

据《大本营公报》第十二号

命谢文炳部归军政部编制令

（一九二三年五月十六日）

谢文炳所部着归军政部编制。此令。

孙 文

据谭编《总理遗墨》第三辑

给赵士北的指令*

（一九二三年五月十六日）

大元帅指令第一六九号

令大理院长兼管司法行政事务赵士北

呈请将广州登记局直接考核始曷〔易〕统筹兼愿〔顾〕由。

---

* 五月十一日，赵士北呈请将广州登记局直接由大理院考核，以便筹措大理院经费。

呈悉。现在军需孔急，财厅〈于〉应支常款未能照给。所有司法各机关经费，自应先假司法收入，分配应用。所请将广州登记局由该院直接考核，以便统筹兼顾之处，应予照准。仰即知照。此令。

中华民国十二年五月十六日

据《大本营公报》第十二号

任命姜汇清职务令

（一九二三年五月十七日）

大元帅令

任命姜汇清为大本营咨议。此令。

中华民国十二年五月十七日

据《大本营公报》第十二号

准叶恭绰辞兼职令

（一九二三年五月十七日）

大元帅令

大本营财政部长叶恭绰呈请辞广东财政厅长兼职。应照准。此令。

中华民国十二年五月十七日

据《大本营公报》第十二号

发给刘玉山军费令

（一九二三年五月十七日）

着会计司发给刘玉山军费五千元。此令。

孙　文

中华民国十二年五月十七日

据《国父全集》第四册（转录史委会藏原件）

命将盖印之手令编号注册令

（一九二三年五月十七日）

着秘书处须将盖印之手令编号注册。此令。

孙　文

中华民国十二年五月十七日

据谭编《总理遗墨》第一辑

发给无线电局经费令

（一九二三年五月十七日）

着会计司发给无线电局经费叁千元。此令。

民国十二年五月十七日

据《研究中山先生的史料与史学》中许师慎《〈国父全集〉未刊载之重要史料》

致古应芬等电*

（一九二三年五月十八日）

三水古主任并转魏总指挥、梁军长、李、郑各师长、陈、谭各司令鉴①：叠接捷报，欣慰无已。此次克复肇城，各将领劳苦功高，士卒忠勇用命，殊堪嘉奖。仰该总指挥会同该主任调查各部伤亡官兵人数及功勋卓著者，即日呈报，俾资奖赏，破敌详情，及获得战利品若干，尚希查明速复。大元帅。巧未。

据《大本营公报》第十二号

任命邹鲁职务令

（一九二三年五月十八日）

大元帅令

任命邹鲁为广东财政厅长。此令。

中华民国十二年五月十八日

据《大本营公报》第十二号

发给肇庆赏恤费令

（一九二三年五月十八日）

着会计司发给肇庆赏恤费五千元。此令。

孙　文

---

* 五月十八日，讨贼军攻克被沈鸿英部占据的肇庆，西江战事告一段落。古应芬、魏邦平于攻克肇庆后即分别向大元帅报捷。孙中山于当日复电嘉奖。

① 受电人依次为：魏邦平、梁鸿楷、李济深、郑润琦、陈策、谭启秀。

中华民国十二年五月十八日

据《国父全集》第四册(转录史委会藏原件)

给杨希闵等的训令

（一九二三年五月十八日）

大元帅训令第一三三号

令广州卫戍总司令杨希闵、大本营兵站总监罗翼群、广州市公安局长吴铁城

查得近有无业痞棍,假冒军人,藉名拉夫,肆行勒索,实属胆玩之极。着广州卫戍总司令杨希闵、大本营兵站总监罗翼群、广州市公安局长吴铁城,即便转令所属,一体严密查拿,务获重究,以儆奸回而安闾阎。切切。此令。

中华民国十二年五月十八日

据《大本营公报》第十二号

批范石生呈

（一九二三年五月十八日）

着市政厅长垫发式万元。此批。(师长范石生需款出发签呈)

民国十二年五月十八日

据《研究中山先生的史料与史学》中许师慎《〈国父全集〉中未刊载之重要史料》

致李烈钧函

（一九二三年五月十九日）

协和兄鉴：

日前道腴兄来告急云：洪兆麟已受北方任命，其旧部李云复、尹骥已大摇动，将有离兄而回击潮汕之势。救急之法，只有假他以名义，由彼更用其同乡之感情，则必能破坏洪氏之计划，于是遂许之以劳军使，并督率该两师之任务，其唯一之目的乃在破坏洪逆之图谋而已。此目的一达，则道腴兄之任务便为终了，此后该两师仍归兄命令、编制、调遣，道腴不得稍为参与其间，以碍军事之行动。此意已托赓笙兄转致矣，今更作函详述，如有必要，可将此信示道腴也。

兄图赣之费，此间因事变叠生，不克如期应付；然已另行设法，向奉天筹五十万，专为兄入赣之用。闻沪中同志亦有欲助兄一二十万者，亦并催促矣，早晚得当，当再报闻。此致

孙文　民国十二年五月十九日

据《国父全集》第三册（转录史委会藏原件影印）

致魏邦平电

（一九二三年五月十九日）

三水古主任速转魏总指挥鉴：（礼大密）希即着邓演达所部即日来省（为大本营卫队）。此令。（五月十九日发）

孙　文

据谭编《总理遗墨》第一辑

给杨希闵的训令

（一九二三年五月十九日）

大元帅训令第一三五号

令中央直辖滇军总司令杨希闵

据东路讨贼军第三军军长李福林呈称："去年韶州一役，职部转战入闽，遗下旧部散匿始兴、仁化一带。夏历岁杪，福林返粤，正在派员招集回省，均为沈逆间阻不得下。此次沈军败退，密饬该兵等四处要截。现拟在韶设立办事处，以便整理一切，并派员率领回部，庶免苦战士卒散漫无归。恳请钧座令饬杨总司令，转饬所属一体知照，俾免误会"等情前来。查该军长所陈，尚属实在情形，除指令照准外，合行令仰该总司令，转饬所属一体知照。此令。

中华民国十二年五月十九日

据《大本营公报》第十二号

给王棠的训令三件

（一九二三年五月十九日）

一

大元帅训令第一三七号

令大本营会计司司长王棠

据大本营建设部长邓泽如呈称："窃职部自四月十一日开始办公，所有各职员四月份薪俸，理合造具预算表，呈请钧帅俯赐鉴核，饬司照发，以便转给"等语，并造具预算表前来。除指令照准外，合行令仰该司长查照发给。预算表并发。此令。

中华民国十二年五月十九日

二

大元帅训令第一三八号

令大本营会计司司长王棠

据兼大本营财政部长邓泽如呈称:"窃职部自三月十二日开始办公,所有各职员二〔三〕月份薪俸,理合造具预算表,呈请钧帅俯赐鉴核,饬司照发,以便转给"等语,并造具预算表前来。除指令照准外,合行令仰该司长查照发给。预算表并发。此令。

中华民国十二年五月十九日

三

大元帅训令第一三九号

令大本营会计司司长王棠

据兼大本营财政部长邓泽如呈称:"窃职部各职员三四月份薪俸,已编造预算表呈请核发在案。五月份各职员薪俸,理合先期造具预算表,呈请钧帅俯赐鉴核,饬司照发,以便转给支领"等语,并造具预算表前来。除指令照准外,合行令仰该司长查照发给。预算表并发。此令。

中华民国十二年五月十九日

据《大本营公报》第十二号

给傅秉常的指令*

（一九二三年五月十九日）

大元帅指令第一七八号

令特派广东交涉员傅秉常

呈为德侨纷纷请求发还个人私有房屋，未奉规定明文，不敢擅便，请指令祇遵由。

呈悉。准予发还可也。此令。

中华民国十二年五月十九日

据《大本营公报》第十二号

给廖仲恺的指令

（一九二三年五月十九日）

大元帅指令第一八二号

令广东省长廖仲恺

呈为崔尚战前犯杀人罪，又系现役军人，请示可否饬下军政部提审，抑仍由法庭处理，请令祇遵由。

呈悉。应仍由法庭处理。仰即转饬遵照。此令。

中华民国十二年五月十九日

据《大本营公报》第十二号

---

* 五月十日，傅秉常上呈孙中山，就德侨要求发还第一次世界大战期间在广东被封存的财产一事请示处理办法。

发给刘玉山军费令

（一九二三年五月十九日）

着会计司发给刘玉山军费五千元。此令。

孙 文

中华民国十二年五月十九日

据《国父全集》第四册（转录史委会藏原件）

发给杨如轩紧急费令

（一九二三年五月十九日）

着会计司发给杨师长如轩紧急费壹万元。此令。

孙 文

中华民国十二年五月十九日

据《国父全集》第四册（转录史委会藏原件）

严禁各师旅处决犯人令

（一九二三年五月二十日）

近日查有各师、旅部，有缉获奸细即自行处决，市内大场广众之中，而竟至陈尸数日者，殊于文明人道大相违背。着该总司令严行禁止各师、旅部自行处决人犯，所获奸细务令解至总司令部办理。此令。

又，查各处之有无兵而犹某某司令等名目以招摇舞弊者，着该总司令严行拿办。此令。

文

民国十二年五月二十日

据胡编《总理全集》第四集影印原件

给吴池波委任状

（一九二三年五月二十一日）

委任吴池波为利物浦中国国民党支部党务科正主任。此状。

总　　　　　　理（印）

总务部部长彭素民副署

代理党务部部长孙镜副署

据《国父全集》第四册（转录《本部公报》一卷十九号）

给岑相佐黄球委任状

（一九二三年五月二十一日）

委任岑相佐为利物浦中国国民党支部会计科正主任；黄球为利物浦中国国民党支部会计科副主任。此状。

总　　　　　　理（印）

总务部部长彭素民副署

财务部部长林业明副署

据《国父全集》第四册（转录《本部公报》一卷十九号）

给谢五有委任状

（一九二三年五月二十一日）

委任谢五有为利物浦中国国民党支部宣传科正主任。此状。

总　　理（印）

总务部部长彭素民副署

宣传部部长叶楚伧副署

据《国父全集》第四册（转录《本部公报》一卷十九号）

给张静愚等委任状

（一九二三年五月二十一日）

委任张静愚、蔡锦全为利物浦中国国民党支部执行部书记；冯远、顾根福、吴钦德、曾福、邓利、冯普、马日龙为利物浦中国国民党支部干事；梅邦华为利物浦中国国民党支部评议部书记；黄明哲、梅宗才、杨容、唐煜秋、黄文卿、庄添、刘昌、郭云凤、黄仲兰、梅栋、张福安、庄保、黎福、严庆辉、黄玉波、周胜、邓镇鸿、谭维、冯广魁、甄深、谭俊信、黄均、司徒于业、邝权修、吴毅、江锦焕、冯昆鹏、邓柱进为利物浦中国国民党支部评议部评议员。此状。

总　　理（印）

总务部部长彭素民副署

据《国父全集》第四册（转录《本部公报》一卷十九号）

给骆谭等委任状

（一九二三年五月二十一日）

委任骆谭为利物浦中国国民党支部正部长；黄球为利物浦中国国民党支部副部长；冯琳为利物浦中国国民党支部评议部正议长；黎琪为利物浦中国国民党支部评议部副议长。此状。

总　　　　理（印）

总务部部长彭素民副署

代理党务部部长孙镜副署

财务部部长林业明副署

宣传部部长叶楚伧副署

交际部部长张秋白副署

据《国父全集》第四册（转录《本部公报》一卷十九号）

免陈树人职务令

（一九二三年五月二十一日）

大元帅令

广东政务厅长陈树人另有任用，应免本职。此令。

中华民国十二年五月廿一日

据《大本营公报》第十二号

任命陈树人职务令

（一九二三年五月二十一日）

大元帅令

任命陈树人为大本营内政部总务厅长。此令。

中华民国十二年五月廿一日

据《大本营公报》第十二号

任命古应芬职务令

（一九二三年五月二十一日）

大元帅令

任命古应芬为广东政务厅长。此令。

中华民国十二年五月廿一日

据《大本营公报》第十二号

任命谢百城等职务令

（一九二三年五月二十一日）

大元帅令

任命谢百城、许行怿、唐支厦、宋镇华为大本营咨议。此令。

中华民国十二年五月廿一日

据《大本营公报》第十二号

委派刘成禺陈群职务令

（一九二三年五月二十一日）

大元帅令

派刘成禺、陈群为大本营宣传委员。此令。

中华民国十二年五月廿一日

据《大本营公报》第十二号

给王棠的训令

（一九二三年五月二十一日）

大元帅训令第一四〇号

令大本营会计司司长王棠

据大本营建设部部长邓泽如呈称："窃职部四月份各职员薪俸，已编造预算表呈请核发在案。五月份各职员薪俸，理合先期编造预算表，呈请钧帅俯赐鉴核，饬司照发，以便转给支领"等语，并造具预算表前来。除指令照准外，合行令仰该司长查照发给。预算表并发。此令。

中华民国十二年五月廿一日

据《大本营公报》第十三号（一九二三年六月一日出版）

给杨希闵的训令

（一九二三年五月二十一日）

大元帅训令第一四一号

令广州卫戍总司令杨希闵

查广州市内及省会附近地方，竟有未经任命自称某某司令等名目，设立机关，招摇舞弊情事，殊堪痛恨。仰该总司令一律严行拿办。切切。此令。

中华民国十二年五月廿一日

据《大本营公报》第十三号

给王棠的训令

（一九二三年五月二十一日）

大元帅训令第一四三号

令大本营会计司司长王棠

据大本营财政部长邓泽如呈称："窃职部三月份各职员薪俸，已造具预算表呈请核发在案。四月份各职员薪俸，理合造具预算表呈请帅钧鉴核，饬司照发，以便转给"等语，并造具预算表前来。除指令照准外，合行令仰该司长查照发给。预算表并发。此令。

中华民国十二年五月廿一日

据《大本营公报》第十三号

给赵士北的指令

（一九二三年五月二十一日）

大元帅指令第一九二号

令大理院长兼司法行政事务赵士北

呈报减刑办法由。

呈悉。此次申令清理庶狱，重在平反冤狱，省释无辜。凡在疑狱，从宽免刑；轻罪可原，迅予开释。至于减刑一节，除真正命、盗要案外，宜详加审查，视其情罪之轻重与在监执行刑罚之久暂，分别等差，呈请减免，以副本大元帅哀矜庶狱之至意。有厚望焉。此令。
中华民国十二年五月廿一日

据《大本营公报》第十三号

免黄白职务令

（一九二三年五月二十二日）

大元帅令

大本营特务委员黄白另有任用，应免本职。此令。
中华民国十二年五月廿二日

据《大本营公报》第十三号

准任黄白职务令

（一九二三年五月二十二日）

大元帅令

大本营参军长朱培德呈请任命黄白为大本营参军处上校副官。应照准。此令。
中华民国十二年五月廿二日

据《大本营公报》第十三号

免彭澄职务令

（一九二三年五月二十二日）

大元帅令

江固舰舰长彭澄着即免去本职。此令。

中华民国十二年五月廿二日

据《大本营公报》第十三号

任命袁良骅职务令

（一九二三年五月二十二日）

大元帅令

委任袁良骅为江固舰舰长。此令。

中华民国十二年五月廿二日

据《大本营公报》第十三号

任命卢启泰陶炯职务令

（一九二三年五月二十二日）

大元帅令

任命卢启泰、陶炯为大本营咨议。此令。

中华民国十二年五月廿二日

据《大本营公报》第十三号

命悬赏购拿杨坤如令

（一九二三年五月二十二日）

大元帅令

杨逆坤如，反复无常，奸诡成性。去年陈逆之变，称兵首难，此贼实为祸先。及联军奉命致讨，杨逆窘穷失据，指天誓日，服罪乞降。本大元帅特示优容，恕其既往，委以重任，冀终感化。而狼子野心，怙恶不悛，一面呈请自效，一面阴结逆党，竟于本月十一日擅自称兵，进窥石龙。赖我将士用命，合力迎剿。逆贼败窜惠城，犹复收合余烬，负隅固守。似此恣行叛逆，视为固常，恶盈衅积，法所必诛。杨坤如应即褫夺代理警备军军长及第一师师长本兼各职。着各军长官转饬前敌将领，将杨坤如悬赏购拿，务获惩办，以伸国法而快人心。此令。

中华民国十二年五月二十二日

据《大本营公报》第十三号

命拿办李耀汉令

（一九二三年五月二十二日）

大元帅令

桂盗余孽李耀汉于沈逆叛乱之际，竟敢率领丑类肆行抢劫，骚扰地方，涂炭生灵，实属罪无可逭。仰前敌各军长官一体悬赏购拿，务获惩办。此令。

中华民国十二年五月廿二日

据《大本营公报》第十三号

命拿办沈子良杨梅宾令

（一九二三年五月二十二日）

大元帅令

此次陈逆余孽，乘沈逆之乱相率背叛，业经分命将士提兵进讨。查有沈子良、杨梅宾接济叛徒，居中策划，甘心同恶，罪无可逭。着广东省长及各军长官转令所属，一体严拿，务获惩办。此令。

中华民国十二年五月廿二日

据《大本营公报》第十三号

给王棠的训令

（一九二三年五月二十二日）

大元帅训令第一四五号

令大本营会计司司长王棠

据大本营参军长朱培德呈称："窃据战地通讯所长赵育庠呈称：'窃查战地通讯总所及一、二、三、四分所，信差各补四名，以资传达，经于四月十九日呈报，当奉批示准补在案。查战地信差饷银，旧章规定每月毫洋十二元。惟通讯所自成立以来，该信差火食均由各所长由办公费项下垫发。现据各分所长报称，信差仅发火食均不愿意服务。此间战线较远，若不预为设法，诚恐中途逃逸，有误要公。况作战地区顶补信差尤非易易。务请将其火食饷银照章发下，始有办法等情。据此，查战时信差传达较为劳苦，自非请发饷项，实不足以固心理。拟请由四月十九日起发饷银一月，以示鼓励，而免误事。除将该信差等姓名造册附呈外，理合具文呈请核转示遵'等情，附名册一本前来。据此，查所呈各节尚属实情，应即具呈缮造清册汇呈备案，并恳补发各所信差月饷，以资鼓励。所有呈请备案及补发各缘由，理合恭呈鉴核指令祗遵。"据此，除指令呈悉，准予令行会计司照案发给外，合行令仰该司长即行按数发给月饷。清册一本附发。此令。

中华民国十二年五月廿二日

据《大本营公报》第十三号

给罗翼群的训令

（一九二三年五月二十二日）

大元帅训令第一四六号

令大本营兵站总监罗翼群

据大本营审计局长刘纪文呈称："窃职局前奉钧帅委办大本营兵站总监部及所属支部、分站、派出所、运输站、野战病院等暂行编制薪饷表一案，当即遵令查核。查我国陆军编制，无兵站部之名称，不过对于军事上便利起见，临时设立，于编制上无所根据，其用人行政，似应由该部总监负完全责任。惟各薪饷表所列各数，核与军政部所订定各军暂行编制饷章略有不符。根据军政部订定各军暂行编制饷章，则中将月支五百五十元，少将月支四百元，上校月支三百元，中校月支二百二十元，少校月支百六十元，皆八折支给；其余上尉月支八十元，中尉月支五十元，少尉月支四十元，皆九折支给。今该部所列薪饷未有折算，与军政部所定编制不符，殊失军政统一之旨，似应发还更正，饬令依照军政部所订编制办理，再行编造预算，呈由钧帅发局备案，实为公便。除将表册十三本连同原呈二件送交秘书处外，奉委前因，理合具文呈复察核"等情前来。据此，除指令呈悉，已令行该总监依照军政部所定各军暂行编制饷章再行编造呈核外，合行令仰该总监即行依照办理，以期军政一致可也。表册十二本附发。此令。

中华民国十二年五月廿二日

据《大本营公报》第十三号

给廖仲恺的训令

（一九二三年五月二十二日）

大元帅训令第一四七号

令广东省长廖仲恺

据驻江门大本营主任古应芬删日快邮代电称："据郑师长①快邮称：'广宁县长李济源，对于此次讨贼资助甚力。近日沈逆健飞等，纠率党羽千余，啸聚怀集，图扰广宁，进窥四会。该县长能事先预防，一面飞报敝部戒备。本月真日，匪分两路扑广宁，一由古水，一由大汕，声势浩大，牵动我军后方，该县长又能督率团警，据险截击，毙匪甚夥，卒能将敌击散。似此贤明勇敢之县长，实所罕觏，自应电呈钧座转呈大元帅，酌予嘉奖，以励贤劳'等语。查该县长李济源，办事热心，智勇兼全，用能御寇安民，应请钧座传令嘉奖，以励贤良，是否可行，仍乞钧裁"等情前来。据此，该县长既能先事预防，又能临阵杀敌，卒以御寇安民，不忝职守，殊堪嘉尚。仰该省长即行传令嘉奖，以励贤良。此令。

中华民国十二年五月廿二日

据《大本营公报》第十三号

致许崇智电*

（一九二三年五月二十三日）

汕头许总司令鉴：（△密）东江战事甚为得手，不日当可肃清。

---

① 郑师长：郑润琦。

* 原件无年月。当系与后一电同时。

此时形势与沈逆围攻广州时不同，故潮汕万不可放弃，当固守之，以待此间战况之发展，则逆贼必无能为。此时能固守潮汕，便是胜利，须识之勿忘。孙文。漾。

据谭编《总理遗墨》第一辑

致海军将士电

（一九二三年五月二十三日）

汕头许总司令：（△密）译转海军各将士鉴：现在我军已肃清西北二江，现正用力扑攻东江余孽，已节节胜利，不日当可肃清。近闻洪逆兆麟图攻潮汕，务望各将士与许总司令协同一致，巩固潮汕，毋使逆贼得逞为要。孙文。漾。

中华民国十二年五月廿三日

据谭编《总理遗墨》第一辑

任命涂震亚职务令

（一九二三年五月二十三日）

大元帅令

任命涂震亚为大本营咨议。此令。

中华民国十二年五月廿三日

据《大本营公报》第十三号

给王棠的训令

（一九二三年五月二十三日）

大元帅训令第一五〇号

令大本营会计司司长王棠

据大本营审计局长刘纪文呈称："窃职局成立以来，系附设钧府，故当时除仅将职官俸给暨员役薪工开列预算呈请核定外，其余号房、厨役、跑差均无设置，即办公、杂费等项，亦均由庶务司直接领用，是以并无编列。现因地方狭隘，不敷办公，经蒙谕准迁往广东省长公署，遵于本月十一日迁移，经具文呈报在案。伏查职局现既迁移，则号房、厨役、跑差等自不能不另为设置，以供差使。其办公、杂费等项，为明统系而资利便起见，亦不便仍前办理。局长一再考虑，拟将必需之费，该计每月第一项追加工食四十二元，及追加第二项办公费二百八十二元，第三项杂支一百九十五元，合计每月追加经常费五百一十九元，本年度由本月起计至六月度止，实追加一千零三十八元。又职局为登记各机关经临预决算数，每年须用簿记极多，故一次过购置簿籍约需二百元。又职局办理决算，于每年度终结，须将审计经过报告，则缮写之件繁多，不能不临时增设雇员，以资因应。惟本年度将届终了，且当军务偬倥之时，事务较少，故仅列八十元，若在承平之时，当不敷用，合计临时费拟追加二百八十元，经临统计追加一千三百一十八元。所有呈请追加经临各费缘由，理合具文连同经、临预算书各二份呈请鉴核，伏祈俯赐核准，仍乞指令祗遵"等情。据此，除指令呈悉照准，并已令行会计司查照外，合行令仰该司长即便查照按表发给。经临预算书并发。此令。

中华民国十二年五月廿三日

据《大本营公报》第十三号

给赵士觐的训令

（一九二三年五月二十三日）

大元帅训令第一五一号

令大本营管理俘虏主任委员赵士觐

据大本营审计局局长刘纪文呈称："查管理俘虏处经费清册内薪俸及开办费等开列数目，未免过巨，似应节省。查我国陆军编制，未有俘虏处之名称，不过此次战事捕获良多，予以相当之收容，临时设立，实为创举。细查俘虏原敌之军人，败为我获，与罪人无异。职局以为，俘虏处与陆军监狱同，称谓虽别，大致相似。参照粤军军需造报程式汇编内载陆军监狱暂行编制饷章表，其典狱员不过一上尉，月支八十元，且九折支给。今该处职员薪俸表内列明主任委员、委员由大元帅规定外，其余文牍主任等六员，月支百二十元，似应酌予核减，饬令依照陆军监狱办理。又开办费内修缮费，开列一万六千余元。案会计法第二十八条，凡政府工程，价格在千元以上者，均应公告招人投标，以昭公正。但细案管理俘虏处之设，不过沈逆称兵犯顺，天诱其衷，逆为我获，予以收容，实一时的，并非永久的。现沈逆败亡西江，将近收束；东江小丑，亦旦夕可平。若以一时之俘虏处，修缮费糜至一万六千余元，其余服装寝具等亦费至五千余元，殊非体念国艰，似应酌予核减"等情前来。除指令呈悉，已分别令行管理俘虏主任及无线电报总局查照更正再行编造外，合行令仰该主任委员等即便查照办理。

规程细则暨经费清册一本，连同工程节略单价一本、图式一纸附发。此令。

中华民国十二年五月廿三日

据《大本营公报》第十三号

给冯伟的训令

（一九二三年五月二十三日）

大元帅训令第一五二号

令广东无线电报总局局长冯伟

据大本营审计局局长刘纪文呈称："查无线电报局五月份预算书开列各数，散总不符，应令更正。但局长月支舆马费一百元，谓援照大本营直辖各局之例，实无充份理由。际此财政支绌之秋，似应删节，以免虚糜，是否有当，伏祈明察"等情前来。除指令呈悉，已分别令行管理俘虏主任及无线电报总局查照更正再行编造外，合行令仰该局长即便查照办理。五日〔月〕份支付预算书一本附发。此令。

中华民国十二年五月廿三日

据《大本营公报》第十三号

发给李健民旅费令

（一九二三年五月二十三日）

着会计司发给李健民旅费贰百元。此令。

孙 文

中华民国十二年五月廿三日

据《国父全集》第四册（转录史委会藏原件）

发给金华林旅费令

（一九二三年五月二十三日）

着会计司发给金华林旅费贰百元。此令。

孙　文

中华民国十二年五月二十三日

据《国父全集》第四册（转录史委会藏原件）

发给海军伙食费令

（一九二三年五月二十三日）

着会计司发给海军伙食叁千元。此令。

孙　文

中华民国十二年五月廿三日

据中山大学孙中山纪念馆藏原件

发给喻毓西旅费令

（一九二三年五月二十三日）

着会计司发给喻毓西旅费贰百元。此令。

孙　文

中华民国十二年五月二十三日

据《国父全集》第四册（转录史委会藏原件）

命在前线直接核发军粮令

（一九二三年五月二十四日）

近闻出征各军，其留省办事人员有浮领米石屯积甚多、且领之兵站而卖之商人等情弊。着兵站总监此后停止在省发，须将米粮运往前线，由各分站直接核实发给作战队，以省耗费。此令。

中华民国十二年五月廿四日

据谭编《总理遗墨》第一辑

发给徐永丰旅费令

（一九二三年五月二十四日）

着会计司发给徐永丰旅费贰百元。此令。

孙 文

中华民国十二年五月二十四日

据《国父全集》第四册（转录史委会藏原件）

发给刘玉山军费令

（一九二三年五月二十四日）

着会计司发给刘玉山军费五千元。此令。此款拨为陈天太用。

孙 文

中华民国十二年五月廿四日

据《国父全集》第四册（转录史委会藏原件）

发给地雷队出发费令

（一九二三年五月二十四日）

发给地雷队出发费叁百元。此令。

中华民国十二年五月廿四日

据中山大学孙中山纪念馆藏原件

致魏邦平等电

（一九二三年五月二十五日）

肇庆魏总指挥、古主任、梁军长、李师长、郑师长、陈海防司令①鉴：古主任、陈司令敬电②均悉。我水陆军队追击逆敌，已至封川江口，西江余孽即可肃清，皆由将士忠勇，迅奏肤功，殊深嘉尚。本应穷追痛剿，以绝根株，惟念桂人皆吾赤子，粤境既已奠定，不欲更烦兵力，以苦吾民。我军应于粤边暂取守势，以待桂人之觉悟。如桂人憣然向义，自除败类，则两粤一家，更无畛域；即或自知悔悟，不复从逆称兵，我军亦当宥其既往，不更进攻，以示大公。仰各军队长官遵照出示，晓喻广西军民一体周知为要。大元帅。有。

据《大本营公报》第十三号

---

① 收电人依次为：魏邦平、古应芬、梁鸿楷、李济深、郑润琦、陈策。

② 敬电：二十四日，古应芬、陈策分别致大元帅电告捷，报告敌军已被击败，退入广西境内。

致刘纪文电*

（一九二三年五月二十五日）

江门大本营办事处刘纪文鉴：敬亥电悉。李逆耀汉附逆倡乱，糜烂地方，经我军迭予痛剿，仍复顽强抵抗。此次我水陆各军包围攻击，大挫逆氛，乘胜追剿，指顾肃清，皆由各官长调度有方，士卒踊跃用命，闻之嘉慰。杨旅长锦龙往来应战，不避艰险；梁旅长[①]及其余各部队长官奋勇克敌，出力异常，均着先行传令嘉奖，以励有功。仍饬令督队穷追，净绝根株，毋留遗孽为要。大元帅。有。

据《大本营公报》第十三号

发给刘震寰部军费令

（一九二三年五月二十五日）

着会计司提前发给刘震寰部军费五千元。此令。

孙　文

中华民国十二年五月二十五日

据《国父全集》第四册（转录史委会藏原件）

---

* 五月廿四日，以大本营驻江办事处全权主任古应芬名义呈大元帅的敬电，报告击败李耀汉部的经过。此电注明系刘纪文代发。

① 梁旅长：即梁士锋。

任命周家琳职务令

（一九二三年五月二十六日）

大元帅令

任命周家琳为大本营咨议。此令。

中华民国十二年五月廿六日

据《大本营公报》第十三号

命马伯麟赴长洲令

（一九二三年五月二十七日）

着特务委员马伯麟往长洲会同该要塞司令苏从山严防海军各舰自由出入省河。此令。

孙　文

民国十二年五月二十七日

据《孙公历年书牍函电》（上海三民公司印行，一九二七年五月第三版）

给彭澄的训令

（一九二三年五月二十七日）

大元帅训令第一五六号

令前江固舰舰长彭澄

查江固舰舰长一职业经委任袁良骅接充。着该员克日交代。

毋违。此令。

中华民国十二年五月廿七日

据《大本营公报》第十四号(一九二三年六月八日出版)

给袁良骅的训令

(一九二三年五月二十七日)

大元帅训令第一五七号

令江固舰舰长袁良骅

查江固舰舰长一职业经分别任免,并已令行前舰长彭澄克日交代。着该员即日到舰接收,毋负委任,并将接收情形具报。此令。

中华民国十二年五月二十七日

据《大本营公报》第十四号

加发涂震亚旅费令

(一九二三年五月二十七日)

着会计司加发涂震亚旅费壹百元。此令。

孙 文

中华民国十二年五月二十七日

据《国父全集》第四册(转录史委会藏原件)

发给岑静波用费令

（一九二三年五月二十七日）

着会计司发给岑静波用费壹百元。此令。

孙　文

中华民国十二年五月廿七日

据《国父全集》第四册（转录史委会藏原件）

发给徐树荣伙食费令

（一九二三年五月二十七日）

着会计司发给徐树荣伙食费五百元。此令。

孙　文

中华民国十二年五月二十七日

据《国父全集》第四册（转录史委会藏原件）

发给马伯麟公费令

（一九二三年五月二十七日）

着会计司发给马伯麟公费壹百元。此令。

孙　文

中华民国十二年五月二十七日

据《国父全集》第四册（转录史委会藏原件）

给王棠的训令

（一九二三年五月二十八日）

大元帅训令第一六〇号

令大本营会计司司长王棠

据大本营审计局局长刘纪文呈称："窃职局经费当经先后呈奉钧帅核准及追加各在案，兹谨将本年五月份应支俸给薪工及办公杂费等，照案编造支付预算书二份呈请鉴核，伏祈俯赐令行会计司照案支付，俾便领发，实为公便。再，临时费本月暂不请领，故无编造，合并呈明"等语，并造具预算书前来。除指令照准外，合行令仰该司长照案发给。预算书并发。此令。

中华民国十二年五月廿八日

据《大本营公报》第十四号

给伍岳的指令*

（一九二三年五月二十八日）

大元帅指令第二一五号

令代理广东高等审判厅厅长伍岳

呈请变卖所存省行纸币以应急需，请核示令遵由。

呈悉。所请应予照准。此令。

---

* 伍岳鉴于司法收入异常短绌，厅中各员薪俸已欠两月，于五月二十三日呈请孙中山将存省行纸币变换现洋，以清发欠薪。

中华民国十二年五月廿八日

据《大本营公报》第十四号

发给邓慕韩杂费令

（一九二三年五月二十八日）

着会计司发给邓慕韩杂费壹百零五元。此令。

孙　文

中华民国十二年五月廿八日

据《国父全集》第四册（转录史委会藏原件）

复麦造舟赵泮生函

（一九二三年五月二十九日）

造舟、泮生两先生：

王登云君归国，藉奉手书及移民新例一纸，阅之慨叹。前此奉电后，即已电加政府[①]要人，抗争此案。兹将英文来去电抄上，并华文电一通，希为察览。现在唯一之希望，则在上院之否决而已，亦已竭力设法做去。结果如何，尚不可知，至冀兄等努力争之。文当尽其绵薄，以为后盾，不敢有爱也。此颂

时安

孙文　中华民国十二年五月廿九日

据《国父全集》第三册（转录史委会藏原件）

① 加政府：指加拿大政府。

致刘芦隐电

（一九二三年五月二十九日）

委任刘芦隐为加拿大总支部总干事，着即赴任。总理孙文。（用SS密）民国十二年五月廿九日。

据谭编《总理遗墨》第一辑

给刘芦隐委任状

（一九二三年五月二十九日）

委任刘芦隐为加拿大中国国民党总支部总干事。此状。

总　　　　理（印）

总务部部长彭素民副署

代理党务部部长孙镜副署

财务部部长林业明副署

宣传部部长叶楚伧副署

交际部部长张秋白副署

据《国父全集》第四册（转录《本部公报》一卷十九号）

任命王柏龄职务令

（一九二三年五月二十九日）

大元帅令

任命王柏龄为大本营高级参谋。此令。

中华民国十二年五月廿九日

据《大本营公报》第十四号

委派徐方济丁士杰职务令

（一九二三年五月二十九日）

大元帅令

派徐方济、丁士杰为大本营出勤委员。此令。

中华民国十二年五月廿九日

据《大本营公报》第十四号

免林云陔职务令

（一九二三年五月二十九日）

大元帅令

大本营秘书林云陔另有任用，应免本职。此令。

中华民国十二年五月廿九日

据《大本营公报》第十四号

任命林云陔宋子文职务令

（一九二三年五月二十九日）

大元帅令

任命林云陔为中央银行行长，宋子文为副行长。此令。

中华民国十二年五月廿九日

据《大本营公报》第十四号

准任周尧坤等职务令

（一九二三年五月二十九日）

大元帅令

大本营参谋长张开儒呈请任命周尧坤、周鳌山为大本营参谋处秘书；陈雄洲为上校参谋；陈焯为中校参谋；卢汉为上校副官；谷春芳、黄伯度为中校副官；苏俊伍为少校副官。均照准。此令。

中华民国十二年五月廿九日

据《大本营公报》第十四号

给杨西岩的训令

（一九二三年五月二十九日）

大元帅训令第一六二号

令广东财政厅长杨西岩

据广东财政厅纸币发行监督黄隆生呈称："窃隆生前奉钧令，饬将财政厅印就之金库券全数收管等因，遵即与财政厅长杨西岩接洽办理。讵磋商往返，时日久稽，延至四月二十五日始准该厅长将金库券开始移交，计至五月十一日止，前后移交金库券额共贰百柒拾陆万陆千柒百叁拾肆元；据金库主任面称尚有贰拾柒万余元存放银号，一时未能收缴等语。当经再行咨催该厅长从速清理，一面布告商民人等，如有收存此项金库券者，限于五月二十二日以前一律缴回该厅，以便清厘各在案。讵现已逾限，未准该厅长咨复，迭经隆生亲自往催，该厅长托故疲延，迄无清理办法。似此推延诿卸，不知是何居心。且其从前订印之金库券，总额究竟若干，已发若干，未发若干，数月以来，迄未准该厅长切实开报，迭催罔应，其中如何实情，更属无从稽核。隆生愚昧自觉，进退俱难，既不能任其长此含糊，又不能促其赶行清理，再四思维，迫将奉命收管金库券各情形备文连同表册汇呈钧座，应如何办理之处，伏乞迅赐指令祇遵”等情前来。据此，除指令呈悉，候令广东财政厅从速交管外，合行令仰该厅长即便遵照，从速将该金库券余额悉数交由该监督接管，勿稍延缓。此令。

中华民国十二年五月廿九日

据《大本营公报》第十四号

致杨庶堪电

（一九二三年五月三十日）

广州大本营杨秘书长鉴：文已到石龙，各部队均向博罗前进。孙文。三十日下午七时发。

据上海《民国日报》一九二三年六月六日
《孙总统巡视石龙情形》

任命朱霁青职务令

（一九二三年五月三十日）

大元帅令

任命朱霁青为大本营谘议。此令。

中华民国十二年五月卅日

据《大本营公报》第十四号

给徐绍桢的指令

（一九二三年五月三十日）

大元帅指令第二一七号

令大本营内政部长徐绍桢

呈请褒扬寿民钟光传，并给予褒章由。

呈悉。准予题颁“德劭年高”四字，并给予银质褒章一枚，交由内政部咨行广东省长转给。此令。

中华民国十二年五月三十日

据《大本营公报》第十四号

给赵士北的指令

（一九二三年五月三十日）

大元帅指令第二一九号

令大理院院长兼管司法行政事务赵士北

呈述改良司法之除弊考绩概略，并拟具先行整顿司法十条，缮附清折，请鉴核示遵由。

呈悉。〈呈〉及清折所陈尚属可行，应予照准。仰即遵照办理。此令。

中华民国十二年五月三十日

据《大本营公报》第十四号

免温树德职务令

（一九二三年五月三十一日）

大元帅令

海军舰队司令温树德不奉命令，擅离职守，应即免职。此令。

中华民国十二年五月卅一日

据《大本营公报》第十四号

海军兵舰暂由大元帅直接管辖令

（一九二三年五月三十一日）

大元帅令

海军舰队司令温树德业经明令免职，继任舰队司令未经任命以前，所有现驻省河、赤湾、汕头海军各舰，着一律暂由本大元帅直接管辖。此令。

中华民国十二年五月卅一日

据《大本营公报》第十四号

任命吴志馨等职务令

（一九二三年五月三十一日）

大元帅令

任命吴志馨为海圻舰舰长，何瀚澜为海深〔琛〕舰舰长，李国堂为肇和舰舰长，田忠柏为飞鹰舰舰长，潘文治为福安舰舰长，赵梯琨为永翔舰舰长兼海军舰队司令部参谋长，胡文溶为楚豫舰舰长，缪庆福为豫章舰舰长，任治龙为海军舰队司令部轮机长，郭朴为海军舰队司令部军需长，王文泰为海军警卫大队长，章焕文为海军司令部副官长。此令。

中华民国十二年五月卅一日

据《大本营公报》第十四号

给王棠的训令

（一九二三年五月三十一日）

大元帅训令第一六三号

令大本营会计司司长王棠

据大本营建设部长邓泽如呈称："窃泽如前因奉命交代，所有建设部各职员五月份上半月薪俸，已造具预算表呈请核发。经奉钧帅指令照准，饬令发给在案。兹接准谭部长函开，定期本月二十八日到部就职等由。查泽如任内所有各职员五月份下半月薪俸，自交卸前一日止共十二日，应由泽如请领支给，理合造具预算表，具文呈请钧帅俯赐鉴核，饬司照发，以便转给"等语，并造具预算表前来。除指令照准外，合行令仰该司长查照发给。预算表并发。此令。

中华民国十二年五月卅一日

据《大本营公报》第十四号

给海军将士的训令

（一九二三年五月三十一日）

大元帅训令第一六五号

令海军各舰长、处长、队长等

据海军舰长、处长、队长等报告："舰队司令温树德于本月三十一日离职他往，不知去向，经该舰长等召集各舰官兵，一致宣言，拥护大元帅，服从命令"等语。温树德擅离职守，已有明令免职，海军各舰暂由本大元帅直接管辖，官长士兵照常供职服务，应领饷项由大本营会计司按月发给。各该舰长等追随本大元帅有年，素明大义，此后当益励忠贞，勠力国家，以副本大元帅期望之至意，并着将此传谕士兵一体周知。此令。

中华民国十二年五月卅一日

据《大本营公报》第十四号

致北京大学学生函*

（一九二三年五月）

北大学生诸君公鉴：

陈君兆彬来粤，借稔诸君目击时艰，奋斗不懈，伟略宏愿，曷胜钦喜。

年来军阀专横，人民愁苦，文虽奋斗呼号，而素志未成者，徒以国人判白是非之心，尚嫌薄弱。文倡于前，而乏群众以盾其后。即吾所挚爱之青年学子，曩者亦偏重学业，而以不干涉政治为揭橥，或驰骛过高之学说，而不先植其基础。文之所以为国者，乃独与少数党人锲而不舍。故牺牲虽巨而蕲向犹虚，官僚武人愈益跋扈，而吾民几不知死所。文每念之，悚然惊惧。

今幸诸君了然于恶政府之罪行，认为绝望，蹶起运动，标明主

* 北京大学学生会曾派代表陈兆彬到广东，希望在实现澄清政治、教育独立等方面的主张得到孙中山的支持。此系孙中山交陈兆彬带回的信件。原件未署时间。按：北大学生会六月七日开会时已收到此信，故当写于五月。

旨，诚不可谓非彻底之觉悟，而为国事一大转机也。其为快慰，可胜宣吐！努力勿懈，必有达到目的之一日，文亦当竭其绵薄，敬从诸君之后，苟利国家，不敢有爱。

诸君纯洁，他日之绩，必有非今世政客所能期望者。逊清末造，其能力肩革命之任，为其主动而卒建今日之民国者，亦端赖海外学生数十人、内地学生数百人而已。以今方昔，何能多让；又况今之诸君，学术知识，已较前为裕，其能胜此故国革新之任，已无俟夷犹。吾国一线生机，系之君等，至望诸君之好〈自〉为之也。

余由陈君面述。临风布臆，不尽区区。即颂

均安

孙　文

据上海《民国日报》一九二三年六月十二日

《北大代表赴粤运动之成绩》

致廖湘芸函*

（一九二三年五月）

湘云兄鉴：

昨夜二时，闻虎门将海军小轮船炮击，伤彼数人。省内海军闻之，立要炮击大本营，以为报复。此间殊无抵抗，亦无预备，故即避往东山。今早与之调解，其气稍平，或可无事。一小轮船本不必开炮，此未免操之过当。兹再声明，此间防止其出口者为同安、豫章、永翔、楚豫四舰而已。此四舰必要得我命令，乃可放行。其他海防、江防、盐运各

---

* 廖湘芸时任虎门要塞司令。原信未署时间。按：与海军发生冲突及绍平舰回省事，均在五月，今酌定于此。

舰，及海军小轮可不必制止。又入口则只防海圻、海琛、肇和三舰，此三舰非得我命令，决不准进口。此外亦不必问。近日有绍平[①]由汕头回省，见时当加意保护，着泊沙角候命，并速行报告可也。

据中国革命博物馆藏原件

致孙洪伊电

（一九二三年五月）

电上海伯兰兄：前在沪所定联曹主张，托兄并皙〔哲〕子[②]竭力进行，目的所在，即图曹、吴之分离，而曹能舍去武力之迷梦。及至掳获沈鸿英之密电，乃知乱粤之举、曹亦与谋，如此则联曹之根本悉行打消矣。从此对于联曹，则不得不提出鲜明之条件，即彼能绝吴乃能联之，否则必在吾党同击之列，望兄照此办去可也。孙文。

据谭编《总理遗墨》第一辑

命杨庶堪致函杨廷培令[*]

（一九二三年五月）

着沧白即写信杨廷培云：东江战事已发生，前由李福林所借之炮二门，务即还他，以应东江攻敌之用。（此信交谭礼庭带交）

文

据谭编《总理遗墨》第一辑

① 绍平：船名。

② 哲子：即杨度。

* 原件未署时间。五月十一日，孙中山曾命令杨廷培将借自李福林之炮二门归还，故本件酌定为五月。

命虎门要塞放行李军所乘船令

（一九二三年五月）

兹有李福林军队乘汕头民船（俗名大眼鸡船）十二只、轮船名南海一只、绍平一只回省，一二日当过虎门，到时着该要塞司令查明放行。此令。

孙　文

民国十二年五月

据《国父全集》第四册（转录史委会藏原件影印）

命航空局派机察看军情令

（一九二三年五月）

今日飞机报，石滩与石下之间，见有军士驻扎，着航空局派机飞低察看明白。民国十二年五月。

（李福林报称：有福军四营在增城，现尚无消息，未知是否仍被困，请拨兵往增城探助。）

据《国父全集》第四册（转录史委会藏原件影印）

祭居母胡太夫人文*

（一九二三年六月一日）

中华民国十二年六月一日，侍生孙文谨以玄樽素俎致祭于居

* 此系居正之母去世后孙中山的祭文。

母胡太夫人之灵曰：

文自与令子为友，于今二十余年。患难相从，莫或尤愆。试以大事，众佥曰贤。平居与我，雅谈便坐。淑则懋仪，知有贤母。母德愔愔，母教醰醰。江回汉抱，忠义之门。时值倾覆，绝裾而走。颠沛流离，不遑回首。谁无兄弟，如金如玉。谁无父母，多寿多福。孝子之心，百年不足。乃为国家，天涯地角。生不视药，死不凭棺。虽非我故，我则何安。呜呼哀哉！自起义师，血流如水。我故我旧，死者相继。天留郎君，安母窀穸。母而有知，庶几目瞑。呜呼哀哉！尚飨。

据《中央党务月刊》第五期

劝谕陈军布告*

（一九二三年六月一日）

我军攻惠，伐罪吊民。陈逆凶顽，天讨天申。胁从罔治，咸与自新。本大元帅，出师亲征。东西会攻，海陆并进。大军所至，纪律严明。对我良民，保护维殷。去逆效顺，毋入迷津。

六月一日

据上海《民国日报》一九二三年六月十二日
《孙总统赴前线督战》

命胡汉民代行大元帅职权令

（一九二三年六月一日）

当大元帅出征期内，特派胡汉民代行职权。此令。

据上海《民国日报》一九二三年六月九日
《孙总统出巡后之粤局》

---

* 此系孙中山赴东江前线督战时发出的布告。

任命黄实职务令

（一九二三年六月一日）

大元帅令

任命黄实为大本营参军。此令。

中华民国十二年六月一日

据《大本营公报》第十四号

给刘谦祥等委任状

（一九二三年六月二日）

委任刘谦祥为宿务中国国民党支部正部长；伍尚铨为宿务中国国民党支部副部长；黄瑞为宿务中国国民党支部评议部正议长；关汉生为宿务中国国民党支部评议部副议长。此状。

总　　　　理（印）

总务部部长彭素民副署

代理党务部部长孙镜副署

财务部部长林业明副署

宣传部部长叶楚伧副署

交际部部长张秋白副署

据《国父全集》第四册（转录《本部公报》一卷二十号）

给林不帝王武昌委任状

（一九二三年六月二日）

委任林不帝为宿务中国国民党支部党务科正主任；王武昌为宿务中国国民党支部党务科副主任。此状。

总　　　　理（印）

总务部部长彭素民副署

代理党务部部长孙镜副署

据《国父全集》第四册（转录《本部公报》一卷二十号）

给蔡兆庆黄爱逊委任状

（一九二三年六月二日）

委任蔡兆庆为宿务中国国民党支部会计科正主任；黄爱逊为宿务中国国民党支部会计科副主任。此状。

总　　　　理（印）

总务部部长彭素民副署

财务部部长林业明副署

据《国父全集》第四册（转录《本部公报》一卷二十号）

给黄蜚声郭锡年委任状

（一九二三年六月二日）

委任黄蜚声为宿务中国国民党支部宣传科正主任；郭锡年为

宿务中国国民党支部宣传科副主任。此状。

总　　　　理(印)

总务部部长彭素民副署

宣传部部长叶楚伧副署

据《国父全集》第四册(转录《本部公报》一卷二十号)

给林仲寿等委任状

(一九二三年六月二日)

委任林仲寿为宿务中国国民党支部总务科正主任；包魏荣为宿务中国国民党支部总务科副主任；陈水根、朱玉亭、林正复、陈承祖、吴祥祝、陈夏莲、谢耀公、冯国华、江石龙、吴守箴为宿务中国国民党支部评议部评议员。此状。

总　　　　理(印)

总务部部长彭素民副署

据《国父全集》第四册(转录《本部公报》一卷二十号)

准任张国元伍大光职务令

(一九二三年六月二日)

大元帅令

大本营建设部长谭延闿呈请任命张国元、伍大光为大本营建设部秘书。应照准。此令。

中华民国十二年六月二日

据《大本营公报》第十五号(一九二三年六月十五日出版)

给伍汝康的指令*

（一九二三年六月二日）

大元帅指令第二三〇号

令广东盐务稽核分所经理伍汝康

呈报整顿盐税情形由。

呈悉。所陈各节事属可行，仰该经理认真整顿，以裕税源，有厚望焉。此令。

中华民国十二年六月二日

据《大本营公报》第十四号

接济梁鸿楷部伙食费令

（一九二三年六月二日）

着会计司酌量接济梁鸿楷所部伙食。此令。

孙　文

民国十二年六月二日

据《国父全集》第四册（转录史委会藏原件）

给林美回等委任状

（一九二三年六月三日）

委任林美回为纳卯中国国民党支部正部长；苏广寿为纳卯中

---

* 伍汝康鉴于盐务积弊情况，于五月二十八日上呈提出整顿办法：修准秤尺，务使公平配放；剔除积弊，保护商人利益，以增加税源；规复盐警，以杜偷私漏税。

国国民党支部副部长；蔡振山为纳卯中国国民党支部评议部正议长；洪癸永为纳卯中国国民党支部评议部副议长。此状。

总　　　　　理(印)

总务部部长彭素民副署

代理党务部部长孙镜副署

财务部部长林业明副署

宣传部部长叶楚伧副署

交际部部长张秋白副署

据《国父全集》第四册(转录《本部公报》一卷二十号)

给陈毅梁侣梅委任状

(一九二三年六月三日)

委任陈毅为纳卯中国国民党支部党务科正主任；梁侣梅为纳卯中国国民党支部党务科副主任。此状。

总　　　　　理(印)

总务部部长彭素民副署

代理党务部部长孙镜副署

据《国父全集》第四册(转录《本部公报》一卷二十号)

给李赉明李吉庭委任状

(一九二三年六月三日)

委任李赉明为纳卯中国国民党支部会计科正主任；李吉庭为纳卯中国国民党支部会计科副主任。此状。

总　　　　　理(印)

总务部部长彭素民副署

财务部部长林业明副署

据《国父全集》第四册(转录《本部公报》一卷二十号)

给甄海山余仕豪委任状

(一九二三年六月三日)

委任甄海山为纳卯中国国民党支部宣传科正主任;余仕豪为纳卯中国国民党支部宣传科副主任。此状。

总　　　　　　理(印)

总务部部长彭素民副署

宣传部部长叶楚伧副署

据《国父全集》第四册(转录《本部公报》一卷二十号)

给余民钟等委任状

(一九二三年六月三日)

委任余民钟为纳卯中国国民党支部总务科正主任;邝思汉为纳卯中国国民党支部总务科副主任;李松伟为纳卯中国国民党支部执行部书记;黄灿、陈文、马柏桐、黄玉麟、黄耀、许振、马冠可、邝信达为纳卯中国国民党支部干事;戴爵谷、李锦全、黄芳春、谭衡、黄锦、黄棠、梁炎炘、邝玉池为纳卯中国国民党支部评议部评议员。此状。

总　　　　　　理(印)

总务部部长彭素民副署

据《国父全集》第四册(转录《本部公报》一卷二十号)

任命熊克武职务令

（一九二三年六月四日）

大元帅令

特任熊克武为川军讨贼军总司令。此令。

中华民国十二年六月四日

据《大本营公报》第十五号

任命刘成勋职务令

（一九二三年六月四日）

大元帅令

特任刘成勋为四川省长兼川军总司令。此令。

中华民国十二年六月四日

据《大本营公报》第十五号

任命赖星辉职务令

（一九二三年六月四日）

大元帅令

任命赖星辉为川军讨贼军总指挥。此令。

中华民国十二年六月四日

据《大本营公报》第十五号

委派古应芬职务令

（一九二三年六月四日）

大元帅令

特派古应芬督办西江筹饷事宜。此令。

中华民国十二年六月四日

据《大本营公报》第十五号

给王棠的训令

（一九二三年六月四日）

大元帅训令第一六九号

令大本营会计司司长王棠

据广东无线电报总局局长冯伟呈称："窃东较场无线电台经费，前奉钧帅手令着电政监督转饬沙面电报局长继续发给，本日接林监督函开：'昨承枉顾嘱拨款接济一节，经将敝局困难情形向大元帅面陈，蒙俯允着敝局无庸筹拨，贵局果需款孔亟，请另行筹措可也'等由。伏思该台经费，四、五两月尚在停发，各职员到局坐索及面诉家计困难情形，不无可原。查该台经费，向来规定每月毫洋五百元有案，似可毋庸编造预算，所有该台四、五两月经费，合毫洋壹千元，理合呈请鉴核，俯准改饬大本营会计司照发，以便转给，实为公便"等情前来。除指令仰候令行会计司暂行照发外，合行令仰该司长查照办理。此令。

中华民国十二年六月四日

据《大本营公报》第十五号

给余和鸿等委任状

（一九二三年六月五日）

委任余和鸿为墨国中国国民党支部正部长，李霖义为墨国中国国民党支部副部长，冯浚三为墨国中国国民党支部评议部正议长，谢雨生为墨国中国国民党支部评议部副议长；林万燕为苏萱中国国民党分部正部长，王福骈为苏萱中国国民党分部副部长，萧镒基为苏萱中国国民党分部评议部正议长，陈镜安为苏萱中国国民党分部评议部副议长；李炳为球那暗步中国国民党通讯处正主任。此状。

总　　　　理（印）
总务部部长彭素民副署
代理党务部部长孙镜副署
财务部部长林业明副署
宣传部部长叶楚伧副署
交际部部长张秋白副署

据《国父全集》第四册（转录《本部公报》一卷二十号）

给胡联等委任状

（一九二三年六月五日）

委任胡联为墨国中国国民党支部党务科正主任，余仲强为墨国中国国民党支部党务科副主任；刘祺安为苏萱中国国民党分部党务科主任。此状。

总　　　　　　理(印)

总务部部长彭素民副署

代理党务部部长孙镜副署

据《国父全集》第四册(转录《本部公报》一卷二十号)

给梁修林等委任状

(一九二三年六月五日)

委任梁修林为墨国中国国民党支部会计科正主任,余百发为墨国中国国民党支部会计科副主任;胡焯生为苏萱中国国民党分部会计科主任。此状。

总　　　　　　理(印)

总务部部长彭素民副署

财务部部长林业明副署

据《国父全集》第四册(转录《本部公报)一卷二十号)

给朱义然等委任状

(一九二三年六月五日)

委任朱义然为墨国中国国民党支部宣传科正主任,甄增培为墨国中国国民党支部宣传科副主任;陈文锦为苏萱中国国民党分部宣传科主任。此状。

总　　　　　　理(印)

总务部部长彭素民副署

宣传部部长叶楚伧副署

据《国父全集》第四册(转录《本部公报》一卷二十号)

给甄增培等委任状

（一九二三年六月五日）

委任甄增培为墨国中国国民党支部总务科正主任，胡联为墨国中国国民党支部总务科副主任，胡联为墨国中国国民党支部执行部书记，余毓源为墨国中国国民党支部干事，陈福元为墨国中国国民党支部评议部书记，黄容济、刘富生、陈锐生、黄连优、练瑞隆、陈湛、余仕鸿、余仕清、吴允享、陈仕球、陈炯焕、蔡成兴、阮官成为墨国中国国民党支部评议部评议员；王凯旋为苏萱中国国民党分部总务科主任，王成为苏萱中国国民党分部执行部书记，刘祺安、林炳桥、黄桂屏、陈锦发、陈文锦、王森桂为苏萱中国国民党分部干事，萧国民为苏萱中国国民党分部评议部书记，蔡棣生、林惠叶、胡汉辉、刘三苗、刘鸡、黄碧为苏萱中国国民党分部评议部评议员；彭惠贤为球那暗步中国国民党通讯处执行部书记。此状。

总　　　　理（印）

总务部部长彭素民副署

据《国父全集》第四册（转录《本部公报》一卷十九号）

给黄二明委任状

（一九二三年六月五日）

委任黄二明为三藩市《少年中国报》编辑。此状。

总理（印）

据《国父全集》第四册（转录《本部公报》一卷十九号）

给廖仲恺的训令

（一九二三年六月五日）

大元帅训令第一七〇号

令广东省长廖仲恺

此次沈逆叛乱，各军奋勇杀贼，迭奏肤功，而北江一带民团，乘机助力，战绩甚懋，业经令仰该省长传令嘉奖在案。现据报告，我军左翼于四会、清远作战，及围攻肇庆、追击余逆，通过广宁、大湾等处之际，各该地民团均能出奇应敌，协同兜剿，收效颇多，殊堪嘉许。仰该省长援照前案，详查所有得力民团，一律传令慰劳，并将所有战绩分别切实呈报，以凭核办而励有功。此令。

中华民国十二年六月五日

据《大本营公报》第十五号

致孙科函*

（一九二三年六月七日）

科儿知悉：

今早在博罗城得接你加封寄来朱和中一信，其中所虑，皆去事实千万里之远。此时为危急存亡之秋，正宜开诚布公，同心协力，以共扶危局；若彼此互相猜忌，妄相付〔附〕会，则愈想愈湾矣。财政计划非军事解决，必无办法；军事非我亲临前敌，必难速行解决，

* 时孙中山在东江前线督战，胡汉民代行大元帅职权，孙科任广州市政厅厅长。

故望你大家一心，竭忠尽力，维持目前之要需：第一兵站之费，务要使东江无绝粮之虞；第二海军之饷，不可失信，致复生变。此二事如果大家同心一致，必可办到，则目前之困难可抒〔纾〕，而东江军事必能达所期目的。东江目的一达，则各种财政计划皆有希望。故此汉民纵不能代我办事，必能代我任过；否则，各种之过皆直接归在父一人身上矣。汉民之用，其重要者此为其一，故万不能任彼卸责也。但恐我数日不回，彼必走人①，则我必要直当各路之冲，则更不得了矣。但汉民见得毫无办法，亦恐难留也。父已尽力设法留之矣，然犹恐无济。外间已有成见，你与彼成为两党，想你两人或亦不免有此意见，故留汉民仍以儿为最相当之人。为大局计，为父此时负责任过计，你不得不留之，不得不恳切以留之，而留之必要留住斯可矣。否则父同时要任种种之过，要当各方之冲，则必不能专注意于军事；军事一败，大局便崩，无可救药矣。故汉民去留，甚有关于大局之得失成败也。你须注意，勿忽为要。至幸至幸。

父示　六月七日

据《研究中山先生的史料与史学》中许师慎《〈国父全集〉未刊载之重要史料》

致胡汉民杨庶堪函

（一九二三年六月七日）

汉民、沧白两兄鉴：

广九铁路前已着颂云与兵站各员助其复业。但逆党忽有占据

① 走人：广州话口语，离开的意思。

深圳、平湖等处，又有图扰我石龙、增城之事，故虽有助其复业之心，究于军事行动有无妨碍，必须加以详细之考虑，乃可定此事，当与颂云、翼群妥商办理也。

昨日接广九代理总工程司来函称该路停业日久，支款浩繁，现将无款开销，若再不能复业，则必将停止行车，遣散工人等语。果尔则对吾军交通运送为一绝大之打击，须有以预防之，乃不受其所制。如果彼有停车之举，则曲在彼，我可收而管理以应战时之需要。此事可着陈兴汉先事筹备，预先密为知照广九职员工人等，一遇英工程〈司〉有停行车之命，我立派陈兴汉兼管之，毋使一日停车，方不致有碍军事。陈对于铁路管理为特别长才，于粤汉铁路已得确证，有此人在，断不怕英工程司之要胁也。惟必先事有所筹备，则不至临时无所措手足。望两兄及颂云、翼群于接此函时立即从事对付可也。此候

筹祉

孙文　民国十二年六月七日

据中国革命博物馆藏原件

任命林震职务令

（一九二三年六月七日）

大元帅令

任命林震为大本营高级参谋。此令。

中华民国十二年六月七日

据《大本营公报》第十五号

准任陈庆森等职务令

（一九二三年六月七日）

大元帅令

大本营内政部长徐绍桢呈请任命陈庆森、黄仕强、吴衍慈、陈新燮为大本营内政部科长。应照准。此令。

中华民国十二年六月七日

据《大本营公报》第十五号

给王棠的训令三件

（一九二三年六月八日）

一

大元帅训令第一七二号

令大本营会计司司长王棠

据广东宪兵司令陈可钰呈称："窃查职部宪兵，自陈逆炯明逃后，粤中军权未归统一，衣服军装绝未补充，迄仝〔今〕士兵衣褴褛，实有失军容观瞻，更无以执行任服〔务〕。职现接事伊始，诸事亟应整理。为此，恳请发给购置服装费六千元，以便补充。除后造册报销外，理合预先呈请核示祗领"等语。并具印领前来。除指令照准外，合行令仰该司长查照发给。印领并发。此令。

中华民国十二年六月八日

二

大元帅训令第一七三号

令大本营会计司司长王棠

据广东宪兵司令陈可钰呈称："前奉钧令批，着会计司照发职部开办及修缮费三千元，除前领得一千元外，余二千元至今延不发给。查职部重新成立，绝无上手交代器物可用，故修缮费用甚巨。为此，恳请钧座再行指令克日发给，以便军需"等语，并具印领前来。除指令照准外，合行令仰该司长查照发给。印领并发。此令。

中华民国十二年六月八日

三

大元帅训令第一七四号

令大本营会计司司长王棠

据中央直辖讨贼军第一师第三团团长邓演达呈称："五月二十九日案奉钧令开：'东路讨贼军驻省炮兵，着暂归邓团长演达指挥，该炮兵伙食由该团长领发。此令'等因。奉此，当将该炮兵营薪饷表按照普通营制函送大本营会计司转呈钧座核准发给在案。惟查该营原有公费等级，系照特种规制，自与普通营制不同，理合按照该营原定饷章，再造官兵员伕名册一本，呈缴钧座核准。恳请饬令会计司自五月二十九日起，照章按日如数发给，俾资转给祇〈领〉"等语，并造具薪饷表前来。除转知照准外，合行令仰该司长查照发给。薪饷表并发。此令。

中华民国十二年六月八日

据《大本营公报》第十五号

给黄骚朱和中的训令

（一九二三年六月八日）

大元帅训令第一七六号

令广东造币厂监督黄骚、广东兵工厂厂长朱和中

广东造币厂所存废铜料，着即移交广东兵工厂接收。除分令外，合行令仰该监督、该厂长即便遵照办理。此令。

中华民国十二年六月八日

据《大本营公报》第十五号

给陈振华等委任状

（一九二三年六月九日）

委任陈振华为典的市中国国民党分部正部长，陈血生为典的市中国国民党分部副部长，高根大为典的市中国国民党分部评议部正议长，陈雄英为典的市中国国民党分部评议部副议长；杨殿南为那市比中国国民党分部正部长，吴事业为那市比中国国民党分部副部长，汤发祥为那市比中国国民党分部评议部正议长，杨铁血为那市比中国国民党分部评议部副议长；黄发文为满地可中国国民党分部正部长，李光迎为满地可中国国民党分部副部长，李希槐为满地可中国国民党分部评议部正议长，李剑生为满地可中国国民党分部评议部副议长；刘起岩为温地辟中国国民党分部正部长，宋海平为温地辟中国国民党分部副部长，黄舜杰为温地辟中国国民党分部评议部正议长，宋少白为温地辟中国国民党分部评议部

副议长；周瑞祝为打市巧夫中国国民党分部正部长，周道富为打市巧夫中国国民党分部副部长，周开旋为打市巧夫中国国民党分部评议部正议长，周宪禄为打市巧夫中国国民党分部评议部副议长；黄启瑞为始李巴中国国民党通讯处正主任，黄述焜为始李巴中国国民党通讯处副主任，李云霭为始李巴中国国民党通讯处评议部正议长，梁耀南为始李巴中国国民党通讯处评议部副议长；宋善生为尾步隙中国国民党通讯处正主任，李毓林为尾步隙中国国民党通讯处副主任，李锡三为尾步隙中国国民党通讯处评议部正议长，李堆衍为尾步隙中国国民党通讯处评议部副议长；黄松辅为晒宁中国国民党通讯处正主任，江卓熊为晒宁中国国民党通讯处副主任，麦铁根为晒宁中国国民党通讯处评议部正议长。此状。

总　　　　理（印）
总务部部长彭素民副署
代理党务部部长孙镜副署
财务部部长林业明副署
宣传部部长叶楚伧副署
交际部部长张秋白副署

据《国父全集》第四册（转录《本部公报》一卷二十一号）

给黄振三等委任状

（一九二三年六月九日）

委任黄振三为典的市中国国民党分部党务科主任；薛群昌为那市比中国国民党分部党务科主任；黄一扫为满地可中国国民党分部党务科主任；胡雁公为温地辟中国国民党分部党务科主任；黄良森为打市巧夫中国国民党分部党务科主任；梁显桓为始李巴中

国国民党通讯处党务科科长；黄胜椿为尾步隙中国国民党通讯处党务科科长；朱芹衍为晒宁中国国民党通讯处党务科科长。此状。

总　　理（印）

总务部部长彭素民副署

代理党务部部长孙镜副署

据《国父全集》第四册（转录《本部公报》一卷二十一号）

给李晓楼等委任状

（一九二三年六月九日）

委任李晓楼为典的市中国国民党分部会计科主任；杨云鉴为那市比中国国民党分部会计科主任；陈乃文为满地可中国国民党分部会计科主任；麦积超为温地辟中国国民党分部会计科主任；周东朝为打市巧夫中国国民党分部会计科主任；梁碧城为始李巴中国国民党通讯处会计科科长；黄振卓为尾步障〔隙〕中国国民党通讯处会计科科长；朱光汉为晒宁中国国民党通讯处会计科科长。此状。

总　　理（印）

总务部部长彭素民副署

财务部部长林业明副署

据《国父全集》第四册（转录《本部公报》一卷二十一号）

给麦雅各等委任状

（一九二三年六月九日）

委任麦雅各为典的市中国国民党分部宣传科主任；杨继志为

那市比中国国民党分部宣传科主任；黄渊伟为满地可中国国民党分部宣传科主任；马荣植为温地辟中国国民党分部宣传科主任；吴季谦为打市巧夫中国国民党分部宣传科主任；梁汉志为始李巴中国国民党通讯处宣传科科长；黄皖经为尾步隙中国国民党通讯处宣传科科长；胡荫吾为晒宁中国国民党通讯处宣传科科长。此状。

总　　　　理(印)

总务部部长彭素民副署

宣传部部长叶楚伧副署

据《国父全集》第四册(转录《本部公报》一卷二十一号)

给黄仕元等委任状

(一九二三年六月九日)

委任黄仕元为典的市中国国民党分部总务科主任，廖凤岐为典的市中国国民党分部执行部书记，黄松基、黄澧枏、廖伟理、关朝杞为典的市中国国民党分部干事，陈道荣为典的市中国国民党分部评议部书记，李养来、朱作民、黄纪超、黄宗广、林重平、马来庆、陈孙护为典的市中国国民党分部评议部评议员；杨英三为那市比中国国民党分部总务科主任，高荣耀为那市比中国国民党分部执行部书记，杨裕厚、林昂、林韶、杨逸民为那市比中国国民党分部干事，杨凤岐为那市比中国国民党分部评议部书记，钟亦志、杨国卫、梁坚庭、邹耀元、吴泽松、杨旌贺、吴从光为那市比中国国民党分部评议部评议员；李雨生为满地可中国国民党分部总务科主任，谭君博为满地可中国国民党分部执行部书记，黄运耀、余毓伦、黄传海、余元乐、黄耀启、汤名振、李兆俊、余杰和、黄占鳌、黄中文、黄欣渠、邝文汉、谢连照、黄光锦、凌厚柏为满地可中国国民党分部干事，朱晓湖为满地可中国国民党分部评议部书记，黄浩民、黄名政、朱玉清、李一平、李期焜、余兆麟、周汉三、黄能文、伍云坡、谭宗喜为满地可中国国民党分部评议部评议员；关旭峰为温地辟中国国民党分部总务科主任，李狂父、黄达仁为温地辟中国国民党分部执行部书记，梅强、甄兆麟、蔡社德、李岳、黄启铨、何荣、李植、甄稳为温地辟中国国民党分部干事，黄元仕为温地辟中国国民党分部评议部书记，冯广林、余企中、高宗汉、甄郁林、黄茗兰、黄兆麟、黄杰生、林森、黄文炎、彭利、谭鳌、区富、张洪为温地辟中国国民党分部评议部评议员；梁奕德为打市巧夫中国国民党分部总务科主任，梁丽方为打市巧夫中国国民党分部执行部书记，谢崇现、梁美焯、谢焕庚、周惠生、梁邦和、陈锐明、周庆云为打市巧夫中国国民党分部干事，周寿眉为打市巧夫中国国民党分部评议部书记，黄庆云、周道凯、陈百森、苏成香、叶植生、梁章达、黄礼熀、周添瑶为打市巧夫中国国民党分部评议部评议员；李惠衡为始李巴中国国民党通讯处总务科科长，梁显宏为始李巴中国国民党通讯处执行部书记，梁就发为始李巴中国国民党通讯处评议部书记，李群业、张镛修、黄求大、梁品三为始李巴中国国民党通讯处评议部评议员；余竞生为尾步隙中国国民党通讯处总务科科长，李煦风、余善绪为尾步隙中国国民党通讯处执行部书记，黄洽述、黄沐濂、余植宪、李步云为尾步隙中国国民党通讯处科员，黄颖洲为尾步隙中国国民党通讯处评议部书记，宋卫国、任廷栋、关榜、余耀枝、李福廷、余藻、黄国平、李世濯为尾步隙中国国民党通讯处评议部评议员；彭卓光为晒宁中国国民党通讯处总务科科长，彭效文为晒宁中国国民党通讯处执行部书记，谢汝扬、苏守奎、张荣椿、黄毅民为晒宁中国国民党通讯处科员，黄初运为晒宁中国国民党通讯处评议部书记，赵文初、卢可銮、郑进行、朱箕安、谭宪龙、黄初运为晒宁中国国民党通讯处评议部评议员。此状。

总　　　　　理(印)

总务部部长彭素民副署

据《国父全集》第四册(转录《本部公报》一卷二十一号)

委派刘翰如职务令

(一九二三年六月九日)

大元帅令

派刘翰如为大本营出勤委员。此令。

中华民国十二年六月九日

据《大本营公报》第十六号(一九二三年六月二十二日出版)

给广东省长及各军事长官的训令

(一九二三年六月九日)

大元帅训令第一七五号

令广东省长及各军事长官

查侦查等队之设,原期巡缉奸宄,防范逆谋,妥慎保卫地方之安宁。近闻各部、署所派出稽查队、巡缉队、侦查队,名目既有不同,办法未能一律,遂致市井无赖窃名招摇,骚扰闾阎,搜取财物,陷害良善,甚至开枪示威,伤及行人,迭据报告,殊堪痛恨。除分令外,合行令仰该省长、军长、督办、总司令、总指挥、司令、主任切实查办,并严订取缔章程,转饬所属一体遵守,以副除暴安良之至意。切切。此令。

中华民国十二年六月九日

据《大本营公报》第十六号

给黄骚的训令

（一九二三年六月九日）

大元帅训令第一七七号

令广东造币厂监督黄骚

据卸广东造币厂总办刘焕等呈称："四月二十四日奉钧府手令开：'着黄骚迅往接收广东造币厂。此令'等因。奉此，遵于二十五日先将关防移交黄委员骚接收，并将移交关防、交卸日期分呈财政部、省署在案。除会计表册、收支簿据因手续未完未能即日点交外，其余全厂机械、枪械、军装、原料、物料、家具、合同、文卷、名册，亦于二十七日逐件点交，由黄委员派员点收清楚，签回字据在案。兹会计、收支两处手续，经已办完多时，屡催黄委员收接，均未见到。卸总、会办为清理手续、慎重公事起见，理合具呈钧府，伏乞令知黄委员早日将造币厂会计、收支各表册据簿接收，俾得办理总交代，以重钧令，实为德便"等情前来。除转知照准外，合行令仰该监督查照接收。此令。

中华民国十二年六月九日

据《大本营公报》第十五号

给邓泽如的训令

（一九二三年六月九日）

大元帅训令第一七九号

令兼大本营财政部长邓泽如

据广东电政监督兼广州电报局局长林直勉呈称:"窃直勉于去年电政监督任内准参军处函称:'奉大总统面谕:"饬广东电政监督林直勉建设广州至南雄电话线路"等因。奉此,相应函请查照办理'等由前来。当经遵照办理。旋将该项工程所需线料、工、运等费及一切杂支,切实估计,共需大洋捌千捌百零捌元,详列清单,函送该参军处转呈大总统核准,奉谕饬'依价办理,该款暂由广州电报局支拨,工竣时核明实数呈报,交财政部给领'等因,接准秘书处函知在案。当时该广韶电话线路工程,确已派员督工购料兴修,经于十一年六月十四日工竣。计由广州局实支付大洋玖千五百元,其时皆有单据数目存案。适工竣后,因陈逆叛变,秩序大乱,单数散失,刻下无可勾稽,当日亦未能报销请领。兹幸逢帅座南旋,日月重光,理合将遵令兴修广韶军用电话线路经过情形,备文呈请鉴核,准予将支拨修造广韶电话费大洋玖千五百元核销,并恳饬部将款如数给领,俾清手续,伏候指示祗遵"等情前来。除指令呈悉,准予核销,仰候令行财政部查照发给外,合行令仰该部长查照发给。此令。

中华民国十二年六月九日

据《大本营公报》第十五号

给黄骚的训令

(一九二三年六月九日)

大元帅训令第一八〇号

令广东造币厂监督黄骚

据卸广东造币厂总办刘焕等呈称:"窃查卸总、会办任内、因公款支绌，积欠员司四月份薪水七千九百余元，工人工食计至四月二十四日止，积欠一万三千一百九十余元，合计二万一千一百余元。此等欠饷，原因政变停工，铸造短少，故经费支绌，遂至拖延。兹据员工等以'停工月余，日用无着，新总、会办尚未接办，无以接洽，请求发给欠饷'等情前来。现卸总、会办既经交卸，欠饷似应由新任办理，惟员工等所禀困难情形亦属实况，不无可矜。查卸总、会办移交项下积存铜仙、铜钱、废铜、废料等项，为数尚多，贮存日久，锈蚀亦归无用，可否仰恳饬令黄委员骚将移交项下积存铜仙、铜钱、废铜、废物等招商投变，清发卸总、会办任内积欠四月份薪工，俾清手续而恤员工。是否之处，伏乞批示饬令祗遵"等情前来。查该厂积欠薪工应由政府担任，不得向卸职人员追索。所存铜料，不得变卖。除转知遵照外，合行令仰该监督知照。此令。

中华民国十二年六月九日

据《大本营公报》第十六号

复叶恭绰函

（一九二三年六月十日）

誉虎兄鉴：

九日函悉。所示各节，极端赞同，总望积极办去，当收效果。至各种建设事业，如有投资承办者，皆可通融将就，以广招徕。独于电话及无线电报（通世界者）二事，则已有成约，必待六个月后不能开办，始能另商。

东江军事，日前石龙之溃，几误大事，今则危机已过矣。西江、北江皆不足虑，此后胜负所关者，仍在东江一着。东江一解决，则西北江必可同时解决。现敌人正集数路之力来救惠州，然我兵之集中此地者尚不薄，所虑者则财政之困乏耳。对于此事，深望兄与诸同人之尽力，倘财政之困难能解决，则军事敢说必有把握。现适东江紧急，故不得不专力于此，所期诸同人亦各就所急，努力奋斗，则中国事必大可为也。此复。

孙文　中华民国十二年六月十日

据叶恭绰编《总理遗墨》（一九三四年出版，以下称叶编《总理遗墨》）

给曾唯委任状

（一九二三年六月十日）

委任曾唯为中国国民党上海第四分部筹备处主任。此状。

总　　　　理（印）

总务部部长彭素民副署

据《国父全集》第四册（转录《本部公报》一卷二十二号）

大本营布告二件*

（一九二三年六月上旬）

一

一、纠集党羽，阻挠义师者，杀无赦。

一、故造谣言，煽惑军心者，杀无赦。

---

* 五月三十日至六月十三日，孙中山亲至东江前线督战，为重申战地军纪，拟就布告两道印发前线各军张贴。参照上海《民国日报》有关报道，时间酌定为六月上旬。

一、无故放枪，暗中助逆者，杀无赦。

一、侦探军情，私报敌人者，杀无赦。

一、报告敌情，查明确实者，赏给二等奖章。

一、引导义师，攻克城池者，赏给一等奖章。

一、集合民团，截击敌军者，分别重赏。

一、执获敌械，来营呈缴者，分别重赏。

二

一、临阵退缩者枪毙。

一、不服命令者枪毙。

一、私通敌人者枪毙。

一、奸淫妇女者枪毙。

一、掳掠财物者枪毙。

一、无故杀人者枪毙。

一、私离队伍者枪毙。

一、强买强卖者重罚。

一、骚扰民居者重罚。

一、拉伕索贿者重罚。

据上海《民国日报》一九二三年六月十二日
《孙总统亲赴前线督战》

给阮炎等委任状

（一九二三年六月十一日）

委任阮炎为檀香山中国国民党支部正部长；李成功为檀香山中国国民党支部副部长；刘福球为檀香山中国国民党支部评

议部正议长；阮艺为檀香山中国国民党支部评议部副议长。此状。

总　　理(印)
总务部部长彭素民副署
代理党务部部长孙镜副署
财务部部长林业明副署
宣传部部长叶楚伧副署
交际部部长张秋白副署

据《国父全集》第四册(转录《本部公报》一卷二十二号)

给麦民生委任状

(一九二三年六月十一日)

委任麦民生为檀香山中国国民党支部党务科正主任。此状。

总　　理(印)
总务部部长彭素民副署
代理党务部部长孙镜副署

据《国父全集》第四册(转录《本部公报》一卷二十二号)

给许棠委任状

(一九二三年六月十一日)

委任许棠为檀香山中国国民党支部会计科正主任。此状。

总　　理(印)
总务部部长彭素民副署

财务部部长林业明副署

据《国父全集》第四册(转录《本部公报》一卷二十二号)

给欧绍欣委任状

(一九二三年六月十一日)

委任欧绍欣为檀香山中国国民党支部宣传科正主任。此状。

总　　　　理(印)

总务部部长彭素民副署

宣传部部长叶楚伧副署

据《国父全集》第四册(转录《本部公报》一卷二十二号)

给杜广等委任状

(一九二三年六月十一日)

委任杜广为檀香山中国国民党支部总务科正主任；卓麟、余让为檀香山中国国民党支部执行部书记；吴君平、陈荃、余揖、吴赞庸、黄炽、冯就、程春雨、杨鼎新、冯玉棠、梁华显、林扬、黄北胜、萧全棣、张金胜、李绍祥、蔡海、刘润柱、林觐、林光、黄烈、黄华、苏霖、郑初、蔡正川为檀香山中国国民党支部干事；林祝泉为檀香山中国国民党支部评议部书记；陈近冬、古石云、刘棠、卢冠、杨华金、李流、杨帝荣、阮暖、王品、郑鬻、宋金福、任金、许石贵、杨满、阮培、李进、李公武为檀香山中国国民党支部评议部评议员。此状。

总　　　　理(印)

总务部部长彭素民副署

据《国父全集》第四册(转录《本部公报》一卷二十二号)

委派徐文镜职务令

（一九二三年六月十一日）

大元帅令

派徐文镜为大本营出勤委员。此令。

中华民国十二年六月十一日

据《大本营公报》第十六号

委派谢荫民职务令

（一九二三年六月十一日）

大元帅令

派谢荫民为大本营宣传委员。此令。

中华民国十二年六月十一日

据《大本营公报》第十六号

给广东省长及各军事长官的训令

（一九二三年六月十一日）

大元帅训令第一八一号

令广东省长及各军事长官

据大本营兵站总监罗翼群呈称："现据职部交通局长周演明呈称：'现据职局第一科科长梁鸣一折称："窃自战事发生以来，本市人民对于募伕一事非常惊惧，虽经将本局《暂行募伕优待章程》分别宣布，务使乐于投效，而人民鉴于前此各役，赴募者仍属寥寥。旬日以来，虽据南、番两县[①]署并各警察区解到伕役数千名，分配各方出发军队，而一种强迫悲苦情形，道路相传，莫可言状。现在默察市面，一般苦力工人，几至绝迹。而各军每日要求伕役，又动称千人，窃恐募之不足，出于强拉，拉之不获，行将拘捕。市民有限，而需伕无穷，势必至酿成不可思议之事。伏思自大军出发，本局解送伕役数逾万人，前方军队若能照章优待，必不至动辄逃亡，乃此则募之甚难，彼则弃之甚易。本局既日须备后方出发之伕，又当筹解前方挑运之人，而各方面劝禁止拉伕函件复纷至沓来，再四思维，几形束手。夫服务国家虽匹夫有责，而情所恶，似亦应略为变通。所有各种困难情形，可否呈请总监转呈大元帅鉴核，准予通令各军于附近战地各行政长官，及各区署暨各墟市场商会，就近设法招募，以补助后方之不逮，并饬各军长官嗣后务节省伕力，为地方稍留元气。一面仍查照优待伕役定章办理，庶一伕得一伕之力，而免滥发滥用之忧，本局复极力招募以备调遣。是否有当，理合呈请转呈察核"等情。据此，查该科长所陈各节，委系实在情形。夫以迭遭政变之五羊城，谋生者实已陷于绝境，而一般苦力只靠肩挑背负以赡养一家，有儿女累，无隔宿粮，朝去充伕，夕不举火，即使前方优待，而举室经已断炊，强充无罪之徒形〔刑〕，更受无穷之羁绊。是以每奉募伕之令，四顾旁皇，继闻哭送之声，寸心忐忑，屡欲为伕请命，免市民有伯有之惊。转念一旦停止募伕，则军队必借意强拉，更难收拾，不得不暂行忍谤，补救来兹。况社团工会多属民党中人，今无伕可拉，则工人势必殃及，固交涉之不已，复罢市之堪虞，尤于筹饷前途大受影响。迩来冒军拉伕事迭见报端，若不设法

① 即南海、番禺两县。

维持，市民宁有安枕？思维再四，惟有查照旧章办法，由各军预定路程，以远近、行李、军品之多寡，约需伕役若干，优工价，交由就近之区署、商会代雇，声明送达地点立即遣回，军队不得擅行拉伕。夫如是则乡人必乐于应募，即临时亦可召集，较之强迫募充者相去奚啻霄壤，一举两善，无逾于此。职目睹情形，难安寝席，重以该科长所陈，不觉有动于中，亟思补救。为此，将变通募伕办法各情，据情呈请察核，是否有当，伏候钧裁'等情前来。据此，查近来各军出发，索取伕役动辄盈千累百，供应稍迟，则曰贻误戎机；强拉充数，又觉骚扰市廛。一月以来，对于各军索取伕役，几穷应付。若不另谋善法救济，将必至行路绝迹，人不聊生，军民交受其影响。迩复迭接各方劝止拉伕信函，核与该局长所陈各节，大致相同。理合据呈察核，俯准通令各军：嗣后应用伕役查照该局长所拟办法，各交由前方就近警署、商会代任雇募，庶本市苦力不偏蒙军输之劳，而各部需伕亦乐得取携之便。是否有当，祇候指令示遵"等情前来。除指令照准并分令外，合行令仰该省长、军长、督办、总司令、总指挥、司令、主任，转饬所属一体遵照。此令。

中华民国十二年六月十一日

据《大本营公报》第十六号

给傅秉常的训令

（一九二三年六月十一日）

大元帅训令第一八二号

令特派广东交涉员傅秉常

据大本营内政部次长杨西岩折呈称："为偏听谣言，误令离港，请令饬照会港政府解释，以凭安居，仰祈鉴核事。窃西岩在香港经商廿有余年，安份治生，一向无异。迨去夏省垣政变，西岩遄回港寓，忽奉港官传令离港，遂致往来弗克自由。闻命以来，无任骇诧。窃思省会政变，原属本国政治问题，既无涉于港地治安，港政府何致辄令离境？而西岩在港经商有年，有商业之关系，取得住所，并未违反国际法，当然不受何等制裁。乃港政府无故强谕离港，无非偏听风谣，致兹误会。既值帅座返粤主持政局。中英两国交谊日敦，理合备文呈请钧座，令行特派广东交涉员照会港政府详加解释，俾西岩此后回港安居乐业，以重两国睦谊，而维通商本旨，实叨德便"等情前来。查该次长所陈均属实情，应即照准。合行令仰该员照会香港政府详加解释，取消前令，以敦睦谊，并将办理情形具复。此令。

中华民国十二年六月十一日

据《大本营公报》第十六号

致孙科函

（一九二三年六月十二日）

科儿知悉：

现在之成败利钝，全在兵站能源源接济前方，使兵士无绝食而已；故当集全力以筹兵站之款，望你与各机关同人以此为急，首先注意，竭力设法为要。

前西岩许以入城费二百至五百万，卒未践言，吾犹优容之。不意今日彼竟有匿印不交之事，殊失所望，此实不能再容，当以违令严办之。至其欠款，已着将官产扣还，新人接手，亦当照办，而彼尚有违命之事实，曲在彼也。又王国璇屡次行谝，既误造币厂，又失信五十万借款，至延误种种，亦应有以惩之。须由王棠劝之速行补过，否则勿谓无情也。此时惠州尚未攻下，东江军事仍然紧急，望吾儿劝告各同仁，务要一心一德，共维危局。此示。

父字　六月十二日

据《研究中山先生的史料与史学》中许师慎《〈国父全集〉未刊载之重要史料》

任命胡思清职务令

（一九二三年六月十二日）

大元帅令

任命胡思清为大本营参军。此令。

中华民国十二年六月十二日

据《大本营公报》第十六号

委派蔡懿恭职务令

（一九二三年六月十二日）

大元帅令

派蔡懿恭为大本营出勤委员。此令。

中华民国十二年六月十二日

据《大本营公报》第十六号

给王棠的训令

（一九二三年六月十二日）

大元帅训令第一八五号

令大本营会计司司长王棠

据兼大本营财政部长邓泽如呈称："窃职部每月经费，均经按月造具全月预算表呈请核发祗领，历蒙照准在案。惟五月份因准备交卸，该月预算表只由五月一日起核算至十五日止，并未将下半月经费列入。现在五月份已过，各职员仍照常办公，自应续由五月十六日起核算至月底止，补具预算表呈请鉴核，伏乞准予饬司连前一并发给，实为公便"等语，并具预算表前来。除指令照准外，合行令仰该司长查照发给。预算表并发。此令。

中华民国十二年六月十二日

据《大本营公报》第十六号

给陈可钰的训令

（一九二三年六月十二日）

大元帅训令第一八六号

令广东宪兵司令陈可钰

据大本营审计局长刘纪文呈称："前文在卷免录。查广东宪兵司令部六月份预算书全部经费内列壹万叁千五百壹拾陆元陆毫，当属核实，似应准予备案。该预算书四本存职局备查，仍请饬令添造一份呈缴钧府备案"等情。据此，除指令照准外，合行令仰该司令即便遵照办理。此令。

中华民国十二年六月十二日

据《大本营公报》第十六号

给罗翼群的训令

（一九二三年六月十二日）

大元帅训令第一八七号

令大本营兵站总监罗翼群

据大本营审计局长刘纪文呈称："前文在卷免录。大本营兵站总监部各饷表所列委员等级，均既列明同准尉，应按照军政部订定各军暂行编制饷章一律九折计算，以昭划一。总监部暂行编制薪饷表内列合计数壹万零壹百叁拾捌元，减准尉折薪壹百贰拾元，实壹万零零壹拾捌元；兵站支部暂行编制薪饷表内列合计数壹千陆百伍拾贰元，减准尉折薪壹拾捌元，实壹千陆百叁拾肆元；分站部暂行编制薪饷表内列合计数柒百伍拾陆元，减准尉折薪九元，实柒百肆拾柒元；派出所暂行编制薪饷表内列合计数叁百伍拾玖元，减准尉折薪陆元，实叁百伍拾叁元；运输站暂行编制薪饷表内列合计数贰百柒拾伍元，减准尉折薪陆元，实贰百陆拾玖元；电信大队暂行编制薪饷表内列合计数壹千捌百壹拾贰元，卫生局第一卫生队暂行编制薪饷表内列合计数壹千壹百玖拾元，担架队暂行编制薪饷表内列合计数捌百零肆元，第一野战医院暂行编制薪饷表内列合计数壹千肆百叁拾贰元，均尚无浮滥之弊，似应一律准予备案。各表由职局抽存一份，余缴还钧府。其电信大队、第一卫生队、担架队、第一野战病院各表均只得一份，应请饬令添造一份呈缴钧府备案。所有奉委查核兵站总监部薪饷完竣情形，理合具文呈复察夺施行。再，该总监部正式支付预算书，仍请饬令速行编造三份呈由钧帅发局办理"等语，并缴呈该兵站总监部薪饷各表五本前来。除指令照准外，合行令仰该总监依照改正并添造预算书呈核。此令。
中华民国十二年六月十二日

据《大本营公报》第十六号

准任徐希元职务令

（一九二三年六月十三日）

大元帅令

大本营内政部长徐绍桢呈请任命徐希元为大本营内政部秘书。应照准。此令。

中华民国十二年六月十三日

据《大本营公报》第十六号

与张开儒等的谈话*

（一九二三年六月十四日）

东江战事，不日当可结束。今有汝为在惠城主持，予尽可放心。东江既平，则北江沈军决无能为，且予早经逆料其必来犯，曾与藻林、介石、绍基三君预筹应付计划。故当东江军事最紧时候，接得沈、北军再犯韶城的警信，予与绍基早已胸有成竹，绝不惊惶。想不出旬日间，当可聚而歼之。予决拟日内偕藻林赴北江巡视一切，并慰劳前敌各军士兵。

据上海《民国日报》一九二三年六月二十三日
《孙总统将巡视北江》

* 此系孙中山从东江前线返回广州的当日与张开儒、胡汉民、汪精卫、谭延闿、杨庶堪等人的谈话。

给赵士觐等的训令

（一九二三年六月十四日）

大元帅训令第一九〇号

令卸任俘虏管理委员主任赵士觐、黄馥生、关汉光

据大本营审计局长刘纪文呈称："现准秘书处第三三四号公函开：'顷奉大元帅发下赵士觐等呈缴余款及清册单据等项呈一件，谕交审计局核办等因。奉此，相应函送贵局查照办理为荷'等由，附原呈及单据清册各一本到局。准此，查俘虏处所开列数目，大致尚属妥协，惟表内列支贰百元一数，事由备考栏内书明筹办时期各办事员伙食及往返车马等费，本处办事员十员，各支贰拾元共如上数等字样，只一次支出，并不开列细数，又无经领人签收，未便遽准核销。准函前由，理合呈请钧帅饬令该处将贰百元之数开列细数，补足收据，呈由钧帅转发职局审查，实为德便"等情前来。查审查最重签据，合行令仰该员即便依照办理。此令。

中华民国十二年六月十四日

据《大本营公报》第十六号

给廖仲恺的训令

（一九二三年六月十四日）

大元帅训令第一九一号

令广东省长廖仲恺

据广东电车有限公司总理伍学熀呈称："窃商前呈钧府转饬省

长规定车辆交通罚则,以便遵守。经省长令广州市政厅拟定,呈复省署,复经省署开司法会议议决,该项罚则由省署公布,执行权归公安局,如公安局于执行中发见有过失嫌疑时,方由公安局转送法庭,查照新刑律因过失致人死伤条例办理,经省长呈复钧府备案,并由省署于本年四月二十三日公布施行,登载广东公报。复于本年五月一日,奉大理院批:查广州市车轿〔辆〕交通罚则,现经广东省长将原则修正议决施行咨会在案,此后该公司车伕操业,遇有违反本则各条,当可按照分别处理矣。仰即知照。理合沥情呈明,恳请分令大理院、总检察厅转饬广东高等审、检两厅,暨广州市政厅转饬公安局,照省署公布车辆交通罚则分别办理,实为公便”等情前来。除该省长前呈缴修正广州市车轿〔辆〕交通罚则业经备案外,合行令仰该省长查照定例,分别行知转批该公司知照。此令。

中华民国十二年六月十四日

据《大本营公报》第十六号

致护法国会议员函*

(一九二三年六月十五日)

各议员诸同志惠鉴:

比岁以来,军阀横暴,破坏纪纲,故同志集合倡正义于广州。中途变乱,粤局破坏,致使各同志流离出走,初衷未遂。及文移居沪渎,仍促国会北上开会,力谋国是,欲持和平统一、化兵为工之策,以定国家之根本,以促北方武人之觉悟。不意国会方开,民八、

---

* 直系军阀曹锟于六月十三日逐走北京政府大总统黎元洪,准备贿赂国会议员选举其为总统。孙中山为此由广州发信给参加过护法的在京议员,望他们持正爱国,反对曹的非法行为。

民六问题[1]不定，更举广州政府数年召集所议之案，弃而不顾，可知北方军阀对于国会同人，有利用而决无诚意矣。

今日军阀攘位，故态复萌，观民国二年以兵力挟举总统、民国八年以非法谬窃大位，殆尤过之。夫今日之所谓北京国会者，合法与否，尚属问题；再加以非法之行，其何以对天下？文与国会诸公始终相共，务望劝告同人，各尽所能，力持正义，其有以兵力、金钱图窃国权者，当以去就相抵抗，文必为诸公后盾。粤局日内可定，一俟与方各面商定办法，布置妥贴，必有函电奉达，公请南行。今先派刘君禺生[2]详述一切。北望蓟门，风云昏晦，持正爱国，是所盼切。手此，顺候

时安

孙文拜启　六月十五日自大本营发

据上海《民国日报》一九二三年六月二十八日

《孙大元帅以大义勉国会议员》

致廖湘芸电

（一九二三年六月十五日）

湘芸兄鉴：昨过东莞城，见有浅水电船一只，挂王字旗者，泊在该处。近日东江兵站需此等船运送粮食甚急，望兄查明该管之人，即转饬将船交石龙兵站差遣，以利戎机，幸甚。关于此事，已有通

---

① 民八民六问题：一九一七年，在段祺瑞威迫下解散的国会称“民六国会”；部分国会议员南下护法后，于一九一九年将未到广州的议员一律除名，缺额补选，组成的国会称“民八国会”。一九二二年六月黎元洪复任总统后宣布恢复国会。“民八”和“民六”议员为国会的正统问题发生争执。

② 刘禺生：即刘成禺。

令令各军长官办理矣。此王字一船，望兄专责，必要办到为荷。孙文。删。中华民国十二年六月十五日（电邮两发）。

据谭编《总理遗墨》第一辑

任命胡汉民职务令

（一九二三年六月十五日）

大元帅令

特任胡汉民为大本营总参议。此令。

中华民国十二年六月十五日

据《大本营公报》第十六号

任命伍朝枢职务令

（一九二三年六月十五日）

大元帅令

特任伍朝枢为大本营外交部长。此令。

中华民国十二年六月十五日

据《大本营公报》第十六号

给邹鲁的指令

（一九二三年六月十五日）

大元帅指令第二五四号

令广东财政厅长邹鲁

呈报就职日期及广东财政困难情形由。

呈悉。仰该厅长积极整理，勉为其难，以副厚期。此令。

中华民国十二年六月十五日

据《大本营公报》第十六号

给李福林的指令

（一九二三年六月十五日）

大元帅指令第二五六号

令东路讨贼军第三军军长李福林

呈请准将西江护商事宜依照成案，由保商卫旅营统领专办以维原案由。

呈悉。护商事宜，已准古主任办理在案，目前西江尚在追击余逆之际，未便遽行更变，所请碍难照准。此令。

中华民国十二年六月十五日

据《大本营公报》第十六号

给杨希闵等的训令

（一九二三年六月十六日）

大元帅训令第一九四号

令卫戍总司令杨希闵、宪兵司令陈可珏、公安局长吴铁城

近有不法之徒，运动投入各军，领得军章为护符，无恶不作，致人民与军队日生恶感，此与本大元帅救国爱民之旨大相违背。兹派大本营侦探长李天德严行侦察，如查有此等匪徒机关所在，即行报告卫戍司令部、宪兵司令部并公安局协同缉拿，严行究办。切切。此令。

中华民国十二年六月十六日

据《大本营公报》第十六号

筹给参军处伤兵费令

（一九二三年六月十六日）

着公安局长筹给参军处伤兵费五千元。此令。

孙 文

中华民国十二年六月十六日

据《国父全集》第四册（转录史委会藏原件）

任命蒋中正职务令

（一九二三年六月十七日）

大元帅令

特任蒋中正为大元帅行营参谋长。此令。

中华民国十二年六月十七日

据《大本营公报》第十六号

准林云陔辞职令

（一九二三年六月十七日）

大元帅令

大〔中〕央银行行长林云陔呈请辞职。林云陔准免本职。此令。

中华民国十二年六月十七日

据《大本营公报》第十六号

发给孙万乘端木璜生公费令

（一九二三年六月十八日）

着会计司由六月起发给孙万乘、端木璜生两咨议各公费贰百元。此令。

孙　文

中华民国十二年六月十八日

据谭编《总理遗墨》第三辑

给王棠的训令

（一九二三年六月十九日）

大元帅训令第一九七号

令大本营会计司司长王棠

据广东无线电报总局局长冯伟呈称："窃职局经常费业经按月呈报钧帅核准，先后照发在案。兹谨将本年六月份应支经常费照案编造支付预算书一份呈请鉴核，伏乞府赐令行会计司照案支付，俾便领发"等情前来。据此，查现在军事紧急，无线电用途颇关重要，除指令照准外，合行令仰该司长即便遵照，赶行发给。该局十二年六月份预算书一册并发。此令。

中华民国十二年六月十九日

据《大本营公报》第十六号

给程潜的指令

（一九二三年六月十九日）

大元帅指令第二六一号

令大本营军政部长程潜

呈称所属军械局尚存有废铁废弹等物可否变卖以充军饷，请察核示遵由。

呈悉。该部军械局所呈废铁、废弹应准予变卖以充军饷，仰即遵照办理。此令。

中华民国十二年六月十九日

据《大本营公报》第十六号

发给宋绍殷医药费令

（一九二三年六月十九日）

着会计司发给宋营长绍殷医药费贰百元。此令。

孙　文

民国十二年六月十九日

据《国父全集》第四册（转录史委会藏原件影印）

发给航空局买料费令

（一九二三年六月十九日）

发给航空局买料费五百元。此令。

孙　文

着孙市长[①]先行垫给。此批。

中华民国十二年六月十九日

据中山大学孙中山纪念馆藏原件

发给杜羲公费令

（一九二三年六月十九日）

着发给军事委员杜羲每月公费贰百元。由六月起。此令。

孙 文

中华民国十二年六月十九日

据《国父全集》第四册（转录史委会藏原件）

发给刘玉山部伙食费令

（一九二三年六月十九日）

着会计司由本日起每日发给刘玉山军队伙食壹千元。此令。

民国十二年六月十九日

据《研究中山先生的史料与史学》中许师慎《〈国父全集〉未刊载之重要史料》

给郑受炳等委任状

（一九二三年六月二十日）

委任郑受炳为巴生中国国民党支部正部长，谭进为巴生中国

① 孙市长：即孙科。

国民党支部副部长，符昕为巴生中国国民党支部评议部正议长，黄方白为巴生中国国民党支部评议部副议长；陈利焕为布林中国国民党分部正部长，陈喜堂为布林中国国民党分部副部长，邝敬树为布林中国国民党分部评议部正议长，黄枝荣为布林中国国民党分部评议部副议长；麦斗元为嘉柄中国国民党分部正部长，司徒有拱为嘉柄中国国民党分部副部长，何义为嘉柄中国国民党分部评议部正议长，司徒俊明为嘉柄中国国民党分部评议部副议长；郑泗全为坚时中国国民党分部正部长，林有祥为坚时中国国民党分部副部长，王开为坚时中国国民党分部评议部正议长，陈北进为坚时中国国民党分部评议部副议长。此状。

总　　　　理（印）

总务部部长彭素民副署

代理党务部部长孙镜副署

财务部部长林业明副署

宣传部部长叶楚伧副署

交际部部长张秋白副署

据《国父全集》第四册（转录《本部公报》一卷二十三号）

给林诗必等委任状

（一九二三年六月二十日）

委任林诗必为巴生中国国民党支部党务科正主任，潘汉亭为巴生中国国民党支部党务科副主任；邝敬铨为布林中国国民党分部党务科主任；司徒俊礼为嘉柄中国国民党分部党务科主任；李天燋为坚时中国国民党分部党务科主任。此状。

总　　　　　　　理（印）
总务部部长彭素民副署
代理党务部部长孙镜副署

据《国父全集》第四册（转录《本部公报》一卷二十三号）

给朱普元等委任状

（一九二三年六月二十日）

委任朱普元为巴生中国国民党支部会计科正主任，何石安为巴生中国国民党支部会计科副主任；伍时宋为布林中国国民党分部会计科主任；叶全为嘉柄中国国民党分部会计科主任，陈卓祺为坚时中国国民党分部会计科主任。此状。

总　　　　　　　理（印）
总务部部长彭素民副署
财务部部长林业明副署

据《国父全集》第四册（转录《本部公报》一卷二十三号）

给陈北平等委任状

（一九二三年六月二十日）

委任陈北平为巴生中国国民党支部宣传科正主任，陈学选为巴生中国国民党支部宣传科副主任；雷连德为布林中国国民党分部宣传科主任；关华为嘉柄中国国民党分部宣传科主任；黄澄溪为坚时中国国民党分部宣传科主任。此状。

总　　　　　　　理（印）
总务部部长彭素民副署

宣传部部长叶楚伧副署

据《国父全集》第四册(转录《本部公报》一卷二十三号)

给詹扬文等委任状

(一九二三年六月二十日)

委任詹扬文为巴生中国国民党支部总务科正主任,陈景星为巴生中国国民党支部总务科副主任,赵汉余为巴生中国国民党支部执行部书记,阮平世、郑心儒、伍光宗、刘桂芬、米炳酉、何惠民、黄汉雄、何福生为巴生中国国民党支部干事,曾纪孔为巴生中国国民党支部评议部书记,杨古杰、梁锦泰、赵儒忠、冯锐生、黄清相、叶南强、吕仲珊、张东健、郑开煨、姚金榜为巴生中国国民党支部评议部评议员;邝五敬为布林中国国民党分部总务科主任,陈喜堂为布林中国国民党分部执行部书记,陈水萍、余五中、王永宏、伍于定、司徒承彩、符世祥、陈绥良、伍仓德、梁桂昌、邝强、邝国桢、何清润、陈典学、黄广赐、余玉章、邝燮俊、邝修鎓、陈齐奕、陈养贻、黄德光、余铨章、列玉珊、邝栋敬、何国祥为布林中国国民党分部干事,何恭鎏为布林中国国民党分部评议部书记,陈治连、何恭鎏、洪昌运、余琼中、廖安田、邝名安、邝祝三、潘德培为布林中国国民党分部评议部评议员;谢松初为嘉柄中国国民党分部总务科主任,凌焕文、陈长胜为嘉柄中国国民党分部执行部书记,司徒宗盛、司徒炳伸、周盛、司徒熙航、司徒永芳、余祐晃、司徒渠、司徒振厚、司徒石、司徒俊良、司徒寿、司徒仕芳为嘉柄中国国民党分部干事,李伯生为嘉柄中国国民党分部评议部书记,马福田、司徒榛、黄认、邝燕、司徒汝林、司徒绍、司徒福畴为嘉柄中国国民党分部评议部评议员;黄康实为坚时中国国民党分部总务科主任,郑梦兰、赵东垣为坚时中国国民党分部执行部书记,刘礼谋、阮飞、刘汉彩、刘胜意、黄床、林建安、李金时、周锦庸、王康财、古帝培、方安为坚时中国国民党分部干事,林秀山为坚时中国国民党分部评议部书记,林连富、缪祖绍、蔡连枝、李北、杨帝、郑连、汤建宽、李和、梁超为坚时中国国民党分部评议部评议员。此状。

总　　　　　理(印)

总务部部长彭素民副署

据《国父全集》第四册(转录《本部公报》一卷二十三号)

委派朱艮职务令*

(一九二三年六月二十日)

朱艮乃黄花岗之役老同志,委为出勤委员,每月公费壹百元。

孙　文

据谭编《总理遗墨》第三辑

任命赵全季职务令

(一九二三年六月二十日)

大元帅令

任命赵全季为大本营咨议。此令。

中华民国十二年六月廿日

据《大本营公报》第十七号(一九二三年六月二十九日出版)

---

* 原件无日期,今据《大本营公报》第二十号朱艮委派令发表之日期。

任命李思唐职务令

（一九二三年六月二十日）

大元帅令

任命李思唐为大本营咨议。此令。

中华民国十二年六月廿日

据《大本营公报》第十七号

准任温良职务令

（一九二三年六月二十日）

大元帅令

大本营秘书长杨庶堪呈请任命温良为大本营秘书处科员。应照准。此令。

中华民国十二年六月廿日

据《大本营公报》第二十号（一九二三年七月二十日出版）

委派邱文彬职务令

（一九二三年六月二十日）

邱文彬为出勤委员，每月公费贰百元。

文

民国十二年六月二十日

据《国父全集》第四册（转录史委会藏原件影印）

给邹鲁的训令

（一九二三年六月二十日）

大元帅训令第一九八号

令广东财政厅长邹鲁

据广东财政厅纸币发行监督黄隆生呈称："窃隆生前奉钧令委充广东财政厅纸币发行监督，业将前后收管金库券各情形呈报钧座核示在案。旋奉钧府指令第二一六号开：'呈悉。候令广东财政厅从速交管可也。此令'等因。隆生再经咨催财政厅扫数清理交管，嗣准财政厅咨开：'查金库发行总额，当日原定陆百万元，现只印就壹元、伍元、拾元券共叁百零伍万元，内有库券式样壹万陆千元，除由库先后点交贵监督收管运库券式样两共贰百柒拾陆万陆千柒百叁拾四元，又由厅分发各机关暨各代销商号库券式样捌千元外，尚余已发出未收回者共贰拾柒万伍千贰百陆拾陆元，适符叁百零五万之数。除饬库详列表册呈缴到厅再行咨送外，准咨前由，相应先行咨复，希烦查照。再，前项未收回库券数目，内有锦全银号领销叁万元，昨据金库呈报，该号经缴回贰万捌千捌百陆拾元，经饬库如数续交贵监督收管'等由。复于六月八日收到金库移交伍元券贰千元，拾元券贰万捌千元，合计前后共收到财政厅移交金库券连式样贰百柒拾九万陆千柒百叁拾四元，尚余存券数贰拾伍万叁千贰百陆拾陆元，财政厅迄未清交。计隆生自受委以来，数月蹉跎，整理乏术，若仍尸位素餐，扪心实愧；况尚存之库券交管无期，亦未便久事延候，惟有仰恳钧座俯察愚诚，准予免去广东财政厅纸币发行监督职务。其存放库券贰拾伍万余元，责成财政厅自行清理呈报缴销，伏乞俯准施行，实为德便”等情前来。除指令照准外，合行令仰该厅长即行清理呈报为要。此令。

中华民国十二年六月廿日

据《大本营公报》第十七号

给王棠的训令

（一九二三年六月二十日）

大元帅训令第一九九号

令大本营会计司长王棠

据广东无线电报总局局长冯伟呈称：“窃此次肇庆兵燹，全城遭殃，敌之狼〔狠〕毒，实为从来所未有。职局肇庆分局内［云］无线电器具暨傢俬，一切损失殆尽。兹当军事时期，电报传达军情，最关紧要，亟应从速规复，以利戎机。昨经派员前往修理，已可照常通电，所有修理及购置费用，经该委员列单呈报前来，局长复核属实，理合转呈察核，伏乞俯准令行会计司照数支付，俾便领发”等情前来。除指令照准外，合行令仰该司长即便遵照发给。修理费数目清册一本并发。此令。

中华民国十二年六月廿日

据《大本营公报》第十七号

给各军长官的训令

（一九二三年六月二十日）

大元帅训令第二〇一号

令各军长官

据大本营兵站总监罗翼群呈称：“现据交通局长周演明呈称：

‘职局船务股科员刘天眷报称：“转据八号轮船主诉称：本月十日下午十一时，滇军第四旅廖旅长[①]副官李宽带同兵士八九名到船，着即升火开往东江博罗，各船员签〔佥〕以此船吃水太深，不能开往东江，将理由详细说明，彼不特不听，并诸多恐吓，船中存下粮食尽行用去。至十一日下午十二时，复将船内各伴银物、衣服掠夺而逃。迫得呈请局长察核追领，失单一纸粘呈等情。据此，查廖旅长于本月九日来函借船运子弹往东江，经局长函复，以现在无船请由火车转运去后，乃该副官李宽恃强于十日下午十一时，率同兵士八九名到局，硬将八号开船证夺去，下船后盘踞两天，将船中各人之衣物、银两、粮食于十一日下午十二时尽数夺掠而去。似此藉开差为名，强抢为实，关系船务前途甚巨，理合将实在情形呈请局长查核，转呈究追”等情。查迩来各军到局取船、取车、取伕，动以威气凌人，或恃武力威胁，持枪恐吓，数见不鲜。今复以开差为名，既用去船中粮食，复掠去船中银物、衣服，此种不肖士兵，实有玷滇军名誉，然事实俱在，无可讳言，若不从严究追，后患何堪设想。廖旅长治军素严，想决不肯庇纵一二不肖士兵，致隳全军名望。为此，将该轮失单备文粘呈察核，伏恳迅赐转行廖旅长，请其严密押追究办，并将原赃追出交回职局，转给船主领回，庶维军誉而儆将来，实为公便。抑局长更有不能已于言者，现在军队庞杂，以致冒军拉伕、骑船、虏劫等事，时有所闻，即使正式军队一经取用，往往去而不返，或任便扣留；若不明定限制，设法维持，本部益蒙其害。兹拟嗣后毋论何军到局取船、取车、取伕备用者，如无正式印信或高级长官签名盖章及不声明往返时间，本局概不给与，庶杜假冒而利军行。是否有当，伏乞分别呈咨令遵’等情，并粘抄八号轮船失单、廖

① 廖旅长：即廖行超。

旅长原函各一纸前来。据此，当经咨请滇军杨总司令转饬究追，按办在案。惟查现在各江军事方殷，交通勤务致〔至〕为繁重，该局长拟请设法维持，嗣后各军到局取船、车、伕役，如无正式印信或高级长官签名盖章及不声明往返时间者，概不给与，于限制之中，杜冒混之弊，实为利便运输起见，合无〔行〕仰恳钧座，通令各军长官查照办理，于履行兵站任务前途不无所裨。是否有当，祇候指令示遵”等情前来。除指令照准外，合行令仰该总司令、司令、军长转饬所属一体查照，以肃军纪而利运输。此令。

中华民国十二年六月廿日

据《大本营公报》第十七号

给赵士北的指令

（一九二三年六月二十日）

大元帅指令第二六八号

令大理院长兼管司法行政事务赵士北

呈为奉令清理庶狱，择情减刑，遵将犯罪轻微、情可原宥之人犯列册，呈请鉴核明令减免并乞示遵由。

呈及清册均悉。应予照准。仰即转令遵照办理。此令。

中华民国十二年六月廿日

据《大本营公报》第十七号

给徐绍桢的指令

（一九二三年六月二十日）

大元帅指令第二六九号

令大本营内政部长徐绍桢

呈请褒扬寿民陈缉承，并题字给章，请察核示遵由。

呈悉。准予题颁“共和人瑞”四字，并给予银质褒章一枚，交该部转给，仰即知照。此令。

中华民国十二年六月廿日

据《大本营公报》第十七号

准任李溎等职务令

（一九二三年六月二十一日）

大元帅令

大本营建设部长谭延闿呈请任命李溎、陈润棠、刘百泉、卫鼐为大本营建设部科长。应照准。此令。

中华民国十二年六月廿一日

据《大本营公报》第十七号

给廖仲恺的指令*

（一九二三年六月二十一日）

大元帅指令第二七三号

令广东省长廖仲恺

呈称西江战事方殷，古主任应芬所请设置西江船泊〔舶〕检查所似宜准予设立由。

呈悉。已电令该主任准予设立。仰该省长即转令交涉员查照

* 大本营驻江办事处主任古应芬，为断绝广西叛军交通，曾于六月上旬两次来电，要求宣布西江为戒严区域，设置船舶检查所。并令行交涉员知会洋商轮船开至德庆县止。据此，六月十六日，廖仲恺上呈孙中山说明船舶检查所应予设立缘由，呈请鉴核令遵。

成案，知令驻粤各国领事查照可也。此令。
中华民国十二年六月廿一日

据《大本营公报》第十七号

褒扬伍廷芳令

（一九二三年六月二十二日）

大元帅令

前外交总长兼财政总长、广东省长伍廷芳，学术闳通，名重中外。民国肇造，翊赞共和，厥功至伟。当督军团作乱，拒绝副署解散国会命令，大节凛然。随本大元帅南来，以护法倡率各省，屡经艰阻，志气不挠。非惟民国之元勋，实乃人伦之楷模。去岁广州之变，愤慨成疾，遂以不起。凡在邦人，所同痛悼，日月云迈，忽已岁周。本大元帅眷怀往事，弥念同心，感国步之多艰，叹斯人之不作。本月廿三日，为伍前总长身殉国难之期，应设奠致祭，以申追悼。本大元帅因督师东江，特派总参议胡汉民恭代行礼，并着内政部查取民国成例，优议褒扬之典，昭示崇报，用诏来兹。此令。
中华民国十二年六月廿二日

据《大本营公报》第十七号

任命林子峰陆敬科职务令

（一九二三年六月二十二日）

大元帅令

任命林子峰为大本营外交部第一局局长；陆敬科为大本营外交部第二局局长。此令。

中华民国十二年六月廿二日

据《大本营公报》第十七号

给王棠的训令

（一九二三年六月二十三日）

大元帅训令第二〇五号

令大本营会计司司长王棠

据中央直辖广东讨贼军第一师第三团团长邓演达呈称："窃职前奉钧令，将东路讨贼军驻省炮兵营拨归职团指挥，所有该炮兵营一切工作，业既准备完毕，其应用器具亦既分别购置，计共垫支银八十二元零七仙，理合列单连同单据汇呈钧座，恳请核准如数补给，以资归垫"等语，并具清单前来。除令秘书处转知照准外，合行令仰该司长查照发给。清单并发。此令。

中华民国十二年六月廿三日

据《大本营公报》第十七号

任命胡思舜职务令

（一九二三年六月二十四日）

大元帅令

任命胡思舜为中央直辖滇军第五师师长。此令。

中华民国十二年六月廿四日

据《大本营公报》第十七号

给廖仲恺的训令

（一九二三年六月二十四日）

大元帅训令第二〇六号

令广东省长廖仲恺

查广东造币厂久停工作，所有该厂督办、会办、监督等职，应即取消，一切公文、物件，着由该省长转令财政厅派员保管。此令。

中华民国十二年六月廿四日

据《大本营公报》第十七号

给麦燮棠朱辉如委任状

（一九二三年六月二十五日）

委任麦燮棠为仁丹中国国民党分部正部长；朱辉如为仁丹中国国民党分部评议部正议长。此状。

总　　理（印）

总务部部长彭素民副署

代理党务部部长孙镜副署

财务部部长林业明副署

宣传部部长叶楚伧副署

交际部部长张秋白副署

据《国父全集》第四册（转录《本部公报》一卷二十四号）

给练芳委任状

（一九二三年六月二十五日）

委任练芳为仁丹中国国民党分部党务科主任。此状。

总　　　　　　理（印）

总务部部长彭素民副署

代理党务部部长孙镜副署

据《国父全集》第四册（转录《本部公报》一卷二十四号）

给廖梓谦委任状

（一九二三年六月二十五日）

委任廖梓谦为仁丹中国国民党分部会计科主任。此状。

总　　　　　　理（印）

总务部部长彭素民副署

财务部部长林业明副署

据《国父全集》第四册（转录《本部公报》一卷二十四号）

给叶荣燊委任状

（一九二三年六月二十五日）

委任叶荣燊为仁丹中国国民党分部宣传科主任。此状。

总　　　　　　理（印）

总务部部长彭素民副署

宣传部部长叶楚伧副署

据《国父全集》第四册(转录《本部公报》一卷二十四号)

给林天相委任状

(一九二三年六月二十五日)

委任林天相为仁丹中国国民党分部总务科主任。此状。

总　　理(印)

总务部部长彭素民副署

据《国父全集》第四册(转录《本部公报》一卷二十四号)

免杨虎职务令

(一九二三年六月二十五日)

大元帅令

海军特派员杨虎另有任用,应免本职。此令。

中华民国十二年六月廿五日

据《大本营公报》第十七号

任命杨虎职务令

(一九二三年六月二十五日)

大元帅令

任命杨虎为大本营参军。此令。

中华民国十二年六月廿五日

据《大本营公报》第十七号

官产沙田两清理处仍归财政厅管辖令

（一九二三年六月二十五日）

大元帅令

官产清理处及沙田清理处着仍归财政厅管辖处理。此令。

中华民国十二年六月廿五日

据《大本营公报》第十七号

给梅光培的训令

（一九二三年六月二十五日）

大元帅训令第二〇八号

令广东全省官产清理处处长梅光培

据大本营秘书处案呈：大本营内政部公函内称："现接广府学宫明伦堂黄福元等来函：'请令行官产清理处，凡郡学宫墙界内地方，勿予投变'等语。查所称未悉已否另呈大元帅钧察，兹将原函送达贵处，即烦转呈大元帅核阅，仍发回为荷"等语，并将黄福元等原函转呈核阅前来。除令秘书处函知内政部，广州学宫墙界内地准予令饬广东全省官产清理处不得投变外，合行令仰该处长即便遵照办理。黄福元等原函抄发。此令。

中华民国十二年六月廿五日

据《大本营公报》第十七号

给王棠的指令

（一九二三年六月二十五日）

大元帅指令第二七八号

令大本营会计司司长王棠

呈请将各军饷项及各机关经费划给财政部发给由。

呈悉。前据呈请再令各收入机关迅速解款，业经分别令催。现值军事紧急之际，该司长勿得推延卸责，所请碍难照准。此令。

中华民国十二年六月廿五日

据《大本营公报》第十七号

致三藩市总支部等海外党部电

（一九二三年六月二十六日）

美国三藩市、加拿大总支部、雪梨支部：据上海本部函称：“财政支绌，前恃广州接济，沈、陈两逆叛后，军饷紧急，无可挪移，本部益窘”等语。现时北京扰乱，本部在沪应付时局，需款尤急，希将所属年捐党金，速行扫数电汇沪本部，以资接济而维党务。孙文。宥。

据《国父全集》第四册（转录《本部公报》第十九号）

任命姚雨平职务令

（一九二三年六月二十六日）

大元帅令

特派姚雨平为惠州安抚使。此令。

中华民国十二年六月廿六日

据《大本营公报》第十七号

准任郑洪铸职务令

（一九二三年六月二十六日）

大元帅令

大本营内政部长徐绍桢呈请任命郑洪铸为大本营内政部科长。应照准。此令。

中华民国十二年六月廿六日

据《大本营公报》第十七号

准任叶佩瑜职务令

（一九二三年六月二十六日）

大元帅令

大本营内政部长徐绍桢呈请任命叶佩瑜为大本营内政部科长。应照准。此令。

中华民国十二年六月廿六日

据《大本营公报》第十七号

任命刘铁城黄仕强职务令

(一九二三年六月二十六日)

大元帅令

任命刘铁城为大本营财政部第二局局长;黄仕强为第三局局长。此令。

中华民国十二年六月廿六日

据《大本营公报》第十七号

准黄仕强辞职令

(一九二三年六月二十六日)

大元帅令

大本营内政部长徐绍桢呈大本营内政部科长黄仕强恳请辞职。应照准。此令。

中华民国十二年六月廿六日

据《大本营公报》第十七号

发给杨大实公费及川资令

(一九二三年六月二十六日)

着会计司发给杨大实六、七、八等月公费六百元,并川资四百元,合共壹千元。此令。

孙　文

中华民国十二年六月二十六日

据《国父全集》第四册(转录史委会藏原件)

致两院议员电*

(一九二三年六月二十七日)

北京民党议员通讯处转两院议员鉴:艰苦备尝,始终不渝,民党精神,惟寄国会。此次时局陡变,大盗横行,暴力之下,已无国会行使职权之余地。亟应全体南下,自由集会,以存正气,以振国纪。兹特派汪君精卫驻沪招待;刘君成隅〔禺〕、符君梦松北上欢迎。请毅然就道,联袂出京,无任盼切。

据《晨报》一九二三年六月二十八日《孙文又来拉拢国会》

给王棠的训令二件

(一九二三年六月二十七日)

一

大元帅训令第二一二号

令大本营会计司司长王棠

据卸大本营建设部长邓泽如呈称:"泽如奉钧命特任为大本营建设部长等因。泽如遵于四月十一日就职,开始办公。除呈报在案外,所有开办费贰千元即由泽如先行借垫开支,该项计算书表容

---

* 此系孙中山发给在北京的国民党议员王用宾、彭养光、王恒、焦易堂等转两院议员的电报。原文无日期,今据《晨报》有关报道而定。

当呈报核销。兹值交代，理合具文及出具印领，呈请钧帅俯赐鉴核，饬司发给，以归垫款而清手续，实为公便”等语，并具印领前来。除指令照准外，合行令仰该司长查照发给。印领并发。此令。
中华民国十二年六月廿七日

二

大元帅训令第二一三号

令大本营会计司司长王棠

据兼大本营财政部长邓泽如呈称："泽如奉钧命特任兼大本营财政部长等因。泽如遵于三月二十一日就任兼职，开始办公。除呈报在案外，所有开办费贰千元，即由泽如先行垫借开支，该项计算书表容当呈报核销。兹值交代，理合具文及出具印领呈请钧座俯赐鉴核，饬司发给，以归垫款而清手续”等语，并具印领前来。除指令照准外，合行令仰该司长查照发给。印领并发。此令。
中华民国十二年六月廿七日

据《大本营公报》第十七号

给各军长官的训令

（一九二三年六月二十七日）

大元帅训令第二一四号

令各军长官

据广东财政厅长邹鲁呈称："窃维粤省频年军兴，需饷浩繁，计吏穷于搜括，民力日以颓敝，与言理财固戛乎其难。矧以此次军兴，义军蜂起，机关分立，事权未能统一，举凡职厅直辖省内外各属厘税饷捐收入，悉为各驻防军队收办，饷款概行截留，省库几同守府。筹饷者志穷力竭，索饷者纷至沓来。无米成炊，巧妇有难为之叹；点金乏术，司农兴仰屋之嗟。若不亟图整理，破碎堪虞，于财政前途固日形棼乱，而于军民两政亦关系匪轻。厅长奉命危难之间，受事以来，殚精竭虑，以为当今急务，舍统一财政其道末由，惟有就据报各军收办厘税饷捐情形，分别开列清单呈请钧座鉴核。俯赐通令各军司令，对于职厅直辖各属厘税饷捐，如已派员或另招商承者，立予撤销，一律交回职厅办理，饷项应径行缴厅，勿得截留。所有请领各军军饷，应向大本营具领。其距省窎远各军，如须提拨饷项，并应先行报由职厅核准后，方可截留，以维统一而明系统。除呈请省长察核外，理合具文呈请鉴核，指令祇遵"等情前来。查收入必须统一，支出始有准绳。该厅长所呈，系属实在情形，除指令照准外，合行令仰该总司令、军长、司令转饬所属一体遵照。凡有截留各属厘税饷捐等项，迅即交回财政厅办理。应领军饷，由该长官造具清册，呈报大本营核发。切切。此令。

中华民国十二年六月廿七日

据《大本营公报》第十八号(一九二三年七月六日出版)

给廖仲恺杨希闵的训令

(一九二三年六月二十七日)

大元帅训令第二一五号

令广东省长廖仲恺、兼卫戍总司令杨希闵

前因广州市内竟有白昼抢劫情事，惊扰闾阎，妨害治安，经令行该省长、兼卫戍总司令督饬所属一体严防密查。遇有枪〔抢〕劫案犯一经拿获讯明，即依军法从事在案。近闻更有冒充军人，擅自逮捕商民，或入民居搜索，或滥封船渡，或强拉伕役等类情事，愈堪痛恨。兹颁发《临时军律》六条开列于后，合行令仰该省长转饬公安局兼卫戍总司令执行，并出示布告，俾众周知。除分令外，仰即遵照办理，以安闾阎，而清匪患。切切。此令。

临时军律

一、抢劫财物者枪决。

一、冒充军队及不知会警察，擅自拉伕者枪决。

一、未奉长官命令，不知会警察，擅自逮捕商民或入铺屋搜索者枪决。

一、不经由兵站，擅自封用船渡者枪决。

一、强占商民铺屋者枪决。

一、掳人勒索及打单①吓诈者枪决。

中华民国十二年六月二十七日

据《大本营公报》第十八号

发给永翔楚豫两舰伙食公费令

（一九二三年六月二十七日）

着市政厅提前垫给永翔、楚豫两舰伙食公费共四千元。此令。

孙　文

① 打单：用写威吓信等手段勒索钱财，粤语称作打单。

民国十二年六月二十七日

据《研究中山先生的史料与史学》中许师慎《〈国父全集〉未刊载之重要史料》

委派黄建勋职务令

（一九二三年六月二十八日）

大元帅令

派黄建勋为西江船舶检查所所长。此令。

中华民国十二年六月廿八日

据《大本营公报》第十八号

给伍朝枢的训令

（一九二三年六月二十八日）

大元帅训令第二一六号

令大本营外交部长伍潮〔朝〕枢

据大本营驻江办事处全权主任古应芬漾电称："帅座删电敬悉。'所请照九年成案，速设西江船舶检查所，截断敌人交通之处，应予照准'等因。奉此，自应遵照筹设，业由本处派琼海关监督兼交涉员黄建勋办理。应请帅座加给委派黄建勋为西江船舶检查所所长，以专责成，并请知会各国领事查照"等情前来。除电复照准并令派外，合行令仰该部长转饬照会各国领事查照。此令。

中华民国十二年六月廿八日

据《大本营公报》第十八号

要求列强撤销承认北京政府之对外宣言*

（一九二三年六月二十九日）

比年以来，军阀肆祸，中国骚然，人民受害，水深火热，情状之惨，殆难言罄。临城劫车一案，外人诧为奇闻，吾民则司空见惯，类此之案，且未可更[仆]数。试观临城四周百英里以内，北方军阀奄有五省之地，拥有五十万之兵，而尚出此巨案，其祸国殃民，颟顸偾事为何如耶？

一年以来，北方政状之滑稽，有甚儿戏。所谓总统、总理、阁员者，爱之则呼之使来，恶之则挥之使去。一举一措，惟意所欲，以营其私利，填其欲壑，其败坏纲纪，任性妄为为何如耶？吾民对此万恶之军阀，靡不异口同声表示厌恶。喁喁之望，厥惟南北统一与地方和平。

文熟察国民心理，以为今日救国之道，莫急于裁无用之兵，而立一统一强有力之政府。故于去岁建议招集军政各方领袖，会议救国方案，如裁撤全国过量之兵，使操生产工作也；组织一能得各省拥护而又能行使职权之开明的、进步的、民治的政府也；规定中央及各省建设程序也；解决有关于将来之和平幸福及中央与各省之权限分配各政治问题也。凡此诸端，北方军阀虽不敢昌言反对，而暗中阻挠，藉词推诿，无所不用其极。盖上列各案实行，则彼辈

---

* 原标题为《大元帅对外宣言》。本宣言于上月二十六日由孙中山主持讨论并由伍朝枢用英文拟定。

失其凭借挟持之具，故与彼辈谋裁兵，无异与虎谋皮也。不宁惟是，彼辈迷信其武力主义，近且资助叛将，遣派军队以扰乱粤、川、闽诸省，其蔑视国民公意，彰明较著矣。然则彼辈果何所恃耶？亦因其蟠踞历代中央政府所在地，藉得列强之承认耳。北京政府职权不行，责任不属，法律事实两无可言，国民视之有如无物。然而列强尚承认之，得无存一慰情胜无之思，以为国际交涉之地乎？列强承认北庭，即不啻予北庭以精神上、物质上之援助，彼辈遂藉为荼毒吾民之资，否则北庭不可以一朝居，可断言也。列强固声言不干中国内政者，按之事实，竟强置全国否认之政府于吾民之上矣。华盛频〔顿〕会议固决议给中国以完满之机会，使得自由发展，并维持一有力之政府者，竟妨碍之，使不能实现矣。战争延长，秩序紊乱，即列强之商务亦受巨大之损失矣。凡此种种，列强或未计及欤？即以交涉言之，承认北庭，于列强使馆亦无何等便利。盖北庭不能行使职权，有事仍须与各省交涉，始克了结，虽有政府如无也。溯满清既倒，民国肇兴，列强未承认民国之期凡二十月，国际交涉无不便之感也。使北庭无列强之承认，则彼军阀辈威信扫地，饷源无出，其必赞成裁兵统一无疑。比者北庭轩然大波，陷于无政府状态，各派惟知互争虚荣，正宜保留承认，待有能代表全国而又为各省拥戴之政府产出，然后再予承认。吾民无他望，惟愿列强不干内政，严守条约，同谋列强之利益而已，列强其留意焉。

中华民国十二年六月二十九日

大元帅孙文

外交部长伍朝枢

据《大本营公报》第十九号（一九二三年七月十三日）

致□□电*

（一九二三年六月二十九日）

俭电悉。自兄行后，我已将中国大局长为考虑，觉得与段合作不过比较上或善耳，仍不能彻底以行吾党之主义。故对段之事只有十分水到渠成，毫无障碍方可允之。若尚要费力，则不如将现在时局放去一切，另图根本之改革，故拟粤中军事大定之后，则亲赴俄、德一行，以定欧亚合作之计划，以为彻底之革命。望兄注意：如段事不洽，则对国会、对黎、曹皆主不问，并请速回为荷。孙文。艳。

据中国革命博物馆藏原件

任命魏邦平兼职令

（一九二三年六月二十九日）

大元帅令

任命魏邦平兼广东西江戒严司令。此令。

中华民国十二年六月廿九日

据《大本营公报》第十八号

---

* 原件收电人不明。当时与北方各反直实力派的联络工作主要由汪精卫负责，查汪于本年六月二十一日受派赴上海与反直各派商洽应付北方政局，有国会南迁、黎元洪复职及段祺瑞出山之拟议。据电文中指示谈判方略的语气与提到孙中山设想的计划，受电人似系汪精卫。

致长洲要塞司令电*

(一九二三年六月三十日)

电令长洲要塞司令:永翔、楚豫两舰开往西江助战。明后两日当过长洲,着该司令放行。此令。孙文。

据谭编《总理遗墨》第一辑

给曾唯等委任状

(一九二三年六月三十日)

委任曾唯为中国国民党上海第四分部正部长,赵毓坤为中国国民党上海第四分部评议部正议长,罗立荣为中国国民党上海第四分部评议部副议长;刘恢汉为山姐咕中国国民党分部正部长,黄晋三为山姐咕中国国民党分部副部长,李耀阶为山姐咕中国国民党分部评议部正议长,黄荣新为山姐咕中国国民党分部评议部副议长。此状。

总　　　　理(印)
总务部部长彭素民副署
代理党务部部长孙镜副署
财务部部长林业明副署
宣传部部长叶楚伧副署
交际部部长张秋白副署

据《国父全集》第四册(转录《本部公报》一卷二十四号)

---

* 原件未署时间,按两舰赴西江助战事在七月二日,故定为六月三十日。时长洲要塞司令为苏从山。

给黄俊林织云委任状

（一九二三年六月三十日）

委任黄俊为中国国民党上海第四分部党务科主任；林织云为山姐咕中国国民党分部党务科主任。此状。

总　　　　　　　理(印)

总务部部长彭素民副署

代理党务部部长孙镜副署

据《国父全集》第四册(转录《本部公报》一卷二十四号)

给张少繁郑明琨委任状

（一九二三年六月三十日）

委任张少繁为中国国民党上海第四分部会计科主任；郑明琨为山姐咕中国国民党分部会计科主任。此状。

总　　　　　　　理(印)

总务部部长彭素民副署

代理党务部部长孙镜副署

据《国父全集》第四册(转录《本部公报》一卷二十四号)

给石顺豫关崇掀委任状

（一九二三年六月三十日）

委任石顺豫为中国国民党上海第四分部宣传科主任；关崇掀

为山姐咕中国国民党分部宣传科主任。此状。

总　　　理(印)

总务部部长彭素民副署

宣传部部长叶楚伧副署

据《国父全集》第四册(转录《本部公报》一卷二十四号)

给罗桓等委任状

(一九二三年六月三十日)

委任罗桓为中国国民党上海第四分部总务科主任,苏效良、刘国定、何渊、周传祎、韩仁举、祁光华、李代斌、徐天趣为中国国民党上海第四分部干事;谭淦明为山姐咕中国国民党分部总务科主任,谭毓云为山姐咕中国国民党分部执行部书记,孙悦初、赵庆平、周传权、周玉堂为山姐咕中国国民党分部干事,杜朝为山姐咕中国国民党分部评议部书记,关崇裀、谭宪谋、谭尧阶、周积旺、谭子垣、余敦棠、刘禄、关崇樵、刘观华为山姐咕中国国民党分部评议部评议员。此状。

总　　　理(印)

总务部部长彭素民副署

据《国父全集》第四册(转录《本部公报》一卷二十四号)

委派程壮职务令

(一九二三年六月三十日)

大元帅令

派程壮为大本营出勤委员。此令。

中华民国十二年六月卅日

据《大本营公报》第十八号

准任梁桂山职务令*

（一九二三年六月三十日）

大元帅令

大本营内政部长徐绍桢呈请任命梁桂山为大本营内政部科长。应照准。此令。

据《大本营公报》第十八号

准任陈灏职务令

（一九二三年六月三十日）

大元帅令

大本营兵站总监罗翼群呈请任命陈灏为大本营兵站第二支部长。应照准。此令。

中华民国十二年六月卅日

据《大本营公报》第十八号

准任陈长乐伍大光职务令

（一九二三年六月三十日）

大元帅令

大本营外交部长伍朝枢呈请任命陈长乐、伍大光为大本营外

* 本件在《大本营公报》未署时间，今据该公报发表此件时的编次酌定。

交部秘书。应照准。此令。
中华民国十二年六月卅日

据《大本营公报》第十八号

准任王祺等职务令

（一九二三年六月三十日）

大元帅令

大本营军政部长程潜呈请任命王祺、李隆建、邹建庭为大本营军政部秘书；姚大慈为大本营军政部纂译官；马骧为大本营军政部高级副官；云瀛桥、冯宝森、黄培燮、李济汶、沈重熙、宁坤、李明灏、姚大愿、潘培敏为大本营军政部科长；梁祖荫为大本营军政部军法处委员长。均照准。此令。
中华民国十二年六月卅日

据《大本营公报》第十八号

任命陈其瑗职务令

（一九二三年六月三十日）

大元帅令

任命陈其瑗为大本营财政部总务厅长。此令。
中华民国十二年六月卅日

据《大本营公报》第十九号

任命张识尘职务令

（一九二三年六月三十日）

任命张识尘为大本营咨议。此令。

中华民国十二年六月卅日

据《大本营公报》第十九号

准任卢谔生等职务令

（一九二三年六月三十日）

大元帅令

大本营财政部长叶恭绰呈请任命卢谔生、汪宗准、杨志章为大本营财政部秘书。应照准。此令。

中华民国十二年六月卅日

据《大本营公报》第十九号

准任黄乐诚等职务令

（一九二三年六月三十日）

大元帅令

大本营财政部长叶恭绰呈请任命黄乐诚、李景纲、邬庆时、廖朗如、张沛、梅放洲、沈欣吾、徐承燠、梁廷槐、鲍鑅、朱景丰、梁仿咨为大本营财政部科长。应照准。此令。

中华民国十二年六月卅日

据《大本营公报》第十九号

给王棠的训令

（一九二三年六月三十日）

大元帅训令第二一七号

令大本营会计司司长王棠

据前兼理大本营财政部长邓泽如呈称："窃职部五月份职员薪俸及一切经费，业经列表呈请饬司核发，邀准在案。兹将六月份职员薪俸及一切经费，计自一日起至交卸之一日止，共二十四天，应由泽如请领支给，理合造具预算表呈请钧核，伏乞俯赐饬司照发，以便转给支领，实为公便"等语，并造具预算表前来。除指令照准外，合行令仰该司长查照发给。预算表并发。此令。

中华民国十二年六月卅日

据《大本营公报》第十八号

给张开儒程潜的训令

（一九二三年六月三十日）

大元帅训令第二一八号

令大本营参谋长张开儒、大本营军政部长程潜

据兵站总监罗翼群呈称："窃准中央直辖湘粤联军总司令张开儒公函内开：'现奉大元帅命令移驻北江，出发在即，所需给养及各种军用物品，列表函请发给到部。'伏查来表所列给养物品量数，如米、盐、草鞋等物，与职部原有规定略有出入，且该部系新编军队，

所有给养物品等项，应否给予，未奉明令，未敢擅便。准函前由，理合照录来表，呈请睿鉴衡核，指令饬遵”等情前来。查此等名称并〔未〕经任命，应立即取消，除分令外，仰即遵照办理。此令。

中华民国十二年六月卅日

据《大本营公报》第十九号

给罗翼群的指令

（一九二三年六月三十日）

大元帅指令第三〇二号

令大本营兵站总监罗翼群

呈为湘粤联军总司令张开儒所部系新编军队应否给发给养、物品等项，乞指令遵行由。

呈悉。查此等名称，并未经任命，应立即取消。业令行大本营参谋处暨军政部遵照办理。仰即知照。此令。

中华民国十二年六月卅日

据《大本营公报》第十九号

发给航空局修理机场费令

（一九二三年六月三十日）

着会计司发给航空局修理机场费五百元。此令。

孙　文

中华民国十二年六月三十日

据中山大学孙中山纪念馆藏原件

给四川讨贼军将领的训令*

（一九二三年六月）

此次川〔直〕系军阀勾结川省不肖军人扰乱川境，妄希以武力统一全国，逆军所至，闾里骚然，人民何辜，丁兹酷毒，本大元帅和平统一之旨，亦被此辈阴谋阻害进行，不获早与吾民休息。所幸该总司令等，赫然振旅，兴师讨贼，不出旬日，成都克复，西北底定，远道闻之，至为嘉慰。惟东路余孽，尚未肃清，吾民日在水深火热之中，莫由救护，每一念及，隐忧如捣。今北变突兴，黎氏亡走，曹锟觊觎非分，不恤弁髦一切，专恃武力，凶威所播，足召灭亡。仰该总司令等迅率所部，扫清残寇，奠定川局，然后会师东下，申讨国贼。藐兹梗顽，不难平殄。并仰该总司令等传宣各师、旅、团官兵等同体时艰，勉纾国难。本大元帅有厚望焉。此令。

据上海《民国日报》一九二三年六月三十日
《大元帅训令川中将领》

任命邓慕韩职务令

（一九二三年六月）

邓慕韩广东宣传局局长。

据《国父全集》第四册（转录史委会藏抄件）

---

* 本件报载未署时间，据所提及曹锟迫走黎元洪与成都克复等事实，发出时间当在六月。受电者当为孙中山所任命的川军讨贼军总司令熊克武等。

本卷编后说明

《孙中山全集》第七卷的编辑工作由中山大学历史系孙中山研究室承担，陈锡祺主编，段云章、郭景荣、邱捷编辑。出版前，由中华书局编辑部负责审阅全稿。

本卷在搜集资料和编辑过程中，承中国社会科学院近代史研究所、广东省社会科学院历史研究所、北京图书馆、中共中央宣传部图书资料室、中国革命博物馆、上海图书馆、上海社会科学院历史研究所、上海社会科学院图书馆、上海复旦大学、上海辞书出版社、华东师范大学图书馆、上海孙中山故居、中国第二历史档案馆、广东省中山图书馆、广州市博物馆、广东省档案馆、广东省政协、广东省中山市翠亨村孙中山故居、重庆北碚图书馆、四川文史馆、云南省档案馆、云南省历史研究所、贵州省档案馆、贵州省图书馆等单位提供资料和线索，给了我们很大帮助和支持。对于给本卷的编辑和出版工作以帮助的单位和个人，谨在此致以最诚挚的谢意。

编　者

一九八三年十月